DE LAATSTE WENS VAN DE BOERIN

Clemens Wisse

De laatste wens van de boerin

Uitgeverij Westfriesland

Eerste druk in deze uitvoering 2006

NUR 344
ISBN 90 205 2770 3

Copyright © 2006 by 'Westfriesland', Hoorn/Kampen
Omslagillustratie: Jack Staller
Omslagontwerp: Van Soelen, Zwaag

HOOFDSTUK 1

„Wat zit je daar nou te suffen, heb je niks meer te doen?" Het is de norse stem van Coba Tuling, eerste meid bij de rijke familie Van Nisperden, die Tonnie Pasman ruw uit haar gemijmer haalt.

Als door een wesp gestoken springt Tonnie op en gaat gauw door met het werk waar ze mee bezig was. Zij heeft juffrouw Tuling niet aan horen komen en ze schrikt zich dan ook een hoedje. Het komt niet vaak voor dat zij midden op de dag haar handen in haar schoot legt en gaat zitten tobben. Tobben over wat er allemaal gebeurd is en over wat de toekomst zal brengen. Het eerste vervult haar met verdriet en het tweede met zorg. Veel steun en begrip ondervindt zij niet van Coba Tuling, terwijl ze die toch zo hard nodig heeft.

„Ik dacht even aan alles wat er gebeurd is, juffrouw Tuling," verontschuldigt Tonnie zich.

„Je kunt niet altijd blijven treuren; het leven gaat door en je moet overal je handen laten wapperen," is het botte weerwoord van Coba, de ouwe vrijster die haar gevoel kennelijk lang geleden verloren heeft.

Tonnie buigt gedwee haar hoofd en gaat door met het schuren van de pannen. Maar hoe ze zich ook op haar werk probeert te concentreren, de sombere gedachten raakt ze niet kwijt.

In gedachte zet ze de klok vier jaar terug en is ze weer thuis met vader, moeder en de broers Jan en Gerrit. Met haar veertien jaar moet ze hard werken, want haar moeder is zwaar ziek. Zij is een nakomertje; haar broers zijn al over de twintig. Ontroostbaar is ze als moeder komt te overlijden. Als kort daarop Jan gaat trouwen en Gerrit in Duitsland gaat werken, blijft ze alleen met haar vader achter. Ze heeft plotseling tijd over en dus zoekt ze een dienstje als dagmeisje bij de vrouw van de dorpstimmerman. Dat gaat drie jaar goed, maar dan slaat het noodlot toe en wordt haar vader doodgedrukt door een woedende stier op de hoeve waar hij knecht is. Het huisje waarin zij dan nog alleen woont, heeft de boer nodig voor een nieuwe knecht en dus moet zij haar biezen pakken. Noodgedwongen neemt zij haar intrek bij haar opa en opoe die in een huisje van de dorpssmid, wonen. Opa is knecht bij de dorpssmid. Hij is al bij de zeventig, maar hij staat zijn mannetje nog. Opoe is bedillerig en kortaf. Gelukkig heeft zij overdag haar dienstje bij de vrouw van de timmerman, maar toch houdt ze het maar een jaar vol bij haar grootouders. Als ze bij haar bazin een advertentie in de krant leest, waarin bij een rijke familie in de stad een tweede meid gezocht wordt, gaat ze eropaf en wordt aangenomen. Ze komt evenwel van de regen in de drup, want haar bedillerige opoe verruilt ze nu voor de norse en mopperende Coba Tuling. Met hangende pootjes teruggaan naar opoe wil ze niet.

„Wat hoor ik je mopperen, Coba, is er iets?" Het is mevrouw Sonja van Nisperden die de vraag aan haar eerste meid stelt. „Ton zit weer eens te suffen en daar kan ik niet tegen. Er moet gewerkt worden, mevrouw."

„Jonge meisjes hebben weleens dagdromen, er zal wel een jongen in het spel zijn," veronderstelt mevrouw Van Nisperden en glimlachend gaat ze terug naar de salon. Als zij de oude zure Coba vergelijkt met de frisse en knappe Tonnie, dan heeft ze voorkeur voor het jonge meisje. Zij kent de achtergronden van de twee. Ze weet dat Tonnie het leed van haar te vroeg gestorven ouders met zich mee torst en dat Coba zonder de liefde en steun van een man door het leven moet. Vergeleken bij die twee vrouwen heeft zij het getroffen. Haar man, Govert van Nisperden, is niet alleen goed en lief, maar hij is bovendien schatrijk. En dan heeft ze ook nog twee lieve kinderen, waarvan alleen de jongste, Albert, nog thuis is. Thuis is een groot woord, want hij studeert in Delft en is daar in de week op kamers. Haar dochter is inmiddels getrouwd en erg gelukkig.

„Jong en dagdromen, het zou wat," moppert Coba als mevrouw weg is. Tonnie buigt zich nog dieper over het werk en krijgt een kleur tot in haar nek. Zij kent Coba. Als die zo'n bui heeft, moet zij het ontgelden en dat blijkt al gauw, want de rest van de dag moet zij de smerigste karweitjes opknappen. Coba is boos op mevrouw, die het standje dat zij Ton geeft, afdoet als gemopper en het gesuf van die meid nog goedpraat ook.

Doodmoe rolt Tonnie die avond in haar bed, maar de slaap kan zij toch niet meteen vatten. Ze vindt het dom van zichzelf midden op de dag te gaan zitten suffen, maar als ze met een werkje bezig is waarbij zij haar gedachten de vrije loop kan laten, dan vallen haar handen soms vanzelf stil. Haar ouders zijn dood en met haar twee broers heeft ze nauwelijks contact. Als kind lag ze al in bed als de twee van hun werk thuiskwamen en ze was nog maar net kind af toen ze al vertrokken. Broer Jan en diens vrouw ziet zij een doodenkele keer, maar van Gerrit, die in Duitsland werkt, hoort ze nooit iets. Haar thuis is nu de grote villa van de rijke industrieel Govert van Nisperden. Zij heeft er een piepklein kamertje tot haar beschikking. Vreemd eigenlijk dat zij het met zo'n klein kamertje moet doen, terwijl er wel vijf kamers in het grote huis bijna nooit gebruikt worden. Ze zijn voor gasten die soms blijven logeren na een feest of visite. Als er gasten zijn geeft dat altijd veel drukte. Gelukkig komt Rie Loos dan een middag extra om te helpen. Rie is voor het ruwe werk en ze komt doorgaans twee middagen in de week. Zij is de tegenpool van Coba. Goedlachs, lief en behulpzaam. Ja, Tonnie is blij als Rie komt, want dan heeft ze wat aanspraak. Met meneer heeft ze geen enkel contact en met mevrouw ook weinig, want die regelt alles met Coba. De enige in het gezin die vrolijk en vrij met haar omgaat is Albert. Maar hij is dan ook een leeftijdgenoot. Wel moeten ze oppassen dat Coba niet in de buurt is, want dan krijgt ze knorren. „Je moet met de jonge meneer Albert niet zo vrijpostig omgaan, meissie," moppert ze dan. Tonnie gaat er dan maar niet tegen in, want Coba moet toch altijd het laatste woord hebben. Zeggen dat het Albert zelf is die begint, heeft ze één keer gedaan, maar toen kreeg ze het verwijt dat ze niet met haar gat moet lopen draaien als de jongeheer in de buurt is. Ze is zich van geen kwaad bewust en ze is ook niet van plan zich anders tegenover Albert te gaan gedragen. Albert is spontaan en aardig. Hij kan het ook niet helpen dat hij een schatrijke vader heeft. Jammer vindt ze dat eigenlijk, want ze voelt haar hartje sneller slaan als hij in de buurt is. Maar evenmin als de dochter van een daggelder in haar dorp met een boerenzoon trouwt, trouwt een dienstbode in de stad met een rijkeluiszoontje. Met de gedachte dat Albert de volgende dag, want dan is het zaterdag, weer voor twee dagen thuiskomt, valt zij eindelijk in een droomloze slaap, waaruit ze pas ontwaakt als de wekker begint te ratelen. Gapend slaat ze de dekens open en gaat zich wassen in de kom van het lampetstel. De logeerkamers hebben stromend water, maar zij moet het doen met een ouderwets lampetstel. Echt erg vindt ze dat niet, want thuis en bij opa en opoe was ze niet anders gewend. Bij haar ouders zelfs minder, want daar stond altijd een emmer op de put, waar je je gezicht in kon wassen. Alleen als het vroor werd de emmer naar binnen gehaald. Voor haar ouders was een lampetstel zelfs te deftig!

„Ik dacht dat je ging zingen," grapt Albert als hij die morgen even de bijkeuken in loopt en Tonnie ziet zitten gapen.
„Zingen? Ik?" Tonnie kijkt de jonge student verbaasd aan.
„Ik hoor je liever zingen dan dat ik je zie zitten gapen, hoor! Heb je slecht geslapen?"
„Gisteren heb ik hard gewerkt en ik kon niet goed in slaap komen. Er ging van alles door mijn hoofd. Ik denk dat ik wel een uur wakker gelegen heb."
„Lag je aan mij te denken?"
„Doe niet zo mal, meneer Albert!" Tonnie krijgt een kleur.
„Wanneer houd jij eens op mij meneer Albert te noemen. Ik voel me net een ouwe vent als jij dat doet."
„Wat moet ik dan zeggen?"
„Gewoon Albert natuurlijk. Ik noem jou toch ook niet juffrouw Tonnie."
„Ik ben hier maar de dienstbode."

„En wat zou dat? Voel je je daarom de mindere?" Albert windt zich kennelijk op.

„Juffrouw Tuling heeft al eens gezegd dat ik niet zo vrijpostig met u mag omgaan en haar moet ik gehoorzamen."

„Die zure tang!" bromt Albert.

„Jij zegt voortaan gewoon Albert en jij en jou, begrepen?"

„Als juffrouw Coba erbij is, durf ik dat niet, hoor!"

„Juffrouw Coba, juffrouw Coba!" Albert ijsbeert heen en weer in de keuken. Zo'n hekel hij aan de zure ouwe vrijster heeft, zo gecharmeerd is hij van de mooie Tonnie. Eerder verlangde hij naar het weekeinde om zijn ouders weer te zien, maar nu doemt telkens het beeld van Tonnie Pasman voor hem op als hij aan thuis denkt. Hij moet proberen zijn gevoelens in toom te houden, want het liefst zou hij het mooie meisje in zijn armen sluiten, maar dan zou ze zeker nog meer schrikken. Natuurlijk weet hij best dat vooral zijn vader woedend zou zijn als hij serieus werk van Tonnie zou gaan maken, maar waarom eigenlijk? De man is schatrijk. Wat maakt het dan uit of hij met een arm of een rijk meisje trouwt. Ja, trouwen zou hij graag met Tonnie. Een mooier en liever meisje bestaat er voor hem op de hele wereld niet. En dat lieve meisje moet zich afbeulen in dit huis en zich maar alles van die zure en lelijke Coba laten welgevallen. Als hij zelf iets aardigs tegen Tonnie zegt, dan krijgt ze een kleur en dat maakt haar gezichtje nog knapper en liever. Zou ze ook wat om hem geven? Hij betwijfelt of het wel zo verstandig is dat te hopen.

„Wat loop je nou weer te sjouwen met die mand met schoenen," moppert Albert als Tonnie gewoon doorgaat met haar werk.

„U wilt toch morgen wel met gepoetste schoenen naar de kerk, meneer Albert. Kijk, die van u zitten onder de modder." Zij kijkt de jongen die haar hart steeds sneller doet kloppen, met een olijk lachje aan, maar dan houdt ze haar hand voor haar mond en krijgt ze weer een kleur. „Oh, nou zeg ik het weer," stottert ze.

„Ja, ga je maar schamen, want je bent hardleers, hoor!"

„Ben je nou kwaad, Albert?"

„Nee, natuurlijk niet. Ik begrijp best dat het even moet wennen. Noem jij mijn vader en moeder maar meneer en mevrouw en van mijn part die lelijke Coba juffrouw, maar laat dat vormelijke bij mij alstjeblieft achterwege. Doe je het?"

„Ik beloof het, maar niet waar juffrouw Tuling bij is."

„Als beloning voor je belofte zal ik je helpen met schoenen poetsen." Albert trekt een krukje bij en pakt zijn eigen vuile schoenen uit de mand en wil meteen gaan poetsen, maar daar steekt Tonnie een stokje voor.

„Eerst moeten de schoenen met een vochtig lapje van het vuil worden ontdaan, Albert. Geef maar hier die schoenen." Terwijl Tonnie de schoenen van Albert van vuil ontdoet, pakt Albert een paar andere schoenen en begint er lukraak schoensmeer op te smeren.

„Ik zal ze eens mooi laten glimmen," glundert-ie. Hij vindt het gezellig zo met Tonnie samen bezig te zijn. Maar Tonnie schudt haar hoofd en zegt wel te zien dat hij dit werk niet gewend is. Ze doet hem voor hoe hij het moet doen en dan zit Albert vervolgens ijverig te poetsen. Maar dan schrikken ze beiden door de komst van moeder Sonja.

„Oh, zit jij hier," schrikt ze. „Ik zocht je overal. Waar ben jij nou mee bezig?"

Albert voelt zich duidelijk betrapt en dan verzint hij maar vlug dat hij zich schaamde voor zijn vuile schoenen en Tonnie even wilde helpen. „Ik kan Tonnie toch niet met mijn modderschoenen opschepen," zegt hij, maar aan het gezicht van zijn moeder ziet hij wel, dat zij het niet met hem eens is.

„Stop daar onmiddellijk mee, Albert. Tonnie heeft je er toch niet om gevraagd, neem ik aan. Of wel, Tonnie?"

„Nee, mevrouw, meneer Albert wilde het zelf." Zodra mevrouw op het toneel verschijnt vervalt ze meteen in haar onderdanige rol van dienstbode, maar het lieve lachje van Albert is haar niet ontgaan. Hij kijkt nog een keer om als hij achter zijn moeder de bijkeuken verlaat en knipoogt.

„Hoe haal jij het in je hoofd schoenen te gaan zitten poetsen?" vraagt moeder Sonja als ze samen in de salon zitten. „Je weet dat vooral je vader er een hekel aan heeft als je te familiair met het personeel omgaat."

„Ach, mama, wat steekt er nou voor kwaad achter als ik Tonnie een beetje help."

„Meer dan je denkt, jongen. Ik zie wel hoe jij naar dat meisje kijkt en je mag wel weten dat mij dat niet bevalt."

„Ik mag toch wel naar een knap meisje kijken."

„Jij mag naar knappe meisjes kijken, maar niet in de bijkeuken schoenen met hen gaan zitten poetsen."

„In de bijkeuken zit maar één meisje, hoor!"

„Jij begrijpt best wat ik bedoel, Albert. Vooral omdat Tonnie een knap meisje is, heb ik liever niet dat je te veel notitie van haar neemt."

„Mag ik wel notitie nemen van die zure ouwe Coba?"

„Jij steekt er de draak mee, jongen, en dat vind ik niet netjes van je."

„Neem me niet kwalijk, mama." Albert slaat zijn armen om zijn moeder heen en kust haar op beide wangen. „Zo goed? Ik ga naar Johan."

„Zot jong, maak dat je weg komt!" Sonja van Nisperden kijkt haar zoon na als hij de laan uit loopt op weg naar zijn vriend. Echt kwaad kan ze niet zijn op haar spontane zoon, maar hij mag zich niet meer bemoeien met Tonnie. Een mooi meisje, dat ziet zij ook wel en ze kan zich best voorstellen dat een gezonde jongeman graag naar haar kijkt. Maar zij kan zich ook voorstellen dat Albert verliefd wordt op dat meisje en dan zijn ze verder van huis. De manier waarop hij Tonnie aankijkt verraadt zijn gevoelens voor haar. Zuchtend gaat ze zitten en belt naar de keuken. Enkele tellen later steekt Coba haar hoofd om de hoek van de deur.

„Wat kan ik voor u doen, mevrouw?" vraagt ze.

„Wil je me een kopje koffie brengen, Coba?" De eerste meid knikt en komt even later met het gevraagde terug. Ze zet het blaadje neer en wil weer gaan, maar Sonja vraagt haar even

11

te gaan zitten. Coba voldoet aan dat verzoek en kijkt haar mevrouw vragend aan.

„Wilt u het werk al bespreken, mevrouw?"

„Nee, Coba, ik heb een verzoek aan je. Als Albert in de dienstvertrekken komt, dan moet je hem maar wegsturen."

„Maar meneer Albert laat zich door mij niet zomaar wegsturen, mevrouw." Coba schuifelt zenuwachtig heen en weer op haar stoel.

„Als je zegt dat je van mij de opdracht hebt, dan gaat hij wel."

„Goed, mevrouw." Coba staat op, maar ze draalt nog wat.

„Is er nog iets, Coba?" vraagt Sonja als ze de onzekerheid van de meid ziet.

„Is er iets voorgevallen waarom u het me vraagt, mevrouw?" Coba heeft haar vermoedens, maar die durft ze niet uit te spreken.

„Ik wil er geen drama van maken, Coba, maar ik heb liever niet dat Albert om Tonnie heen draait."

„Dat viel mij ook al op en ik heb Tonnie al onderhanden genomen."

„Tonnie kan er volgens mij niets aan doen, Coba." Sonja van Nisperden pakt haar boek weer op en dan begrijpt Coba wel dat het gesprek afgelopen is. Ze had mevrouw nog duidelijk willen maken dat Tonnie er wel degelijk iets aan kan doen. Niet voor niets heeft ze haar te verstaan gegeven niet zo verleidelijk te lopen als Albert in de buurt is. Nu mevrouw er zelf al over begonnen is, zal ze die meid extra in de gaten houden en als Albert in de dienstvertrekken komt, dan zal ze hem wegsturen.

„Wat heb jij rode ogen, Tonnie. Heb je gehuild?" De vraag wordt Tonnie gesteld door Rie Loos, die die dinsdagmiddag komt voor het ruwe werk. Coba is even weg voor een boodschap.

„Ik heb weer op mijn kop gehad, Rie," zegt Tonnie zacht en terwijl ze het zegt springen de tranen haar in de ogen.

„Heb je van Coba op je kop gehad?" Rie slaat beschermend

een arm om de schouders van het jonge meisje en drukt haar zacht tegen zich aan. Dit moederlijke gebaar ontroert Tonnie zodanig dat zij op een stoel bij de tafel gaat zitten en snikkend haar hoofd op haar armen laat vallen.

„Wat is er nou, kindje? Vertel het me maar, dat lucht op." Rie Loos kent de zure Coba en zij vermoedt dat het mens weer erg naar tegen het meisje gedaan heeft.

Eerst kan Tonnie geen woord uitbrengen, maar dan vertelt ze de oudere vrouw, waar ze veel van houdt, dat Coba haar de hele dag achter haar vodden zit en verwijten maakt. „Ik kan hier geen goed meer doen," snikt ze.

„Welke verwijten maakt ze je dan?" wil Rie weten.

„Ze zegt dat ik, door mijn manier van lopen, meneer Albert verleid."

„Door je manier van lopen?" Rie kijkt Tonnie verbaasd aan.

„Ze zegt dat ik met mijn gat loop te draaien en daardoor de jongen verleid."

„Het mens is gek! Trek je er niks van aan, Tonnie. Als ze je het vuur te na aan je schenen legt, kom je maar bij mij." Ze moeten hun gesprek beëindigen, want ze horen Coba komen.

„Wat doe jij hier in de keuken, Rie, moet je niet boven werken?" Coba steekt haar kin naar voren en dan weet Rie dat ze kwaad is.

„Ik moest Tonnie een beetje opbeuren, want als ik het goed begrijp zit jij dat kind nogal op haar huid."

„Daar heb jij niks mee te maken. Je moet je niet met mijn zaken bemoeien."

„Als dat kind verdrietig is mag ik haar toch wel een beetje troosten, want jij doet dat niet!"

„Je grote mond bevalt me niet, Rie. Pak je spullen maar en verdwijn. Een werkvrouw die zich met mijn zaken bemoeit en die nog een grote mond op de koop toe heeft, kan ik niet gebruiken."

„Maar het is mijn schuld, juffrouw Tuling," stamelt Tonnie. Ze is zich een ongeluk geschrokken van de beslissing van de eerste meid. Rie is in dit huis de enige vrouw bij wie ze haar hart kan uitstorten als het haar allemaal te veel wordt en nu moet uitgerekend die vrouw het veld ruimen.

„Jij moet je er al zeker niet mee bemoeien, want anders kun jij ook je biezen wel pakken."

„Ik ga al voordat er nog meer narigheid van komt," zegt Rie zacht. Ze geeft Tonnie nog een tikje tegen haar wang en dan is ze verdwenen.

„Ga jij gauw aan het werk en zit niet te grienen," moppert Coba op Tonnie als Rie weg is. Tonnie staat zuchtend op en doet wat Coba zegt. Ze mag zich nergens mee bemoeien, want anders vliegt zij er ook uit en wat dan? Waar moet ze heen?

Die avond ligt ze weer lang wakker. Albert hielp haar afgelopen zaterdag met schoenen poetsen en dat zinde mevrouw niet. Waarschijnlijk heeft ze er ook met juffrouw Tuling over gesproken, want anders kan zij de negatieve houding van de eerste meid niet verklaren. Misschien heeft mevrouw wel gezegd dat Albert niet meer in de dienstvertrekken mag komen en dan heeft ze niemand meer waar ze eens fijn mee kan praten. Rie weg en Albert onbereikbaar. Haar kussen wordt nat van de tranen. Lief van Albert dat hij haar wilde helpen bij het poetsen en jammer dat mevrouw het in de gaten had.

Het lieve lachje van Albert zal ze niet gauw vergeten. Lieve jongen, maar hem moet ze zeker uit haar gedachten bannen. Rie kan zij niet vergeten. Morgen heeft zij haar wekelijkse vrije avond en dan gaat ze naar Rie. Ze is er al enkele keren geweest en het is maar een kwartiertje lopen. Het is haar vrije avond en ze hoeft aan niemand verantwoording af te leggen wat ze ermee doet. Meestal blijft ze gewoon thuis, want buiten Rie kent ze niemand in de stad. Haar voornemen naar Rie te gaan kalmeert haar een beetje en ze kan dan ook slapen.

„Ik had je verwacht, Tonnie," zegt Rie hartelijk als ze ziet wie er die woensdagavond bij haar voor de deur staat. „Kom binnen, de koffie is bruin. Let niet op de rommel, want wij zijn bezig met bonen doppen."

„Voor morgen zeker," veronderstelt Tonnie, maar als ze in het kamertje komt kan ze haar ogen niet geloven. Het gezin zit geschaard rondom een grote teil en er staan zakken vol bonen in de kleine ruimte.

„Nee, voor de fabriek," helpt Rie haar uit de droom. „Cor werkt sinds kort bij de conservenfabriek en wij kunnen een aardig centje bijverdienen door bonen te doppen."

„Dan help ik wel een handje mee," biedt Tonnie aan, maar Rie vindt dat zij eerst maar een kom koffie moet drinken.

„Vertel me maar hoe het jou vergaan is na mijn vertrek. Coba heeft mijn zogenaamde grote mond toch niet op jou gewroken?"

„Er is verder niks gebeurd, Rie. Ik miste je erg en dus ben ik meteen gekomen."

„Je bent hier altijd welkom, hoor!" zegt Rie hartelijk. Haar vrees dat die nare Coba haar woede afgereageerd zou hebben op Tonnie, is gelukkig niet bewaarheid.

„Ik kan ook al goed bonen doppen, Tonnie," zegt kleine Beppie van zeven en trots laat ze Tonnie zien hoe ze het doet. „Kun jij het ook?" vraagt ze dan en daar moeten de anderen om lachen.

„Ja hoor, ik kan het ook en jij moet nog heel wat bonen doppen voordat je me ingehaald hebt," lacht Tonnie.

„Oh, maar ik ga nog een hele poos door, hoor!" En Beppie dopt weer ijverig verder.

„Jij gaat helemaal geen poos meer door, want het is kinderbedtijd, meissie," komt moeder Rie tussenbeide.

„Maar ik moet Tonnie nog vertellen van de lering in de kerk en over alles wat meneer pastoor verteld heeft over de hostie, want over een poosje word ik aangenomen."

„Vertel dat dan maar een andere keer, want Tonnie komt voor die tijd nog wel terug." Rie wil niet dat haar dochtertje de volgende morgen zit te gapen in de klas, maar Beppie bedelt er toch nog tien minuutjes bij. En dan pakt Cor zijn kleine zusje beet en zet haar op zijn sterke schouders om haar naar boven te dragen. Het is wel duidelijk dat broer Cor gek is op de kleine meid.

„Voorzichtig een beetje, Cor," maant Rie haar zoon en tegen Tonnie: „Die kent zijn eigen kracht niet en hij springt af en toe wel wat wild met Beppie om, zodat ze laatst zelfs haar hoofd gevoelig stootte."

„Heeft-ie alweer een sterke bokser verslagen?" wil Tonnie weten, want tegenover haar schept Cor graag een beetje op over zijn prestaties in de bokssport.

„Jij hebt toch laatst gewonnen van die grote knul van de Waardgracht, Cor," meent Rie zich te herinneren als haar zoon beneden komt.

„Wat heet gewonnen!" zegt Cor met een trots gezicht. „In de tweede ronde ging-ie al knock-out."

„Wat betekent dat, Cor?" Tonnie is niet zo vertrouwd met termen uit de bokssport.

„Dat-ie voor het vloertje ging."

„Noem dat maar sport," lacht Tonnie.

„En toch doe ik het liever dan bonen doppen." En dan spitst hij zijn oren en bromt: „Het is hiernaast weer hommeles."

„Och, is het weer zo ver?" Rie schudt met een zorgelijk gezicht haar hoofd. „De buurman is zonder werk en nou is-ie aan de drank. Toos, de buurvrouw, hoeft er maar iets van te zeggen of hij slaat de boel al kort en klein."

„Mijn handen jeuken om die vent een lesje te leren." Cor balt demonstratief zijn vuisten, maar moeder Rie maant hem tot kalmte. „Met geweld bereik je niks, jongen!" zegt ze. „Het is een doodgoeie vent, maar als hij te diep in het glaasje gekeken heeft, verandert hij in een woesteling. En weet je wat het gekke is? Morgenochtend kan hij zich er niks meer van herinneren en dan heeft-ie spijt."

„Maar drank kost toch geld! Hoe komt hij daar dan aan?" Tonnie vergeet haar eigen narigheid voor een moment bij het horen van zoveel ellende.

„Hoe hij aan het geld komt, weet ik niet. Wel weet ik dat Toos en haar drie kinderen in bittere armoe leven."

16

„Kan de buurvrouw dan ook niet wat bijverdienen met bonen doppen?"

„Dat heeft ze één keer geprobeerd, Tonnie, maar weet je wat er gebeurde?" Rie wordt er nog beroerd van als ze eraan denkt. „De buurman gooide met zijn zatte kop de zakken in de gracht en de conservenfabriek presenteerde die arme Toos daarvoor later de rekening."

„Oh, wat erg!" Tonnie is er helemaal confuus van. „Maar waar leeft dat gezin dan van, Rie?"

„Van de bedeling en een paar centen van de kerk. Jij weet dat ik vaak wat eten dat bij de familie Van Nisperden overbleef, mee naar huis nam. Eerst aten wij het zelf op, maar de laatste tijd gaf ik het eten aan Toos. Nu moet dat arme mens ook dat nog missen."

„Als het mag van Coba zal ik de restjes wel brengen," belooft Tonnie. „Nu gaat het eten dat overblijft toch maar de kiebelton in. De varkens hebben nog beter te eten dan je buren."

„Zeg Coba maar niet dat de restjes voor mij zijn, want dan mag je ze zeker niet meenemen," raadt Rie Tonnie aan.

Er wordt tijdens het bonen doppen over van alles en nog wat gepraat en zo vliegt de avond om.

„Ik loop wel even met je mee naar je dienst," zegt Cor als Tonnie aanstalten maakt om op te stappen, maar Tonnie vindt dat ze in geen zeven sloten tegelijk loopt.

„Blijf jij nog maar wat geld verdienen, ik red me wel, dag hoor!" En weg is ze. Ze vindt Cor een aardige knul, maar in de rol van galante ridder ziet ze hem toch liever niet. Aan de manier waarop hij naar haar kijkt ziet ze wel dat zij indruk op hem maakt.

„Nu Rie de etensresten niet meer meeneemt, mag ik ze dan hebben, juffrouw Tuling?" vraagt Tonnie de eerstvolgende keer dat ze een vrije avond heeft.

„Wat moet jij daar dan mee?" wil Coba weten. Dat Tonnie en Rie goed met elkaar overweg kunnen, is haar genoegzaam bekend. Ze vermoedt dat het eten voor Rie is.

„Het is voor een gebrekkige tante van me," verzint Tonnie, maar ze kan niet voorkomen dat ze een kleur krijgt.

„Hoe heet die tante en waar woont ze precies, Ton?" Coba kijkt haar hulp streng aan en als Tonnie begint te hakkelen, schudt ze haar hoofd. „Je jokt, Ton, beken het nou maar. Het eten is natuurlijk voor Rie bestemd."

De tranen springen Tonnie in de ogen. Nu heeft ze met haar verzinsels alles bedorven en zit die arme Toos en haar kindertjes nog zonder eten. „Nou, hoor ik nog wat!" dringt Coba aan en dan kan Tonnie zich niet meer goed houden en snikt ze het uit.

„Ik wil het naar Rie brengen, maar het is niet voor haar zelf maar voor haar buurvrouw," snikt ze.

„En daar sloof jij je voor uit en zit er nog bij te liegen ook," is het harde weerwoord van de zure ouwe vrijster.

„De buurman van Rie drinkt en er blijft dus geen cent over voor eten. Die mensen zitten in nood. Rie heeft met die moeder en haar drie kindertjes te doen en ik ook."

„Maar waarom zit je dan te liegen?"

„Ik was bang dat ik de restjes niet zou krijgen als u wist dat ze voor Rie bestemd zijn." Elke andere vrouw zou medelijden krijgen met het arme gezin en het leugentje om bestwil van een jong meisje door de vingers zien, maar Coba niet.

„Rie Loos wil de barmhartige Samaritaan uithangen en ze probeert jou voor haar karretje te spannen. Zeg Rie maar, dat dat feest niet doorgaat."

„Maar het eten gaat toch maar de kiebelton in, juffrouw Tuling," probeert Tonnie nog, maar dan wordt Coba nijdig.

„Maak jij hier de dienst uit of ik? Aan je werk en geen gezeur en zeker geen leugens meer, want anders vlieg jij er ook uit." En daar kan Tonnie het mee doen.

Er breken saaie en vervelende dagen voor Tonnie aan. Aan Coba heeft ze weinig aanspraak, want als die haar mond open doet volgen er opdrachten of aanmerkingen. Nee, leuker is het er niet op geworden nu Rie niet meer komt en ze ook Albert niet meer ziet. Maar dan is hij er plotseling weer.

„Lieve Tonnie, heb jij voor mij wat worteltjes?" Het is de vrolijke stem van Albert van Nisperden die Tonnie uit haar gemijmer haalt.

„Albert!" zegt ze verrast. De zoon des huizes heeft een rijbroek aan met hoge laarzen en hij heeft een zwart petje op.

„Waar heb jij die worteltjes dan voor nodig?" Coba is niet in de keuken en dus durft ze de overdreven beleefdheden achterwege te laten.

„Die heb ik nodig voor het paard."

„Maar het is nog lang geen sinterklaasavond, hoor!" proest ze en Albert lacht met haar mee, maar dan gaat de keukendeur open en staat Coba in het deurgat.

„Meneer Albert, ik moet u verzoeken de keuken te verlaten. De dienstvertrekken zijn verboden terrein voor u." Coba trekt haar gezicht in de plooi en ze ziet er ongenaakbaarder uit dan ooit. „Mevrouw, uw moeder, zal u dat wel verteld hebben."

„Ik kom alleen maar een paar worteltjes voor mijn paard vragen, Coba. Zet nou niet meteen je stekels op!"

„Niemand zet hier haar stekels op; ik voer alleen de opdrachten van uw moeder uit. Als u iets uit de keuken nodig hebt, dan kunt u bellen."

„Ja zeg, ik heb een paar gezonde benen aan mijn lijf, hoor! Maar ik ga al en zal bij de groenteboer wel een bos wortelen kopen." Met een verongelijkt gezicht verlaat Albert de keuken, maar de knipoog die hij Tonnie geeft, ontgaat de eerste meid niet.

„Jij bent ook hardleers, hoor!" zegt Coba nijdig als Albert weg is. „Je weet dat je afstand tot de familie moet bewaren, maar jij staat hier met meneer Albert te lachen of hij jouw gelijke is. Wat viel er dan te lachen?"

„Hij vroeg worteltjes voor het paard en toen zei ik dat het nog lang geen sinterklaasavond is en toen moesten we er beiden om lachen." De zure Coba kennende heeft Tonnie er weinig hoop op dat deze ook om het grapje zal kunnen lachen. En dat klopt ook wel, want de ouwe vrijster moppert nog even door en verlaat dan met een zuur gezicht de keuken. Maar even later komt ze terug met een envelop.

„De postbode heeft een brief voor jou bezorgd," zegt ze, Tonnie de envelop overhandigend.

„Een brief voor mij?" Tonnie scheurt de envelop gehaast open en dan ziet ze dat het een brief van opoe is. Ze schrikt als ze leest dat opa nogal ziek geweest is, maar als ze verder leest dat hij er langzamerhand weer bovenop komt, slaakt ze een zucht van verlichting. Met haar bedillerige opoe kan ze het niet zo goed vinden, maar van opa houdt ze erg veel. Opoe verwijt haar dat ze zich in geen maanden heeft laten zien en Tonnie trekt zich het verwijt aan, maar het is ook zo'n eind lopen heen en terug van de stad naar haar dorp. In de afgelopen wintermaanden kon ze er niet toe komen, maar nu het voorjaar in aantocht is, moet ze zondag maar eens gaan. Ze moet er met iemand over praten en dus besluit zij op haar vrije avond naar Rie Loos te gaan. Nadat ze, wat de etensrestjes betreft, nul op het rekest gekregen heeft, is ze er niet meer geweest. Ze schaamde zich ervoor met lege handen aan te komen, maar nu wil ze haar bezoek niet langer uitstellen. Ze wil Rie de brief laten lezen en er samen over praten. Ze heeft niemand anders!

„Ik dacht dat je ons vergeten was," zegt Rie verrast als Tonnie die avond bij haar voor de deur staat. „Kom erin en vertel me wat voor nieuws je hebt."

„Slecht nieuws, Rie. Wat er van tafel overblijft gaat, zoals gewoonlijk, de kiebelton in. Juffrouw Tuling wil niet hebben dat jij de barmhartige Samaritaan uithangt, zoals zij het noemt."

„Maar je zou toch niet zeggen dat het voor mij was."

„Mijn leugentje dat het voor een gebrekkige tante was, geloofde ze niet. Ze wilde weten hoe ze heet en waar ze woont en toen viel ik natuurlijk door de mand. Ik heb het verprutst, Rie, en die arme Toos is er de dupe van."

„Voor mijn part stikt die zure Coba erin. Trek jij je er maar niks van aan, hoor!" Rie slaat een arm om de schouders van

20

Tonnie als zij ziet dat het jonge meisje moeite heeft met haar tranen. „Kom mee naar binnen dan zal ik je een kop koffie geven voor de schrik. Het is niet zo'n lekker bakkie als in je dienst, want hier is ook schraalhans keukenmeester. De koffie van vanmorgen heb ik nog een keertje opgeschonken."

Ondanks het schrale bakkie is het gezellig in de kamer. Vader Karel doet een dutje in zijn oude rookstoel en kleine Beppie zit te punniken. Vanuit het achterkamertje klinkt dof gebonk. „Wat is dat gebonk dan?" vraagt Tonnie verbaasd en dan moet Rie lachen.

„Dat is Cor," zegt ze. „Hij heeft een grote leren zak opgehangen en daar oefent hij op."

„Oh ja, natuurlijk," herinnert Tonnie zich, „hij doet aan boksen, hè?"

„Houd er maar over op," lacht Rie, „hij staat ermee op en hij gaat ermee naar bed, maar als het een beetje meezit wordt hij districtskampioen." Dat laatste heeft zij met enige trots gezegd. „Maar heb je verder nog nieuwtjes, Tonnie? Hoe is het met Albert?"

„Waarom vraag je juist naar Albert, Rie?" Tonnie kan niet helpen dat ze een kleur krijgt.

„Omdat hij de enige van de schatrijke familie Van Nisperden is die een beetje menselijk gebleven is. Ze lopen daar allemaal met hun neus in de wind, maar Albert is een aardige jongen gebleven. Niks uit de hoogte of zo."

„Daar heb je gelijk in." En dan vertelt Tonnie de geschiedenis van de worteltjes en ze moeten er beiden om lachen. Maar om de reactie van Coba wordt Rie toch weer nijdig.

„Die moet op een zuurkoolfabriek gaan werken," lacht ze ten slotte maar. „En verder? Wat heb je nog meer meegemaakt?"

„Ik heb een brief van mijn opoe gekregen, hier, lees maar." Terwijl Tonnie Rie de brief geeft, komt Cor de kamer binnen en hij is aangenaam verrast er Tonnie aan te treffen. Hij begroet haar dan ook hartelijk en kan vervolgens geen oog van haar af houden.

„Je opoe is een beetje boos, begrijp ik uit haar brief," zegt Rie en Tonnie knikt.

„Niet ten onrechte, want ik had natuurlijk al veel eerder een keertje naar die oude mensen toe moeten gaan."

„Maar waarom heb je dat dan niet gedaan, Tonnie?"

„Ik moet op één dag heen en terug van de stad naar mijn dorp lopen en daar zag ik in de afgelopen wintermaanden erg tegen op, maar zondag wil ik er beslist heen. Dat vind jij toch ook, Rie?"

„De kou is uit de lucht en, hoewel het een heel eind is, moet je het toch maar doen. Zoveel familie heb je niet meer."

„Ik wil me nergens mee bemoeien," komt Cor tussenbeide, „maar ik heb een fiets gekocht en ik wil best met je mee gaan. Met jou achterop denk ik er met twintig minuten of hooguit een half uur te zijn." Dat zijn gulle aanbod ook een flinke dosis eigenbelang inhoudt, zegt Cor er maar niet bij. Hij raakt hoe langer hoe meer in de ban van de mooie Tonnie en een dagje met haar optrekken ziet hij wel zitten.

„Dat is geen slecht aanbod," vindt Rie en Tonnie is het wel met haar eens, maar ze heeft ook haar twijfels. Aan zijn hele houding ziet zij dat Cor meer dan gewone belangstelling voor haar heeft en die gevoelens deelt zij niet. Nadat Albert haar met lieve Tonnie aangesproken heeft, is hij geen minuut uit haar gedachten. Als hij haar zou aanbieden met haar naar haar grootouders te gaan, dan zou ze een gat in de lucht springen. Maar Albert zal haar dat aanbod niet doen. Hij mag niet eens bij haar in de keuken komen. Jammer toch! Aan een paar lieve woordjes en een knipoog heeft ze niet veel. Als hij zijn armen om haar heen zou slaan en hij haar innig zou kussen, dan zou ze pas gelukkig zijn, maar dat zal wel nooit gebeuren. Hij schatrijk en zij doodarm, dat wordt niks.

„Nou, wat vind je ervan, Tonnie?" vraagt Cor en dan hakt Tonnie de knoop door en knikt. „Ik neem je aanbod graag aan, Cor, maar als je me ook weer terugbrengt, moet je meer dan een halve dag bij mijn grootouders blijven."

„Ze zullen me toch niet opeten," lacht Cor.

„Nee, dat niet, maar opoe is niet makkelijk. Opa wel, dat is een goedzak."

„Ik waag het er graag op. Hoe laat zal ik je oppikken?"

„Meteen na de vroegmis dan maar."

„Goed, dan ga ik ook naar de vroegmis en dan hoeven we ook niet eerst naar huis."

„Maar dan kunnen we niet te communie, want met een lege maag bij mijn grootouders aankomen, lijkt me niet zo goed."

„Onze Lieve Heer zal het ons wel vergeven," lacht Cor.

„Maar dan krijg je Jezus niet in je hartje," piept kleine Beppie.

„In je hartje? In je maag bedoel je," lacht Cor, maar moeder Rie vermaant hem dat hij niet mag spotten en Beppie niet in verwarring mag brengen.

„Beppie leeft helemaal naar haar communiefeest toe en ze is er dan ook vol van." En tot Beppie: „Jij let goed op in de lering, hè? En Cor mag er niet mee spotten."

„Och moe, wat begrijpt zo'n kind daar nou van. Toen ik aangenomen werd begreep ik er ook niks van. De zoon van de slager zat op de hostie te kauwen."

„Dat mag niet van meneer pastoor, hoor!" schrikt Beppie. „Je moet de hostie in je mond laten weken en dan doorslikken. En je mag ook niet eten voordat je te communie gaat."

„Daarom zei ik dat wij zondag niet te communie gaan, omdat we anders met een lege maag bij mijn opoe aankomen. En Cor denkt dat Onze Lieve Heer het niet zo erg vindt als wij een keertje overslaan."

„Dat denk ik ook niet, Tonnie," zegt Beppie met een eigenwijs snuitje en dan moeten ze allemaal lachen.

„Ik heb een kussentje op mijn lastdrager gebonden," zegt Cor als hij die zondag Tonnie na de mis bij de kerk opwacht. Al vanaf woensdag heeft hij naar deze dag toegeleefd en hij is dan ook in een opperbeste stemming. De weergoden zijn hem ook gunstig gezind, want het is bijna windstil en de zon schijnt. Maar het is pas half maart, dus echt warm is het nog niet.

„Oh, aardig van je dat je daaraan gedacht hebt, Cor," prijst Tonnie de geste van haar attente begeleider. „Het is mooi weer, dus wat mij betreft kunnen we rijden."

„Het is nog wel een beetje fris, hoor!" waarschuwt Cor. „Je hebt toch wel iets warms aangetrokken? Dat jasje van je lijkt me nogal dun."

„Het gaat best, hoor!" Tonnie gaat met twee benen aan één kant op de lastdrager zitten en dan zijn ze op weg.

„Houd je maar aan mij vast, want anders verlies ik je onderweg nog," raadt hij Tonnie aan en zij slaat dan maar een arm om zijn middel. Als Cor er stevig de gang in zet, blijkt dat niet overbodig. De sterke benen van de jonge sportman hebben met de lieve last, zoals Cor zijn passagiere lachend noemt, niet de minste moeite. Ze praten nog wat en als ze de stad achter zich gelaten hebben, laat Tonnie de ontluikende natuur op zich inwerken. Ze zuigt haar longen vol frisse lucht en pas dan ontdekt ze dat ze de weidse polder al die maanden gemist heeft. Zij is een kind van het vlakke land. Her en der verspreid liggen de oude boerderijen in de beschutting van de bomen, die nu nog kaal zijn, maar straks hun kruinen tooien met fris en jong groen blad. Als ze in de verte de kerktoren van haar dorp ontwaart denkt ze terug aan vroeger. Ook zij zat, net als Beppie, bij meneer pastoor in de lering en vierde in die kerk het feest van haar Eerste Heilige Communie. Als ze de molen aan het achtergat passeert komt het vreselijke ongeluk haar weer in gedachte. Een klasgenootje van haar was bevriend met het dochtertje van de molenaar en toen zij er op een dag heen ging om te spelen, kreeg zij een klap van een van de wieken en was ze op slag dood. Ze rilt nog als ze aan die gebeurtenis denkt. En dan zijn ze al bij de kerk en passeert ze het kerkhof met de akelige doodskoppen aan het hek. Een kerkhof is vaak al zo luguber en dan ook nog die doodskoppen. Ze begrijpt niet wat mensen bezielt om die afschuwelijke koppen met er onder twee gekruiste botten aan zo'n hek te bevestigen.

„Zijn we er al bijna?" vraagt Cor en Tonnie schrikt op uit haar gemijmer.

„Zie je dat grote huis aan het eind van de dorpsstraat? Daar gaan we rechtsaf en dan is het nog maar enkele minuten fietsen," wijst ze Cor de weg. Maar voordat ze aan het eind van de dorpsstraat zijn, worden gordijnen opzij geschoven, want een vreemde jongeman met een meisje achterop zien de dorpelingen niet alledag. Als ze in dat meisje ook nog een dorpsgenote herkennen, valt er weer heel wat te roddelen. Ze passeren ook nog het dorpshuis, dat op een steenworp afstand van de kerk ligt. Ervoor staat een groepje jongelui en als die Tonnie bij een vreemde snuiter achter op de fiets zien zitten, volgen ze het stel met argusogen. Terwijl Tonnie nietsvermoedend naar de jongens, die zij stuk voor stuk goed kent, zwaait, worden de messen daar al bijna geslepen. Welke vreemdeling waagt het aan te pappen met een van hun meisjes? Als zodanig beschouwen ze Tonnie Pasman, want zij is één van hen en zeker niet de minste. „Jij hebt een fiets, Piet," zeggen de jongens, „ga jij erachteraan en vertel ons straks waar ze heen gegaan zijn." Piet de Roo laat het zich geen twee keer zeggen en volgt het stel op enige afstand. Hij is het felste gekant tegen de kaperij door die vreemde snuiter. Al vanaf de schoolbanken is hij gek op de knappe Tonnie Pasman, maar voordat hij een kansje bij haar heeft kunnen wagen was ze vertrokken naar de stad. Hij had haar ook wel willen troosten, want, evenals alle dorpsgenoten, is hij van alle onheil die haar overkomen is, op de hoogte.

„En, waar zijn ze heen gegaan?" vragen de jongens in koor als Piet terug is bij het dorpshuis.

„De fiets van die knul staat voor het huisje van opa en opoe Pasman, dus is het wel zeker dat ze daar op visite zijn," concludeert Piet en niemand twijfelt daaraan.

„Misschien is Tonnie haar vrijer uit de stad aan haar grootouders gaan voorstellen," wordt door enkele jongens verondersteld en de anderen knikken dat dat best het geval zou kunnen zijn. Maar een van de mooiste meisjes van het dorp laten ze zich niet afnemen door zo'n stadse glibber! De jongens winden zich op en zinnen op maatregelen. Ze besluiten het stel op te wachten als ze terug naar de stad fietsen. Vervolgens hebben ze nog de hele zondag de tijd om zich daarop voor te bereiden, want de visite van die twee aan het huisje van de oude smidsknecht duurt tot ver na het avondeten.

HOOFDSTUK 2

„Zo, stuk schandaal, kom je ons eindelijk eens opzoeken? Je opa had al wel dood en begraven kunnen zijn." Een niet al te vriendelijke begroeting van opoe Pasman als Tonnie met haar begeleider binnenkomt.

„Overdrijf nou niet zo, moeder!" vermaant opa zijn vinnige vrouw. „Wees blij dat ze er is." Hij spreidt zijn armen en drukt Tonnie even tegen zich aan. „Welkom, hoor meid! Je opoe meent het niet zo kwaad. En wie heb je meegebracht?"

„Ik ben Cor Loos, meneer," zegt Cor beleefd en hij geeft vervolgens de twee oude mensen een hand.

„Ben jij de vrijer van Tonnie?" vraagt opoe en Cor knikt.

„Zo'n beetje, ja," zegt hij en de wens is bij hem dan wel duidelijk de vader van de gedachte.

„Dat had je ons weleens kunnen schrijven," vindt opoe en ze is dan verbaasd als Tonnie haar hoofd schudt.

„Cor is de zoon van onze vroegere werkvrouw en hij is niet meer van me dan een behulpzame vriend. Ik kom vaak bij hen over huis." Tonnie kijkt Cor met gefronste wenkbrauwen aan. Cor is haar vrijer niet, ook niet een beetje, zoals hij beweert. Zijn aanbod met haar op de fiets naar haar grootouders te gaan was wel aanlokkelijk, maar als hij daar nu al zulke consequenties aan verbindt, dan was ze liever te voet gegaan.

„Ik zal koffie zetten," zegt opoe en bedrijvig gaat ze in haar kleine keukentje aan de slag. Dat geeft Tonnie even de gelegenheid met opa te praten.

„Het spijt me dat ik zo lang weggebleven ben, opa," verontschuldigt zij zich en ze zegt niet geweten te hebben dat hij zo ziek geweest is. „Als ik dat geweten had, had ik slecht weer getrotseerd en was ik zeker gekomen. Hoe gaat het nou met u?"

„Het gaat steeds beter," stelt opa haar gerust. „Ik ben alweer enkele weken bij de smid aan de gang en de tuinbonen heb ik ook al gelegd."

„En wie heeft de tuin voor u omgespit?"

„Dat heb ik gedaan voordat ik ziek werd en voordat er vorst kwam, want als je voor die tijd spit vriest de grond lekker rul. Maar het was een heel karwei en opoe is ervan overtuigd dat ik toen kou gevat heb. Er stond een gure wind en ik zweette nogal, dus ik denk dat ze het aan het rechte eind heeft, want kort daarop werd ik ziek. Laten we de tuin maar even gaan bekijken." Achter het kleine huisje, dat van zijn baas is en waarin hij al jaren woont, heeft hij een aardig lapje grond. Groenten en aardappelen hoeft hij nauwelijks te kopen, want voor hem en zijn vrouw levert de tuin voldoende op. Hij is trots op zijn tuin, want er staan ook wat fruitbomen in en als die in het voorjaar in bloei staan raakt hij er niet op uit gekeken.

„Zo, dat is nog een aardige lap grond," stelt Cor vast en opa knikt. En dan vertelt hij enthousiast over zijn oogsten en de bloeiende fruitbomen tot opoe met een nors gezicht in het deurgat verschijnt.

„Zet ik koffie en dan lopen jullie weg," roept ze een beetje verontwaardigd.

„Ik laat Cor de tuin even zien," kalmeert opa haar met een glimlach. Hij is al bijna vijftig jaar met haar getrouwd en hij weet dat het gemopper eerder een aanwensel dan een kwaadaardige karaktertrek van haar is.

„Wat is er nou aan die tuin te zien? Er komt nog niks op en de bomen zijn nog kaal," reageert ze.

„We komen wel een keer terug als alles opkomt en de bomen in bloei staan," nodigt Cor zichzelf uit en hij ziet dan niet dat Tonnie haar hoofd schudt.

„Als het zover is dan zie ik hem helemaal niet meer binnen," lacht opoe. „Je opa is zo zot als een deur met die tuin."

„Maar van alle verse groenten en fruit eet jij toch maar lekker mee, vrouwtje," lacht nu ook opa en dan gaan ze aan de koffie. Opoe heeft zich uitgesloofd, want voor iedereen is er een dikke plak cake, die zij zelf gebakken heeft. Hoewel opoe het gemopper af en toe niet kan laten, wordt het toch een gezellige dag. Tussen de middag eten ze warm en op aandringen van vooral opa, blijven ze ook nog de avondboterham mee-eten. Het begint al te schemeren als ze eindelijk 's avonds afscheid nemen.

„Beloof je me niet zo lang meer weg te blijven, Tonnie?" vraagt opoe en Tonnie bezegelt haar belofte dan met een kus.

Ook opa krijgt een kus van haar. Cor schudt beide oudjes de hand en zegt dat het niet aan hem zal liggen als Tonnie lang wegblijft. „Wees jij maar voorzichtig met die fiets; die dingen gaan me veel te snel," waarschuwt opoe nog. Zij heeft het niet zo op al die nieuwerwetse dingen.

„Aardige mensen," zegt Cor als hij ziet dat de grootouders van Tonnie nog bij het hek staan te zwaaien. „Wat een rust in zo'n dorpje, hè? Zo'n huisje met een flink stuk grond erbij zou voor mij ook wel wat zijn en dan die brede sloot achter het huis. Een heel verschil met het kleine plaatsje achter ons huis en de gore gracht ervoor."

„Het lijkt allemaal mooier dan het is, Cor, er is ook veel narigheid en armoe. Opa is een aardige kerel, dat vertelde ik je al eerder, maar opoe kan dat gemopper maar niet laten."

„Maar volgens je opa bedoelt ze het niet zo kwaad," neemt Cor het voor opoe Pasman op, maar Tonnie is het niet met hem eens.

„Wat vind jij dan van de manier waarop ze ons verwelkomde? Brok schandaal noemde ze mij. Vind dat maar aardig!"

„Ach, ze moest even haar gram halen, maar als we er de volgende keer heen gaan, dan zal ze vast veel vriendelijker zijn."

„We zien nog wel, hoor!" reageert Tonnie nogal vaag. Ze wil zich er zeker niet aan binden nog een keer met Cor naar haar grootouders te gaan.

„Genoeg gepraat," vindt Cor. „Ik ga flink doortrappen, want anders zijn we niet voor donker thuis. Het begint nou al te schemeren." In een mum van tijd zijn ze aan de rand van het dorp, maar daar wacht hun een onaangename verrassing.

„Hé makker, stop jij eens even." Een stevige knul van rond de twintig verspert Cor de weg en meteen springen er nog vier andere jongens van achter een bosje de weg op. Ze grijpen het stuur beet en dwingen Cor tot stoppen.

„Doe niet zo flauw, jongens, en laat ons door," roept Tonnie angstig. Ze ziet dat het dezelfde jongens zijn die ze 's morgens voor het dorpshuis zag staan en ze schrikt zich een ongeluk.

„Hij mag door, maar jij blijft hier, Tonnie," zegt de grote knul. „Wij zullen er wel voor zorgen dat je veilig in de stad komt." En tot Cor: „Nou, waar wacht je nog op?"

„Tot jij normaal doet en me uitlegt wat er hier aan de hand is," reageert Cor.

„Hoor hem, jongens. Zullen we hem maar meteen in elkaar rammen of geven we hem nog een kans? Hij schijnt niet te begrijpen dat hij met zijn gore poten van onze meiden af moet blijven."

„Wie denk jij nou eigenlijk voor je te hebben, boerenlul?" Cor begint knap nijdig te worden. „Jullie meiden! Wil je soms beweren dat Tonnie van jou is?" De knul knikt.

„Van ons, ja. Eigenlijk moest ik je meteen een stoot voor je kop geven, maar ik wil het netjes houden waar Tonnie bij is. Rot nou maar op, want anders krijg je hiermee te maken." Dreigend steekt de knul zijn gebalde vuisten omhoog. Ook de andere jongens dringen om hem heen.

„Ga nou maar weg, Cor, voordat er ongelukken gebeuren," zegt Tonnie zacht. Dom dat ze er niet aan gedacht heeft dat dorpsjongens het niet pikken als jongens van buiten het dorp het wagen werk te maken van dorpsmeisjes. Als een rijke boerenzoon van een ander dorp een rijke boerendochter in hun dorp zoekt, dan is daar niks aan te doen, maar als het de dochter van een knecht betreft liggen de zaken anders. Zij is de dochter van een knecht en aan de blikken van de jongens die zij ontmoet, ziet ze wel dat ze haar aantrekkelijk vinden.

„Je heet dus Cor. Nou Cor, je hoort wat Tonnie zegt. Wij laten een van de mooiste meisjes van ons dorp niet wegkapen door een stadse glibber, laat dat je gezegd zijn. Dus nogmaals: rot op!" De grote knul pakt Cor bij zijn kraag en wil hem een zet geven, maar dan heeft Cor er genoeg van. Boksen is een sport die niet bedoeld is om zomaar iemand af te tuigen, maar als je in de verdrukking komt en, zoals in dit geval, je tegenover een overmacht komt te staan, dan mag je je verdedigen en dat doet Cor vervolgens ook. Hij duwt de knul van zich af, zet zijn fiets tegen een boompje en neemt de bokshouding aan.

„Ik waarschuw jullie, jongens, dat jullie flink beschadigd worden als jullie dit spelletje willen doorzetten," zegt-ie kalm. Enkele onervaren boerenpummels zijn geen partij voor hem.

„Wat een bluf!" lacht de grote knul en zich tot Tonnie wendend: „Keer je even om, Tonnie, want ik wil je de aframmeling van je vrijer besparen."

„Doe het niet, Harm," probeert Tonnie nog. „Cor is heel sterk en er komen ongelukken van."

„Daar ben ik ook bang voor," lacht Harm, „maar er is er maar één die het ongeluk treft en dat is je geliefde Cor, Tonnie. Dus ga maar alvast naar de dokter, want als hij zo eigenwijs blijft, zal-ie die zeker nodig hebben." En met dat hij het zegt haalt hij uit naar Cor om hem in één klap buiten gevecht te stellen, maar dan komt hij van een kouwe kermis thuis. Cor vangt de klap geroutineerd op en geeft Harm een zo harde knal voor zijn kop, dat deze wankelt en ter aarde stort.

„Daar zul je voor boeten, jongetje," roept Piet de Roo strijdlustig en meteen stort hij zich op Cor, maar natuurlijk gaat ook hij dezelfde weg als Harm. Hij zit daarna verwezen en met een bloedneus in de graskant. Tonnie wist van tevoren dat hij geen schijn van kans had tegen de geroutineerde bokser en dus krijgt ze medelijden met Piet. Ze biedt hem haar zakdoekje aan om het bloed te stelpen. Ondertussen ziet ze dat Cor ook korte metten met de andere jongens maakt.

„Cor is mijn vrijer niet, Piet," zegt ze tegen haar onfortuinlijke dorpsgenoot. Ze kent Piet van de schoolbanken en ze weet dat hij een aardige jongen is. „Cor heeft me alleen maar aangeboden om me een keertje naar mijn grootouders te brengen en meer niet."

Terwijl Harm en Cor nog verwezen in de graskant zitten, druipen de andere jongens scheldend af. Ze hebben inmiddels wel begrepen dat er met die stadse glibber niet te spotten valt.

„Kom Tonnie, we gaan verder," zegt Cor, die er zonder een enkel schrammetje vanaf gekomen is. „Dit achterlijke zootje hangt me de keel uit." En als Tonnie zit, vervolgen ze hun weg. Wel kijkt zij nog enkele keren om en dan ziet ze dat Harm en Piet moeizaam overeind krabbelen. Ze is geschrokken van de dreigende dorpsjongens, maar ook van de genadeloze manier waarop de knapen werden afgestraft. Natuurlijk heeft Cor gelijk en hebben de jongens die afstraffing zelf uitgelokt. Maar wat een afgang voor die knapen! Met een dergelijke afloop heeft natuurlijk geen van de jongens rekening gehouden. „Zitten die twee nog in de berm?" vraagt Cor dan.

„Het opstaan ging wat moeizaam, maar ze staan gelukkig alweer op hun benen."

„Dat dacht ik al, want ik heb ze maar een zacht tikkie gegeven."

„Noem dat maar een zacht tikkie."

„Luister Tonnie, als ik ze werkelijk het volle pond gegeven had, dan lagen ze nu nog gestrekt. Verdiend hadden ze het wel, want het is verdraaid onsportief om met z'n vijven tegen één je recht af te dwingen. Je zogenaamde recht, want wat hebben die pummels met jou te maken?"

„Niks, maar jij had ook geen moeite met ze."

„Nee, dat niet, maar dat konden zij van tevoren niet weten. Hoorde je dan niet wat die grote, die Harm, zoals jij hem noemde, zei?"

„Ik was te gespannen om daarop te letten, Cor."

„Hij stelde zijn kornuiten voor mij meteen maar in elkaar te rammen. Nou, daar moeten de beste boksers voor komen en niet zo'n stelletje boerenhufters." Cor is nog erg nijdig en Tonnie kan dat goed begrijpen. Wat 'n krachtpatser! Vijf man sterk sloeg hij van zich af alsof het lastige vliegen waren. Ze merkt ook dat hij zijn woede probeert af te reageren op de fiets, want hij trapt als een bezetene, zodat zij zich goed aan hem moet vasthouden.

„Een beetje langzamer kan ook wel, hoor!" roept ze en dan moet Cor alweer lachen.

„Je opoe maande me ook al tot voorzichtigheid," grinnikt-ie.

„Maar je bent zo wel lekker vlug thuis." En hoewel het al aardig donker begint te worden, ziet Tonnie dat ze de stad inderdaad al bereikt hebben. Vijf minuten later staan ze voor het huis van de familie Van Nisperden. Naast de villa is een koetshuis en daar zet Cor zijn fiets tegenaan en hij vindt dan dat hij wel een zoentje verdiend heeft.

Tonnie geeft hem zijn zoentje, maar als hij haar vol in zijn armen neemt en zijn mond nogmaals op de hare wil drukken, houdt ze hem tegen.

„Niet zo hard van stapel lopen, jongen," zegt ze zacht.

„Maar dan houd ik de andere zoentjes toch wel tegoed, zeker?" fluistert-ie terwijl hij haar nog in zijn armen houdt. „Wanneer trekken we er weer samen op de fiets op uit, Tonnie?"

„Niet meer naar het dorp, hoor Cor!"

„Dat hoeft voor mij ook niet. Hier in de stad kunnen we veel beter uitgaan en hier hebben we ook geen last van dat stel jaloerse boerenkinkels."

„Ik ga nu eerst maar eens slapen, we zien wel, dag hoor!" Ze glipt onder zijn armen door en is al om de hoek van het huis verdwenen voordat Cor het goed en wel beseft. Wat hij wel beseft is dat hij nog geen nieuwe afspraak met Tonnie heeft kunnen maken en dat spijt hem zeer, want de hemel ging voor hem open toen hij haar in zijn armen hield en haar zachte lippen kuste. Zo'n lief, knap en zacht meisje voor altijd te kunnen beminnen zou voor hem echt de hemel op aarde betekenen. Om de eer van zo'n meisje te verdedigen zou hij wel tien dorpsjongen willen vloeren. Teleurgesteld stapt hij op zijn fiets en rijdt naar huis.

Door een raam in de hal heeft Tonnie nog juist het achterlicht van zijn fiets om de hoek zien verdwijnen. Ze zoekt maar gauw haar kamertje op, want ze merkt dat ze nog staat te trillen van de spanning. Wat schrok ze van die dreigende jongens! Vooral van die Harm van Uitgeest, die ze in het dorp Harm Knok noemen. Die bijnaam is van vader op zoon overgegaan. Nelis van Uitgeest stond in diens jonge jaren bekend als een vechtersbaas en dus kreeg hij, zoals zovele dorpsgenoten, een toepasselijke bijnaam: Nelis Knok. Voor zoon Harm geldt dat de appel niet ver van de boom valt, want ook hij verdient zijn bijnaam ten volle. Als er tijdens kermissen geknokt wordt, dan is Harm daar zeker bij, ja zelfs haantje de voorste. Voor Harm gaan ze graag een stapje opzij, want hij heeft handen als kolenschoppen en hij is zo sterk als een beer. Daarom schrok ze ook zo, maar algauw realiseerde zij zich dat voor de bokskampioen Cor Loos zelfs die Harm geen partij zou zijn. Maar vijf jongens tegelijk? Ze kalmeert wat als ze voor het ledikant haar avondgebed bidt. Ze dankt God dat er geen ernstige ongelukken gebeurd zijn. De bloedneus van Piet de Roo vond ze zielig, maar die had hij wel verdiend. Wel een aardige, ja zelfs zachtaardige jongen die Piet. Toen zij nog bij haar grootouders op het dorp woonde had Piet een oogje op haar. Dat merkte zij aan alles. Zou dat nog zo zijn en zou hij zich daarom zo nijdig op Cor gestort hebben? Veel eer heeft hij aan zijn manmoedige optreden niet behaald. Maar waar halen die knapen het recht vandaan om haar te beletten om te gaan met wie zij verkiest? Met Cor omgaan verkiest zij niet echt, maar stel je voor dat Albert haar naar haar grootouders had vergezeld. Hem verkiest ze wel, maar hij had benen moeten maken en zo niet, dan zou hij in elkaar geramd zijn, zoals Harm blijkbaar voor Cor in petto had. Albert is een forse knaap, maar tegen die Harm zou hij toch niks klaarmaken. Ze stapt in bed en laat alles nog eens de revue passeren: Cor, opa en opoe, de dorpsjongens en... Albert. Ja, haar gedachten gaan toch altijd weer uit naar Albert. Cor en Piet hebben een oogje op haar en vechten om haar, maar zij geeft niks om die jongens. Albert hoeft voor haar niet te vechten, maar zou hij het ook doen als het nodig was? Misschien wel, want als hij haar aankijkt komt er altijd zo'n zachte blik in zijn ogen en hij noemde haar laatst lieve Tonnie. Met een glimlach om haar mond valt ze eindelijk in slaap, maar als ze midden in de nacht wakker wordt, ligt ze met het kussen in haar armen en dan is ze teleurgesteld dat het niet Albert, over wie ze zo heerlijk droomde, maar slechts een sloop gevuld met kapok is.

Liever zou Tonnie een poosje bij de familie Loos en dus bij Cor wegblijven, maar dat gaat niet, want kleine Beppie van zeven wordt die zondag aangenomen en ze kan en wil het kind niet teleurstellen. Ze kan zich de dag waarop zij zelf werd aangenomen, nog goed herinneren. Achter het raam van hun kleine huisje keek zij uit over de dorpsstraat en als er dan weer iemand aankwam hoopte zij maar dat die voor haar kwam met een cadeautje. En velen kwamen ook. Nog bewaart zij een klein zakdoekje dat zij van een tante kreeg. Ook de mooie plaat met de Jezusfiguur die een zegenend gebaar over een stuk brood en een beker wijn maakt met daaronder Ter herinnering aan de Eerste Heilige Communie, bewaart ze zorgvuldig. Onder haar naam, de plaats en de datum van die plechtige gebeurtenis staat nog: Bid voor uw Herder en de handtekening van meneer pastoor.
Misschien kijkt Beppie zondag ook uit over de gracht om te zien wie er op haar feest komt. Een excuus om niet te gaan heeft zij wel, want het is niet haar vrije zondag en dan krijgt ze alleen permissie om naar de kerk te gaan. Maar zij vindt het flauw het daarop aan te laten komen dus vraagt ze juffrouw Tuling of ze Beppie even een cadeautje mag gaan brengen.
„Kom jij nog steeds bij die familie Loos?" vraagt Coba argwanend. „Enfin, wat je op je vrije avond en zondag doet moet je zelf weten, maar aanstaande zondag ben je niet vrij."
„Ik wil na de mis alleen maar even gaan feliciteren en dat

kind een cadeautje brengen. Beppie zal zo teleurgesteld zijn als ik niet kom. Ik weet nog hoe blij ik vroeger zelf was toen er visite met cadeautjes op mijn communiefeest kwam."

„Dat herinner ik me ook," bromt Coba. „Zorg wel dat je om twaalf uur terugbent, want anders sta ik er alleen voor."

Even laat de altijd zo zure Coba een tikje menselijkheid zien als ze herinnerd wordt aan haar eigen kinderjaren.

„Ik zal ervoor zorgen; bedankt, juffrouw Tuling!"

„Ja, het is al goed, ga nou maar gauw door met je werk!" Het lijkt wel of Coba meteen al spijt heeft van haar zwakke moment, maar Tonnie is blij dat ze eindelijk een menselijk trekje bij de ouwe vrijster ontdekt heeft.

Die zondag gaat Tonnie al voor aanvang van de mis naar de familie Loos. Ze wil graag samen met hen naar de kerk gaan, want dan kan ze misschien bij hen gaan zitten.

Als ze er aankomt zit de familie al klaar. Karel en Rie Loos in hun beste spullen en Cor in zijn nieuwe pak. Hij ziet er goed uit. Beppie heeft een jurkje aan dat Rie voor haar genaaid heeft en op haar hoofd in dezelfde stof een hoedje met linten, die op haar rug hangen. Ze ziet er schattig uit en Rie is trots op haar dochtertje. Het lapje stof heeft ze van de mevrouw waarbij ze sinds kort twee ochtenden in de week werkt, gekregen. „Een lief mens," verzekert ze Tonnie. „Beter dan kakmadam Van Nisperden."

Cor is blij dat Tonnie gekomen is en zijn hart slaat weer sneller. Hij kan geen oog van haar af houden en dat wordt nog erger als Tonnie hem een complimentje maakt voor zijn mooie pak.

„Met hard werken verdiend," zegt-ie trots. „Voor Beppie heb ik wel wat over en ik vind het fijn dat jij het ook mooi vindt."

En als hij haar dan weer met zulke verliefde ogen aankijkt, neemt Tonnie zich voor haar complimentjes voortaan maar achterwege te laten.

„Kom, we gaan," besluit Rie en dan gaan ze te voet naar de kerk, die niet ver weg is. Eenmaal bij de kerk aangekomen, zien ze kinderen, deftig uitgedost, uit koetsjes stappen. Het strakke blauwe jurkje van Beppie, hoe trots Rie er ook op is, steekt schril af tegen de kleding van de rijkeluiskinderen. „Waarom zijn wij niet met een koetsje gegaan, moe?" vraagt Beppie en dan verzint Rie maar dat al die kinderen erg ver weg wonen en zij vlakbij en met die uitleg neemt Beppie genoegen.

Voor deze gelegenheid mag de familie van de communicantjes voor in de kerk plaatsnemen. Hoewel Tonnie geen familie is, waagt ze het, op aanraden van Rie, erop ook in de voorste rijen plaats te nemen. De communicantjes, rijk en arm dooreen, zitten op de voorste rij. Nu komt het eropaan dat zij precies doen wat de pastoor hun geleerd heeft. Eerst verloopt de mis zoals gewoonlijk, maar tijdens de consecratie stijgt voor de kinderen de spanning. Met hun handjes waarvan de vingers gestrekt tegen elkaar gehouden worden, lopen ze naar de communiebank en verbergen diezelfde handjes vervolgens onder de witte dwaal en wachten rustig af tot de pastoor hun de hostie op de tong legt. Dan gaan ze met gebogen hoofdjes terug naar hun plaats, knielen en houden de handjes voor hun gezicht. Precies zoals het hun geleerd is. Op de hostie mogen ze niet kauwen en dat heeft tot gevolg dat een van de kinderen zich erin verslikt en benauwd moet hoesten. Dat verstoort de devotie, maar gelukkig gaat het hoesten gauw over. De kinderen mogen de handen voor hun ogen weghalen als ze klaar zijn met hun gebed. Toch wil niemand de eerste zijn en stiekem kijken ze tussen hun vingers door hoever de anderen zijn. Als er een jongen zijn handen laat zakken, volgen de anderen als op commando zijn voorbeeld.

Tonnie let vooral op Beppie en zij is vertederd door de ernst die van haar snuitje af straalt. Ze kijkt ook naar het gezicht van de vader van Beppie en dan ontwaart ze tot haar verrassing in de mannenrij Albert van Nisperden. Hij knikt en glimlacht. Tonnie kan niet helpen dat ze een kleur krijgt. Ze heeft plotseling minder aandacht voor de kinderen en af en toe kijkt ze naar de plek waar Albert zit. En telkens als zij naar hem kijkt, kijkt Albert ook naar haar. Ze durft nauwelijks meer te kijken, maar als de mis afgelopen is en de kerkgangers zich naar de uitgang begeven, probeert ze nog een glimp van hem op te vangen. Ze is teleurgesteld als ze hem niet meer ziet, maar tot haar opluchting staat hij haar en de familie Loos op het kerkplein op te wachten. Rie heeft lang bij hem thuis gewerkt en dus kent hij haar goed. Hij feliciteert de familie en hij gaat op zijn hurken zitten om ook Beppie te feliciteren. Hij tikt haar tegen haar wangetje en zegt dat zij er mooi uitziet.

„Ik zal jou ook maar tot de familie rekenen, Tonnie," lachtie en haar hand houdt hij dan even vast terwijl hij haar diep in de ogen kijkt. „Ook gefeliciteerd, hoor!"

„Dank je, Albert." Ze slaat haar ogen neer en ze weet dan niet hoe ze in het bijzijn van de anderen op zijn aanwezigheid moet reageren.

Rie is kennelijk minder onder de indruk en ze vraagt Albert of hij zin heeft mee thuis een bakkie te gaan doen.

„Waarom niet?" reageert Albert spontaan. „Als jullie ver vanhier wonen zal ik een koets bestellen."

„Ja, een koets!" juicht Beppie, maar Rie schudt haar hoofd.

„Nergens voor nodig, Albert, het is nog geen vijf minuten lopen en het is goed weer." Beppie moppert nog wat na, maar als zich een oom en tante bij hen aansluiten, is ze al afgeleid.

„Kijk maar niet naar de rommel, Albert," zegt Rie als ze het kleine huisje aan de gracht binnengaan. Het is de bekende gemeenplaats, want, hoewel sober, is alles netjes en schoon. Maar met acht personen in het kleine kamertje is het toch een beetje passen en meten. „Ik zou haast zeggen: doe maar net of je thuis bent, maar thuis ben je wel wat anders gewend, hè?"

„Maar hier is het wel knus en gezellig." En met deze uitspraak steelt Albert meteen de harten van de aanwezigen. Op één na dan, want Cor vindt hem een slijmbal. Al op het kerkplein zag hij hoe dat deftige mannetje naar Tonnie keek en nu volgt hij haar ook al overal met zijn ogen. Nee, Cor is niet blij met het bezoek van die knaap.

Beppie is inmiddels bezig met het uitpakken van de cadeau-tjes. Tonnie heeft een mooie griffeldoos voor haar gekocht. Ze is er erg blij mee en beloont Tonnie ervoor met een omhelzing en een kusje.

„Heb jij geen cadeautje voor me?" vraagt ze Albert en deze moet dan spijtig zijn hoofd schudden.

„Ik wist niet dat ik hier vandaag op jouw feestje zou komen, Beppie," verontschuldigt hij zich. „Maar jij houdt het cadeautje van me te goed, hoor!"

„Wanneer krijg ik het dan?" wil Beppie nog weten en dan vermaant moeder Rie haar dat ze maar rustig moet afwach-ten.

„Ik zal Tonnie wel vragen een cadeautje voor je te kopen en het dan mee te brengen als ze weer komt."

„Wanneer kom jij dan weer, Tonnie?" houdt Beppie vol en dan schieten ze allemaal in de lach, maar Rie vermaant haar nogmaals dat ze niet zo ongeduldig moet zijn. En dan schikt Beppie zich in haar noodlot en ze springt alweer op als ze hoort dat er nieuwe visite in aantocht is. Het is buurvrouw Toos. Het is de eerste keer dat Tonnie haar ontmoet en zij schrikt als zij ziet hoe bleek en mager het mensje is. De ont-beringen die zij moet doorstaan met haar dronken man, zijn van haar gezicht af te lezen. Toch heeft ze van haar armoed-je een cadeautje voor Beppie gekocht. Een prulletje van een paar centen, maar Beppie is er blij mee. Zo vliegt de tijd om en om kwart voor twaalf zit Tonnie op haar stoel te draaien en dan staat ze op.

„Ik vind het jammer dat ik al weg moet," zegt ze, „maar het is vandaag niet mijn vrije zondag. Ik mocht van juffrouw Tuling tot twaalf uur wegblijven, dus moet ik nu gaan."

„Dan gaan we samen," beslist Albert tot haar vreugde. „Gaan we lopen?"

„Ja, natuurlijk, zo ver is het niet!" Ze nemen hartelijk af-scheid en daarbij valt het Tonnie op dat Cor met een ver-nietigende blik naar Albert kijkt. Ze weet dan dat hij vrese-lijk jaloers is. Nou, dat moet dan maar; aan hem heeft ze geen enkele verplichting. Aan Albert ook niet, maar ze is blij even met haar lieve jongen samen te kunnen zijn. Ze krijgt een kleur als Albert vraagt hem een arm te geven. Als een jong paartje lopen ze nu door de stad. Af en toe drukt Albert haar arm en hij kijkt haar dan glimlachend aan.

„We lijken zo wel een stelletje, hè?" lacht hij. „Zullen we een ommetje door het park maken?"

„Nee, dat kan niet, want ik moet beslist om twaalf uur thuis zijn, want anders krijg ik van juffrouw Tuling op m'n kop."

„Oh, is het weer zover? Dat mens hangt me zo langzamerhand ellenlang de keel uit. Ik begrijp niet wat mijn moeder in die zure tang ziet."

„Laat onze wandeling er niet door bederven, Albert," zegt ze zacht.

„Vind je het leuk?"

„Ja." Ze durft hem niet aan te kijken, want ze bloost en tranen van geluk springen haar in de ogen. Wat een lieve jongen is het toch! Graag zou ze met hem een ommetje door het park maken en ergens op een bankje gaan zitten knuffelen, maar dat is voor haar niet weggelegd. Zij is met handen en voeten gebonden aan die zure tang, zoals Albert Coba Tuling noemt.

„Als jij het leuk vindt dan gaan we deze week maar samen een keertje winkelen en een cadeautje voor Beppie kopen. Goed?"

„Ik ben alleen op woensdagavond en één keer in de drie weken op zondag vrij en dan zijn de winkels gesloten. Het kan dus niet."

„Maar moet jij dan nooit boodschappen doen?"

„Die doet juffrouw Tuling altijd. Eén keer mocht ik het doen toen zij ziek was. Nee, zomaar midden in de week kan ik echt niet gaan winkelen."

„En als ik het nou aan mijn moeder vraag."

„Aan je moeder vragen? Je mag niet eens in de dienstvertrekken komen, laat staan met mij gaan winkelen."

„Nee, dat is zo. Jammer! Maar hoe komen we nou aan een cadeautje voor Beppie? Ik weet zelf niks te verzinnen voor zo'n kind."

„Ik verzin wel wat," stelt zij hem gerust. Ze weet dat juffrouw Tuling weleens 's avonds bij de kruidenier om de hoek aanklopt als ze iets vergeten is. Daar zal ze woensdagavond wel een zakje drop voor Beppie halen.

„Fijn dat je dat doet, Tonnie. Hier heb je een gulden; is dat genoeg?"

„Een gulden? Dat is veel te veel, daar moet ik meer dan een week voor werken."

„Meer dan een week, zeg je?" Albert kijkt het meisje dat al maanden zijn doen en denken beheerst, stomverbaasd aan. Dat lieve kind moet zich meer dan een week uitsloven voor één rotte gulden en voor dat bedrag moet ze zich ook nog al de grillen van die zure Coba laten welgevallen. „Maar waarom vraag je dan geen opslag?"

„Voor een meisje van mijn leeftijd die intern is met de volle kost, is veertien stuivers per week een goed loon. Ergens anders kan ik niet meer verdienen, eerder minder."

„Ik vind het een schandaal jou voor al je werken met amper wat vrije tijd af te schepen met zo'n bedrag. Het valt me tegen van mijn moeder dat ze dat doet."

„Juffrouw Tuling bepaalt mijn loon, Albert. Ik wed dat je moeder niet eens weet wat ik verdien."

„Ik blijf het een schande vinden, Tonnie. Koop een cadeautje voor Beppie en houd de rest zelf maar."

„Maar het cadeautje dat ik voor Beppie in mijn hoofd heb, kost amper een dubbeltje."

„Des te beter, dan kun je van de rest voor jezelf misschien iets leuks kopen. Beschouw het dan maar als een herinnering aan onze fijne wandeling."

„Ik durf het haast niet aan te nemen, maar een herinnering aan deze fijne ochtend vind ik wel leuk. En die ochtend zit er alweer op." Ze zucht als Albert met zijn sleutel de deur opent en na haar naar binnen gaat.

De eerste die ze in de gang tegen het lijf lopen is Coba Tuling. Ze groet Albert en gaat Tonnie voor naar de keuken.

„Je bent twee minuten te laat, Ton!" zegt ze met een nors gezicht. „Kwam je meneer Albert in de laan tegen?"

„Nee, we komen samen van het communiefeest van Beppie Loos."

„Wat moest meneer Albert daar dan?" Ze kijkt Tonnie stomverbaasd aan. En dan vertelt Tonnie hoe het allemaal gegaan is. „Brutaal van die Rie Loos om meneer Albert zomaar op de koffie te vragen. Het zal nogal wat lekkers geweest zijn ook; zeker al drie keer opgeschonken."

„Nee hoor! De koffie was lekker en meneer Albert vond het gezellig en knus in het huisje van Rie. Hij was heel aardig." Ze krijgt een kleur als ze dat zegt en Coba ziet het.

„Heb jij meneer Albert soms meegetroond? Verbeeld je maar niks, hoor! Het is maar goed dat mevrouw er niets van weet. Jij moet ook wijzer wezen en meneer Albert uit de weg gaan. Je weet dat mevrouw er niet van houdt dat het personeel familiair met leden van het gezin omgaat. Je bent gewaarschuwd."

En daar kan Tonnie het mee doen. Het is voor haar een naar vervolg op die fijne zondagochtend, die toch niemand haar meer af kan nemen. Ze denkt er de hele verdere dag aan. Eerst de verrassing Albert in de kerk te zien zitten, later de gezamenlijke viering van Beppies communiefeestje en ten slotte de heerlijke wandeling. Hij vroeg haar hem een arm te geven en toen drukte hij haar meermalen tegen zich aan. Een jongen die helemaal niets om een meisje geeft, doet zoiets niet. 'Verbeeld je maar niks' zei juffrouw Tuling. Ze verbeeldt zich niks, maar het zou best kunnen dat Albert speciaal voor haar naar dezelfde mis ging. Hij wilde ook een ommetje door het park maken. Jammer toch dat dat niet kon. Jammer ook dat ze niet samen kunnen gaan winkelen. En toch, in één ding heeft juffrouw Tuling gelijk: ze doet er beter aan Albert uit de weg te gaan. Als ze elkaar vaker ontmoeten worden ze steeds gekker op elkaar en dat kan toch alleen maar op een teleurstelling voor beiden uitdraaien. Hij schatrijk en zij straatarm, dat kan niet! Albert heeft er geen idee van wat het is om arm te zijn. Voor hem is een gulden gelijk aan een paar centen waar je wat snoep voor koopt om aan een kind te geven. Hij was verbaasd en verontwaardigd dat zij voor een gulden meer dan een week hard moet werken. Lief van hem, maar het bewijst eens temeer dat hij er geen begrip van heeft hoe zij in haar wereld leeft. Lief van hem ook dat hij het armoedje van de familie Loos als knus en gezellig omschreef. Die avond ligt zij nog lang wakker, want zowel nare als plezierige gedachten houden haar uit de slaap.

Er is feest in huize Van Nisperden. Govert en Sonja van Nisperden zijn vijfentwintig jaar getrouwd en dat moet natuurlijk gevierd worden. Van heinde en ver zijn gasten gekomen. Het gros wordt ondergebracht in hotel-restaurant De vergulde Vink, omdat de eigenaar daarvan een relatie van Govert van Nisperden is. Enkele directe familieleden logeren in de villa van het zilveren paar. Alles bijelkaar geven het feest en de logés een enorme drukte en dus heeft de relatie van de bruidegom zijn kok, Peter Galjoen, voor een dag afgestaan. Peter is een goedlachse dertiger en hij drijft de spot met de zenuwachtige Coba Tuling. Coba stelt zich hooghartig op en wil de baas over de kok spelen, maar Peter lacht erom. „Maak je niet zo druk, meissie," zegt-ie als Coba hem weer eens tot spoed aanzet, omdat het de gasten aan niets mag ontbreken.
„Meissie, meissie? Hoe durf je me zo te noemen, snotneus," briest ze en vervolgens koelt ze haar woede op Tonnie, die haar lachen niet kan bedwingen. Peter Galjoen is een grappenmaker. Ze ligt af en toe dubbel van het lachen, maar als juffrouw Tuling in de buurt is, houdt ze zich in. En nu schrikt ze van het boze gezicht van de eerste meid.
„Je vrije zondag kun je wel vergeten, Ton. Je moet maar eens voelen dat je me niet ongestraft kunt uitlachen," zegt ze nijdig.
„Maar zondag wilde ik nog een keertje naar mijn grootouders, juffrouw Tuling," probeert Tonnie het onheil af te wenden, maar Coba is niet te vermurwen.
„Dat had je dan maar eerder moeten bedenken," snauwt ze.
„Wat is dat voor een raar mens?" vraagt Peter aan Tonnie als

Coba even weg is. „Zit jij zo bij haar onder de plak?"

„Ik moet doen wat zij zegt, want anders kan ik mijn biezen wel pakken en ik weet echt niet waar ik dan heen moet, meneer."

„Zeg maar gewoon Peter, hoor! Ik ben nog geen boeman. Jij weet dus niet waar jij heen moet, Tonnie?"

„Nee."

„Maar als je iets anders aangeboden zou krijgen, zou je daar dan op in willen gaan?"

„Ik weet het niet, Peter."

„Wat bindt jou hier dan? Geld? Wat verdien je hier eigenlijk in de week of wil je dat niet zeggen?"

„Jawel hoor! Ik vang hier veertien stuivers in de week met inwoning en de volle kost."

„Ik maak me sterk dat je bij ons een gulden met inwoning en de volle kost kunt verdienen. Kun je bedden opmaken, kamers schoonmaken en schrobben?"

„Ja natuurlijk. Hier doe ik de smerigste karweitjes."

„Spaart die zure tante die voor je op?"

„Als ze boos op me is draagt ze me die op, ja."

„En die Coba is nogal eens boos als ik het goed begrijp," lacht Peter. „Wij hebben in De vergulde Vink een hulp nodig. Wanneer ben je vrij?"

„Woensdagavond."

„Kom dan eens praten. Ik weet zeker dat het je bij ons zal bevallen. Zo'n zure tante als die Coba vind je bij ons zeker niet!"

Als Tonnie die avond na alle drukte doodmoe in bed rolt kan ze toch de slaap niet meteen vatten. Het gesprek met de kok van De vergulde Vink maalt nog door haar hoofd. Als zij er aanstaande woensdagavond gaat praten en ze wordt aangenomen, dan wordt ze er, als ze Peter mag geloven, financieel beter op en raakt ze die verfoeide Coba Tuling kwijt. Maar dan ziet ze ook Albert niet meer. Wat weegt nu het zwaarst? Hem uit de weg gaan is het beste volgens juffrouw Tuling en daar is ze het eigenlijk wel mee eens. Althans, dat zegt haar verstand, maar haar gevoel komt daar tegen in opstand. Zij wil Albert helemaal niet uit de weg gaan, integendeel, elk moment van de dag verlangt ze naar hem. Als ze eindelijk in slaap valt heeft zij nog geen besluit genomen.

De volgende morgen staat ze met hoofdpijn op. Die dag en de dagen daarna is ze afwezig, zodanig dat Coba haar al enkele keren tot de orde heeft moeten roepen. „Kun jij je ei niet kwijt?" vraagt ze, maar Tonnie schudt dan haar hoofd. En toch weet ze dat Coba gelijk heeft. Ze weet niet wat ze moet besluiten, maar als Coba daarna weer naar tegen haar doet, hakt ze de knoop door. Ze zal woensdagavond naar De vergulde Vink gaan.

„Daar doe je goed aan, Tonnie," zegt Peter Galjoen als iemand van de receptie hem meldt dat er bezoek voor hem is.

„Ik heb maar naar jou gevraagd, Peter, want ik ken hier verder niemand."

„Ik heb je ook gevraagd te komen, dus wijs ik je de weg. Maar eerst laat ik je het hotel en het restaurant even zien." Dat even duurt vervolgens meer dan een kwartier, want het is een middelgroot hotel met een intiem restaurant. Een gelegenheid voor de man met een goedgevulde beurs. Tonnie is onder de indruk van de vele mooie kamers en het gezellige restaurant.

„Moet ik nou in het hotel of in het restaurant werken, Peter?" vraagt ze, maar dan haalt Peter zijn schouders op.

„We hebben een hulp nodig maar vraag me niet wat die precies moet doen; ik ben hier de kok en de bazin, mevrouw Thea Donkers, verdeelt het werk. Oh, daar komt ze." En tot Thea: „Dit is het meisje waar ik het laatst over had."

„Tonnie, als ik het goed heb," zegt de mevrouw vriendelijk en daarmee komt ze bij Tonnie al meteen sympathiek over. Ze praten wat over het werk dat gedaan moet worden en voordat ze afscheid neemt heeft ze ook al haar kamertje gezien en weet ze wat ze kan verdienen. Een gulden in de week en bovendien een halve dag en twee zondagen in de maand vrij. Ze gaat er dus flink op vooruit en toch heeft ze niet onmiddellijk toegehapt.

Op de terugweg laat ze alle indrukken nog eens op zich inwerken. Mevrouw Donkers is aardig, het werk is zeker niet zwaarder dan in haar huidige dienst en bovendien verdient ze meer en krijgt ze ook meer vrije tijd. Ze zou wel gek zijn als ze het niet deed. Maar dan komen weer de twijfels. Als ze het doet ziet ze Albert niet meer. Het is hem wel verboden in de dienstvertrekken te komen, maar als hij weet dat Coba Tuling er niet is, dan komt hij toch vaak een praatje met haar maken. Nadat ze samen bij Beppie Loos geweest zijn, durft hij ook al eens een arm om haar heen te slaan en laatst vroeg hij om een afscheidszoentje toen hij weer naar zijn kamer in Delft vertrok. Voor haar zijn dat de heerlijkste momenten en als ze de baan in De vergulde Vink aanneemt, moet ze die allemaal missen. Ze komt er niet uit.

Thuis gaat ze in een hoekje van de bijkeuken zitten en steunt haar hoofd in haar handen. Ze is ten einde raad. De baan in De vergulde Vink wil ze graag hebben, maar ze kan Albert niet missen. Kwam hij maar even, dan kon ze zijn mening vragen. Ze weet dat hij een paar dagen vrij is. En dan lijkt het wel of Albert haar wens vernomen heeft, want enkele minuten later komt hij de bijkeuken in.

„Wat zit jij hier nou in je eentje te kniezen, Tonnie? Ik hoorde je thuiskomen, dus kom ik maar weer even een nachtzoentje stelen. Mag ik je even gezelschap houden?"

„Van mij wel, Albert, maar je weet dat het niet mag."

„Vind je het niet leuk, dat ik even bij je kom?"

„Ja, natuurlijk!" Ze kijkt hem dan zo smartelijk aan, dat Albert vraagt of er iets aan de hand is.

„Heb je verdriet?" Ze knikt en de tranen springen haar daarbij in de ogen, waarop Albert een arm om haar heen slaat. Dan laat ze haar hoofd op zijn schouder rusten en als hij zijn lippen op de hare drukt, komt er aan hun kus bijna geen einde. Als ze iets wil zeggen smoort Albert haar woorden weer in een nieuwe lange kus. „Ik kan niet hebben dat je verdriet hebt, lieveling," zegt-ie zacht. „Vertel me eens wat je zo dwarszit. Is er soms weer iets met die vervelende Coba voorgevallen?"

„Nee, dat is het niet, jongen." En dan besluit ze hem in vertrouwen te nemen en legt ze hem haar dilemma voor. „Wat is jouw mening, Albert?" vraagt ze ten slotte.

„Ik zou het jammer vinden jou hier niet meer te zien, schatje, maar jij moet zelf beslissen."

„Dan ga ik daar eerst eens een nachtje over slapen, Albert." En na dat gezegd hebbende staat ze op om naar haar kamertje te gaan.

„Ik zal je even toestoppen," zegt Albert tussen twee kussen door.

„Nee, niet doen, jongen. Als je ouders of juffrouw Tuling het in de gaten hebben, zwaait er wat."

„Mijn ouders zijn naar de opera en Coba is naar een vriendin, dus we hebben het rijk alleen." En dan loopt Albert met haar mee. Samen zitten ze vervolgens op de rand van haar ledikant en neemt Albert haar weer in zijn armen.

„Ik kan er niks aan doen dat ik veel van je hou, lieve schat," zegt Albert zacht. „Hou jij ook een beetje van mij?"

„Een beetje? Je moest eens weten, jongen. Ik weet wel dat het nooit iets tussen ons kan worden, maar ik kan je moeilijk missen." Ze nestelt zich vervolgens op zijn knie en geniet van zijn liefkozingen. Het bed is zacht en algauw liggen ze naast elkaar en leven ze bij het moment. Aan mogelijke consequenties denken ze niet als ze elkaar kussen en beminnen.

„Ben je nou boos?" vraagt Albert bezorgd als hij datgene gedaan heeft wat je alleen als getrouwd stel mag doen, maar Tonnie schudt haar hoofd.

„Ik wilde het zelf ook, lieverd. Maar nu moet je gaan, want ik ben nog steeds bang dat er plotseling iemand thuiskomt."

„Dat je niet boos bent, vind ik fijn, liefste, maar toch had ik het niet mogen doen."

„Pieker daar nou maar niet over. Welterusten, hoor!" En na

nog een laatste kus verlaat Albert het kamertje van Tonnie en hij voelt dan in al zijn sterke botten dat hij zielsveel van haar houdt. Datzelfde gevoel heeft Tonnie en ondanks haar zorgen valt ze toch met een glimlach om haar mond in slaap.

HOOFDSTUK 3

Na het gebeuren op haar kamertje beseft Tonnie dat Albert zeker de weg daarheen wel vaker zal weten te vinden. Hij zegt er wel spijt van te hebben dat het zo uit de hand gelopen is, maar zijn herinneringen aan die avond zijn zoet en dat geldt trouwens ook voor haar. Maar de risico's zijn te groot. Ontslag op staande voet kan het gevolg zijn als hun liefdesspel ontdekt wordt en bovendien kan hun intieme omgang ongewenste gevolgen hebben. Nee, ze moet het er niet meer op aan laten komen. Albert zegt haar niet te kunnen missen en zij hem ook niet, maar toch hakt ze de knoop door. Ze zal de baan in De vergulde Vink aannemen.

„Ik neem de baan in dat hotel-restaurant toch aan, Albert," zegt ze als ze hem ziet. Hij weet precies wanneer Coba even weg is en zodra zij haar hielen gelicht heeft, zoekt hij haar op.

„Het is jouw beslissing, schatje, maar ik vind het wel heel jammer." Hij kijkt haar met een zielig gezicht aan en Tonnie weet dan dat hij het oprecht meent.

„Luister, Albert," zegt ze, „in die baan verdien ik meer, heb ik meer vrij en belangrijker nog is dàt ik van juffrouw Tuling verlost ben. Heel erg vind ik het wel jou te moeten missen, maar als ik blijf zijn de risico's voor ons beiden te groot."

„Welke risico's bedoel je, lieveling?"

„Als we betrapt worden, zelfs hier in de keuken, vlieg ik er meteen uit, maar dat andere risico is nog veel groter."

„Hoe bedoel je?"

„Jij begrijpt toch ook wel dat intieme omgang gevolgen kan hebben." Terwijl ze het zegt krijgt ze een kleur tot in haar hals.

„Maar ik laat het nooit meer zover komen, schatje." Hij slaat dan zijn armen om haar heen en kust haar heel innig. Zijn ogen worden zelfs vochtig en Tonnie krijgt een brok in haar keel. Ze streelt hem over zijn volle haardos en kust hem lang en vurig op zijn mond. Weer komen de twijfels, maar ze weet dat ze nu sterk moet zijn. Mevrouw Donkers heeft haar enkele dagen bedenktijd gegeven. Als ze langer aarzelt is de baan weg. Ze zegt het ook.

„Deze kans moet ik grijpen, lieverd. Hier blijven heeft trouwens geen zin, want hoe lief ik je ook vind, het kan toch nooit iets tussen ons worden. Je vader ziet je aankomen! Hij zal wel wat anders voor jou in petto hebben dan zo'n armoedzaaier als ik ben."

„Jij bent mij alles waard, schat. Mijn vader kan zeggen wat-ie wil, maar ik ben gek op jou en nu ik weet dat jij ook van mij houdt, kan ik je helemaal niet meer missen." Hij neemt het liefste en mooiste meisje dat hij ooit ontmoet heeft, in zijn armen en overdekt haar gezicht met innige kusjes en eindigt bij haar mond. Zij biedt hem haar zachte lippen en kust hem innig terug. „Als je gaat beloof ik vaak langs te komen en dan zullen we best een plekje vinden om te kussen en te knuffelen." Na die belofte gaat hij weg, maar hij kan het niet laten haar nog één keer in zijn armen te nemen. Tonnie weet niet of ze wel zo blij met zijn belofte moet zijn. Haar verstand zegt haar dat het niet goed is hem steeds weer te zien. Beter zou het zijn hem helemaal uit het oog te verliezen. Uit het oog, uit het hart luidt immers het gezegde, maar haar gevoel is haar verstand de baas. Zij zou het verschrikkelijk vinden hem nooit meer te zien. Wel gaat ze de volgende avond naar De vergulde Vink en is er geen weg terug meer. Afgesproken wordt dat ze de volgende maandag al kan beginnen.

„Ik heb een andere dienst aangenomen, juffrouw Tuling," brengt Tonnie de eerste meid de volgende morgen van haar beslissing op de hoogte.

„Je neemt dus ontslag," concludeert Coba verbaasd en als Tonnie knikt, moet ze even gaan zitten om de boodschap goed tot zich door te laten dringen. Ze denkt na. Mevrouw Van Nisperden zegt altijd erg gesteld te zijn op Ton. Hoe zal zij reageren? Misschien krijgt zij, Coba, wel de schuld. Maar al te goed weet zij dat ze vaak naar tegen het meisje gedaan heeft. „Waar ga je heen, Ton?" vraagt ze dan.

„Ik ben bij De vergulde Vink aangenomen."

„En denk je het daar beter te hebben dan hier?"

„Ik denk het wel. Mevrouw Donkers, de bazin, is een harte-lijk mens en ik verdien er ook meer."

„Wat ze je daar geven, kun je hier ook krijgen," probeert Coba Tonnie van haar besluit af te brengen, maar Tonnie schudt haar hoofd. Ze is zelfs een beetje nijdig. Waarom komt juffrouw Tuling daar eerst nu mee. Heeft ze dan al die tijd voor minder gewerkt dan voor wat ze waard is?

„Ik heb er ook meer vrije tijd."

„Daar schiet jij al veel mee op; op je meeste vrije avonden blijf je gewoon thuis. Je kunt hier ook wel wat meer vrij krij-gen, hoor!"

„Ik heb de nieuwe betrekking al aangenomen, juffrouw Tuling." Tonnie zou haar nog willen zeggen dat zij, die zure tang zoals Albert haar noemt, de belangrijkste reden van haar vertrek is, doch zij houdt haar mond maar.

„Goed, ik zal het mevrouw vertellen. Wanneer moet je daar beginnen?"

„Aanstaande maandag."

„Dan al? Kun je niet wachten tot ik een ander meisje gevon-den heb?"

„Met mevrouw Donkers heb ik afgesproken dat ik aan-staande maandag begin," zegt Tonnie en als ze ziet dat Coba nijdig wordt, kan ze een gevoel van leedvermaak niet onder-drukken.

„Ik hoorde van juffrouw Tuling dat je bij ons weggaat," zegt mevrouw Van Nisperden nadat ze Tonnie bij zich geroepen heeft. „Waarom ga je zo plotseling weg? Denk je het bij De vergulde Vink beter naar je zin te hebben dan hier?"

„Daar kan ik meer verdienen en heb ik bovendien meer vrije tijd."

„Gaat het alleen om het geld en meer vrije tijd of is er ook nog een andere reden waarom je gaat?"

„Ja, er is nog een andere reden." Tonnie denkt even na. Dat ze de intieme omgang met Albert te riskant vindt, vertelt ze

51

niet. Wel zegt ze dat haar nieuwe bazin, mevrouw Thea Donkers, heel aardig is.

„Aardiger dan juffrouw Tuling?"

„Ik durf het niet te zeggen, mevrouw." In de deftige salon tegenover de rijke mevrouw voelt Tonnie zich niet op haar gemak. Kan ze hier zomaar zeggen hoe ze over juffrouw Tuling denkt?

„Geef maar een eerlijk antwoord op mijn vraag, Tonnie. Is juffrouw Tuling voor jou mede een reden om weg te gaan?"

„Om eerlijk te zijn de belangrijkste, mevrouw. Juffrouw Tuling was niet aardig voor me."

„Niet aardig of echt naar?"

„Het laatste, mevrouw."

„Oh! Heeft ze nog geprobeerd je op andere gedachten te brengen?"

„Als ik zou blijven zou ik hier ook wel meer kunnen verdienen en ook meer vrije tijd kunnen krijgen, maar ik vond het vervelend om dat te horen. Waarom heeft ze me dat dan niet eerder geboden?"

„En als we je meer betalen en meer vrije tijd geven, blijf je dan?"

„Nee, mevrouw. U hebt al begrepen dat ik vooral wegga omdat juffrouw Tuling altijd zo naar tegen me doet en trouwens, ik heb mijn nieuwe betrekking al aangenomen." Dat Albert ook een rol van grote betekenis speelt bij haar beslissing, laat ze wederom onvermeld.

„Ik vind het jammer dat je weggaat, Tonnie. Veel succes in je nieuwe betrekking. Tot ziens, hoor!"

Als Tonnie de salon verlaten heeft leunt Sonja van Nisperden achterover in haar comfortabele fauteuil. In korte tijd twee beste krachten weg. Eerst Rie Loos en nu Tonnie. In beide gevallen ligt de schuld bij Coba. Dat mag zo niet doorgaan.

Ze moet omzien naar een andere eerste meid, naar een vrouw met een vriendelijker karakter. Naar een vrouw die met mensen kan omgaan en ze niet van zich afstoot, zoals

Coba. Ze wil beginnen met haar eerst eens flink de mantel uit te vegen, maar als ze naar de keuken loopt hoort ze haar zoon ruziemaken met Coba.

„Het is jouw schuld dat Tonnie weggaat," hoort ze hem zeggen. En ze hoort nog meer. „Jij zit dat kind altijd op haar huid met je zure smoel. Rie Loos heb je ook al weggepest."

„U moet niet zo'n toon tegen mij aanslaan, meneer Albert. U mag hier trouwens helemaal niet komen. Ik moet u vragen de keuken te verlaten." Hoewel Coba trilt van verontwaardiging moet ze uit respect beleefd blijven tegen de jongeheer Van Nisperden.

„Ja, stuur me maar weg. Jij wilt dat lieve kind ieder vriendelijk woord onthouden. Je bent een heks en daar ben je nog mee geprezen ook!" Het is wel duidelijk dat Albert buiten zichzelf van woede is, maar het is ook wel duidelijk dat al die ontboezemingen niet voor de oren van Sonja van Nisperden bedoeld zijn.

„Wat is hier allemaal aan de hand?" vraagt zij streng als ze, tot schrik van haar zoon, plotseling in het deurgat staat. „Wacht jij op me in de salon, Albert, en ga jij even zitten, Coba." Beiden voldoen ze aan haar verzoek.

„Ik zal Albert opdracht geven jou zijn verontschuldigingen aan te bieden, Coba. Zijn geschreeuw en gescheld, waar ik ongewild getuige van was, zijn een schande voor een jongeheer van zijn stand. Maar hoe grof en afkeurenswaardig zijn woorden ook zijn, er schuilt wel een kern van waarheid in. Zojuist heb ik met Tonnie gesproken en de voornaamste reden waarom ze weggaat is jouw houding tegenover haar."

„Maar zij moet af en toe tot de orde geroepen worden, mevrouw, anders komt er van haar werk niets terecht," probeert Coba zich te verdedigen, maar Sonja van Nisperden trapt daar niet in.

„Tonnie heb ik leren kennen als een lief en hardwerkend meisje, Coba. Ook Rie Loos deed haar werk voortreffelijk. Het is wel toevallig dat ze in korte tijd beiden vertrekken. Jij bent niet de geschikte persoon om personeel te houden,

Coba. Ik verzoek je om te zien naar een andere betrekking. Goedemiddag!" En daar kan Coba Tuling het mee doen.

Terug in de salon roept Sonja ook haar zoon ter verantwoording. „Waarom ging jij zo tekeer tegen Coba, Albert? Ik heb ongewild precies gehoord wat je gezegd hebt en dat klonk heel grof. Ik heb Coba gezegd dat jij haar je verontschuldigingen voor je gedrag zult aanbieden."
„Ik mij tegenover die zure tang verontschuldigen?"
„Nu begin je weer even grof als daarnet, jongen. Wat bezielt jou en waar bemoei jij je mee? Wat heb jij ermee te maken dat Coba naar doet tegen Tonnie?"
„Dus dat weet u ook," stelt Albert vast, maar moeder Sonja zegt hem streng dat ze antwoord op haar vraag wil hebben.
„Evenals u en pa woon ik in dit huis, mama. Rie Loos was een hartelijk mens, maar voor Coba moest ze wijken. Tonnie Pasman is nog de enige vrolijke noot in dit huis. Coba is zo zuur als azijn en dat arme kind moet eronder lijden. Dat stuit mij tegen de borst. Ik snap niet hoe u dat mens kunt handhaven."
„Dat doe ik ook niet; ik heb haar gevraagd naar een andere betrekking om te zien, maar daar gaat het nu niet om. Wat gaat het jou aan als er gekrakeel is onder het personeel? Denk je dat ik niet mans genoeg ben om mijn eigen boontjes te doppen?"
„Doe nou niet zo vormelijk, mama. Tonnie is een meisje van mijn leeftijd. Ze is hier voor dag en nacht in huis en ik mag niet eens even met haar praten. Van u niet en van die zure Coba niet. Nee, treiteren doet dat mens Tonnie en vindt u het dan gek dat ik het voor dat meisje opneem? Het is een lief en vriendelijk meisje, ma, en uitgerekend zij gaat weg omdat die nare Coba haar het leven zuur maakt. Daar kan ik niet tegen."
„En dat is nou precies de reden waarom ik jou verboden heb nog in de dienstvertrekken te komen. Jij neemt veel te veel notitie van dat meisje. Ze is knap, aantrekkelijk en lief. Dat zie ik ook wel, maar ze is geen partij voor jou, beste jongen.

Jij hebt de leeftijd om halsoverkop verliefd te worden op het eerste het beste knappe toetje en daar wil ik een stokje voor steken. Ik vind het jammer dat Tonnie weggaat, want het is een hardwerkend en goed meisje, maar voor ons allemaal is het beter dat ze hier niet blijft. Dat moet jij in jouw positie toch ook begrijpen? Of heb jij al iets met dat meisje?"

„Heb jij al iets met dat meisje? Wat is dat nou voor een vraag, mama? Ik mag haar toch wel lief en aardig vinden."

„Maar niet Coba de huid vol schelden als ze minder aardig tegen Tonnie doet dan jij, jongen!"

„Goed, goed! Ik zal die zure tante wel mijn verontschuldigingen aanbieden als u dat zo graag wilt, maar van harte zal het zeker niet gaan."

„Je moet de eer aan jezelf houden, jongen, en je verder niet met dat meisje bemoeien."

Met pijn in haar hart vertrekt Tonnie die maandag met haar bundel kleren en een zware tas naar haar nieuwe betrekking. Juffrouw Tuling heeft ze die ochtend niet meer gezien, maar mevrouw Van Nisperden kwam nog even bij haar in haar kamertje en drukte haar een tientje in haar handen. „Voor alle doorstane ellende, lieve Tonnie. Ik heb juffrouw Tuling gevraagd naar een andere betrekking om te zien. Dat wilde ik je nog even zeggen, want jou treft geen schuld, hoor!"

Het is voor Tonnie een pleister op de wonde en mevrouw Van Nisperden stijgt erdoor in haar achting. Die nare Coba Tuling heeft haar verdiende straf. Ze kan geen greintje medelijden met haar voelen.

„Als je je spullen op je kamer gezet hebt kun je meteen aan de slag, Tonnie, want het is vreselijk druk. Bijna alle kamers zijn bezet en het restaurant zit de laatste dagen ook helemaal vol." Thea Donkers is blij dat haar nieuwe hulp gearriveerd is.

Dit is het begin van de zoveelste fase in het veelbewogen leven van Tonnie Pasman. De eerste dagen moet zij erg wennen, maar het werk valt haar niet tegen. Als ze even in de put zit omdat ze Albert niet meer ziet, weet Peter Galjoen haar weer op te vrolijken. Af en toe ligt ze slap van het lachen en er is dan geen nare Coba Tuling die het haar verbiedt. Nee, integendeel, Thea Donkers lacht even hard mee. Al na enkele weken heeft Tonnie het gevoel of zij hier al veel langer werkt. Maar ze mist Albert en als hij dan op een zaterdagavond als zij even vrij is, voor haar neus staat, kan ze haar geluk niet op. In een afgescheiden hoekje van het restaurant gaan ze aan een tafeltje zitten en dan moet ze vertellen hoe het haar de afgelopen twee weken vergaan is. Albert zelf vertelt dat Coba Tuling inmiddels vertrokken is en dat haar plaats is ingenomen door een vrouw van midden dertig. „Het is de tegenpool van Coba, schatje," zegt-ie. „Ik weet zeker dat jij nog bij ons zou zijn als die eerder gekomen was."

„Maar ik heb het hier best naar mijn zin, Albert, en jij bent nu toch bij me."

„Vind je dat fijn?"

„Moet je dat nog vragen?" En dan ernstig: „Toch weet ik niet of je er zo verstandig aan doet me te bezoeken, jongen. Jij weet net zo goed als ik dat wij niet voor elkaar bestemd zijn."

„Ik hou van jou en van niemand anders, lieveling. Je ziet er weer zo lief uit en wat een leuk bloesje heb je aan."

„Dat heb ik in de uitverkoop gekocht voor het geld dat ik van jou kreeg."

„Wat je overhield na van die gulden een cadeautje voor Beppie Loos gekocht te hebben?"

„Precies."

„Nou, het staat je prachtig, hoor! Maar ja, het maakt niet uit wat jij aantrekt. In een jutezak zie jij er nog mooi uit!"

„Overdrijven is ook een vak," lacht Tonnie nu, maar zij streelt ondertussen zijn hand die hij op tafel gelegd heeft. Bij het afscheid loopt ze even mee naar buiten en daar hebben zij in een donker hoekje alle gelegenheid te knuffelen en te kussen. Ze weet wel dat het beter is hem niet meer te zien, maar nu hij eenmaal gekomen is, is zij er toch erg blij om. Blij is ze ook als hij belooft gauw terug te zullen komen.

„Is er nog wat eten overgebleven, Peter?" vraagt Tonnie die woensdag als zij haar vrije avond heeft en ze van plan is weer eens naar Rie Loos te gaan.

„Heb je nog honger?" vraagt Peter lachend, maar Tonnie schudt haar hoofd en dan vertelt ze van de ellende die ze gezien heeft bij de buurvrouw van haar vroegere collega, Rie Loos.

„Ik ga er vanavond heen en het zou fijn zijn als ik die mensen kan verrassen met wat eten."

„Hoeveel kun je dragen? Toevallig zijn wat mensen die gereserveerd hebben niet komen opdagen en dus is er nogal wat over. Ik zal wel twee pannen vullen en die in een tas zetten. Goed?"

„Je bent geweldig, Peter!"

„Als ik niet getrouwd was zou ik je de hand kussen," lacht de onverbeterlijke grapjas, maar Tonnie ziet toch een bewonderende blik in zijn ogen. Maar och, van Peter kan ze wel wat hebben. Zolang hij niet handtastelijk wordt, vindt ze alles best. „Breng de pannen wel weer mee terug," zegt-ie nog.

De tas is behoorlijk zwaar als ze op weg gaat naar Rie, maar een beetje sjouwen heeft ze wel over voor het goede doel. En bij aankomst heeft ze succes, want Peter heeft de heerlijkste dingen in de pannen gedaan. Eén pan gaat naar Toos en de andere houdt Rie zelf, want ook bij haar is schraalhans keukenmeester.

„Als je weer met zo'n zware tas wilt komen moet je me van tevoren een seintje geven," zegt Cor. „Dan kom ik wel naar De vergulde Vink om je te helpen sjouwen. Die tas is toch veel te zwaar voor zo'n tenger meisje!"

„Niet nodig, hoor!" lacht Tonnie. „Ik kan wel wat hebben."

Als ze naar Cor kijkt ziet ze dat hij weer smachtende blikken op haar werpt, maar zij houdt de boot af. Als ze hem een vinger geeft, neemt hij haar hele hand en dat wil ze voorkomen.

„We hebben in maanden niet zo gesmuld," zegt buurvrouw

57

Toos als ze een uurtje later de lege pan terugbrengt. Ze glundert en ze kijkt blij als Tonnie belooft het nog eens over te zullen doen. Van zichzelf vindt ze het eigenlijk onvergefelijk er niet eerder aan gedacht te hebben, want in het restaurant blijft wel vaker eten over en dat gaat, evenals bij de familie Van Nisperden, meestal de kiebelton in.

„Voel je je niet goed, Tonnie? Je loopt zo te kokhalzen." Thea Donkers is het van haar hulpje niet gewend dat ze bleek ziet en misselijk is.
„Ik weet niet wat ik mankeer, mevrouw, maar ik heb vanmorgen al een keer moeten overgeven."
„Kruip dan maar weer in bed, want als je je niet goed voelt, moet je maar een paar dagen onder de wol blijven," adviseert mevrouw Donkers. Ze kan de vlotte en hardwerkende Tonnie Pasman eigenlijk niet missen, maar als het kind ziek is, moet ze naar bed. En dan valt het haar op dat Tonnie na een uur weer beneden is.
„Ik voel me een stuk beter, mevrouw, dus ga ik maar weer aan de slag." Een bezorgde bazin is nieuw voor Tonnie, maar ervan profiteren wil ze beslist niet. Ze voelt zich weer goed, dus blijft ze niet langer in bed. Maar het gekke is dat de misselijkheid zich de volgende morgen herhaalt en de morgen erna weer.
„Als ik jou was zou ik maar eens naar de dokter gaan, meissie," zegt Thea Donkers. Ze heeft zelf drie kinderen en ze ziet bij Tonnie symptomen die haar heel bekend voorkomen.
„Denkt u dat ik een nare ziekte onder de leden heb, mevrouw?" vraagt Tonnie angstig. Haar moeder is vrij jong aan een nare ziekte gestorven en je hoort weleens dat zo'n ziekte erfelijk is.
„Ik zal maar niet zeggen wat ik denk, Tonnie. Ga morgenochtend maar naar de dokter. Hij zal je wel vertellen wat er aan de hand is."
„Dat zal ik dan maar doen, mevrouw." Tonnie weet niet wat ze ervan denken moet, maar het advies van mevrouw

Donkers wil ze zeker niet in de wind slaan. Zorgen maakt ze zich wel. Zo is ze gezond en zo is ze dagen achtereen misselijk en moet ze overgeven. Was zij de oudste dochter uit een groot gezin, dan zou ze wel weten wat er met haar aan de hand is, maar ze was de jongste en haar moeder is gestorven toen ze veertien was. Nadien heeft ze geen zwangere vrouwen meer meegemaakt.

„Mevrouw Donkers van De vergulde Vink adviseerde mij naar u toe te gaan, dokter," zegt Tonnie bedeesd als ze tegenover de grijze huisarts van de familie Donkers zit.

„Ik dineer vaak in De vergulde Vink, maar ik heb jou daar nooit gezien." Dokter Duivelaar is verbaasd dat hem het bijzonder knappe meisje in zijn favoriete restaurant nooit is opgevallen. „Werk je er al lang?"

„Nee, dokter, pas een maand en in het restaurant kom ik zelden. Als ik mijn best doe mag ik daar in de toekomst misschien wel helpen bij de bediening," zegt ze trots. Enkele dagen tevoren heeft Thea Donkers haar gezegd dat ze erg tevreden over haar is en dat ze overweegt haar ook in het restaurant te laten helpen. De eigenaresse van De vergulde Vink weet als geen ander dat een knap smoeltje klanten trekt.

„Dan zullen we elkaar zeker nog wel tegenkomen, eh... hoe heet je eigenlijk?"

„Ik heet Tonnie Pasman, dokter."

„Goed, Tonnie, vertel me maar eens wat ik voor je kan doen."

„De laatste dagen ben ik 's morgens misselijk en moet ik overgeven, dokter, maar later gaat het weer beter en kan ik gewoon mijn werk doen."

„Die klachten komen mij bekend voor, Tonnie."

„Heb ik een ernstige ziekte, dokter?" Tonnie kijkt de grijze arts met grote angstogen aan.

„Wat je ernstig noemt," lacht dokter Duivelaar. En na zijn onderzoek: „Je hebt een heel gezonde ziekte, Tonnie, je verwacht een kindje."

„Een kindje?" Tonnie wordt beurtelings rood en bleek.

„Schrik je daar zo van?" Dokter Duivelaar moet jonge vrouwen vaak vertellen dat ze in verwachting zijn en hij weet dat de reacties steeds wisselen: vreugde, verdriet en berusting.

„Ik weet me geen raad, dokter. Wat moet ik daar nou mee?" Tonnie kijkt de dokter met grote angstogen aan en ze barst in snikken uit.

„Wacht, ik vraag even om een glaasje water," probeert de arts haar te kalmeren en als een assistente even later met het gevraagde komt, lijkt het enigszins te helpen. Tonnie neemt een paar slokjes en wordt wat rustiger. „Ik neem aan dat je verkering hebt maar nog niet getrouwd bent, Tonnie," veronderstelt dokter Duivelaar.

„Ja, dat klopt wel, dokter." Tonnie heeft er geen zin in de vreemde dokter precies te vertellen hoe de vork in de steel zit.

„Ik begrijp dat het moeilijk voor je is een kind te verwachten zonder getrouwd te zijn, Tonnie, maar besef dat het een groot goed is het leven aan een nieuw mensenkind te schenken. Veel vrouwen die geen kinderen kunnen krijgen, zullen je erom benijden." De woorden van de grijze arts zijn goed bedoeld en natuurlijk heeft hij ook gelijk, maar voor Tonnie zijn ze slechts een schrale troost. Wat moet zij met een kind van Albert van Nisperden? Ze houdt van Albert en ze zal zeker ook van het kindje houden, maar welke toekomst is er voor haar en hun kindje weggelegd? Ze moet het Albert wel vertellen, maar zich verder geen illusies maken. Al zou Albert al met haar willen trouwen, dan zal zijn vader daar zeker een stokje voor steken. Hij is amper negentien en dus nog lang niet meerderjarig.

„Nou, het beste ermee, hoor!" zegt de dokter als ze weggaat. „Als je klachten krijgt moet je er niet mee blijven lopen, maar terugkomen," geeft hij haar nog als boodschap mee.

Als ze buiten staat kijkt ze verdwaasd om zich heen. Ze kan nauwelijks normaal denken. Een kindje! Hoe is dat mogelijk? Eén keertje is ze intiem geweest met Albert en het is meteen al raak. Ze staat zo besluiteloos op de stoep te draaien, dat mensen haar aankijken. Het is nou net of die mensen willen zeggen: eigen schuld, had je maar beter uit moeten kijken, maar dat is onzin, want de mensen kunnen niet weten dat ze in verwachting is. En dan schrikt ze. Over een poos kunnen de mensen het wel zien, want dan krijgt ze een buikje en wat dan? De zorgen stapelen zich op en met een ontdaan gezicht komt ze terug in De vergulde Vink.

„En wat zei de dokter?" vraagt mevrouw Donkers vol belangstelling. Ze heeft sterke vermoedens, maar ze wil die door Tonnie zelf bevestigd zien.

„Ik durf het bijna niet te zeggen, mevrouw," piept Tonnie kleintjes. Beschaamd slaat ze haar ogen neer en moet ze op haar lippen bijten om niet in snikken uit te barsten.

„Kom, kom, je kunt mij toch wel in vertrouwen nemen."

„Maar ik schaam me zo, mevrouw."

„Zal ik het dan maar zeggen?"

„Het is erger dan u denkt, mevrouw."

„En toch zijn er erger dingen dan een kindje krijgen, Tonnie," glimlacht Thea Donkers. Het is zelf nog een groot kind gaat het door haar heen, maar wel een lief kind. Ze vraagt zich af wie de vader van het kindje is en of ze hem kent. Voor zover ze weet heeft Tonnie geen verkering. Albert van Nisperden komt een enkele keer langs en praat dan even met haar, maar dat is niet vreemd, want Tonnie was het dienstmeisje van zijn moeder.

„Heb ik gelijk of niet, Tonnie?"

„U hebt gelijk dat er erger dingen zijn dan een kindje krijgen, maar ik zit er toch vreselijk mee in."

„Ken ik de vader?"

„Daar geef ik liever geen antwoord op, mevrouw."

„Zoals je wilt, Tonnie."

„Maar wat gaat u nu met mij doen, mevrouw?" Tonnie kijkt de vrouw waaraan ze zich langzamerhand is gaan hechten, met angstige ogen aan.

„Ja, dat is een goeie vraag. Ik weet het niet, meissie. Kun je ergens bij familie terecht?"

„In het uiterste geval bij mijn grootouders."

„Maar liever niet, begrijp ik."

„Nee, liever niet, mevrouw; ik zou wel graag hier willen blijven."

„Jij zou wel graag hier willen blijven," herhaalt Thea Donkers de woorden van haar hulpje. Ze denkt na en heeft met het meisje te doen. „Nou, weet je wat, je blijft hier tot er een buikje zichtbaar wordt, maar dan moet je weg, want iemand die hoog zwanger is, kan ik niet handhaven om nog maar te zwijgen over een kraambed hier in het hotel."

„Wanneer denkt u dat er een buikje zichtbaar wordt?"

„Oh, dat is bij vrouwen heel verschillend en het hangt er ook vanaf welke kleren je draagt. Jij bent erg slank, dus na vijf of zes maanden zal het wel zover zijn."

„Dank u wel dat ik voorlopig mag blijven, mevrouw." Het antwoord van haar bazin valt Tonnie niet tegen, maar het lost haar probleem niet op. Wel heeft ze wat meer tijd om aan een oplossing te denken. Dat doet ze de hele verdere dag en als ze in bed ligt piekert ze nog door, maar een oplossing vindt ze niet. Het idee om haar probleem aan mevrouw Van Nisperden voor te leggen, heeft ze al meteen verworpen. Nu al met opoe en opa gaan praten heeft ook weinig zin. Opoe zal alleen maar schelden en mopperen. Ze is er pas nog geweest, dus voorlopig zal ze er nog maar weg blijven en als ze gaat en er is nog geen buikje, dan vertelt ze nog niks. Als het eenmaal zover is, ziet ze wel wat ze doet. De halve nacht ligt ze zo te piekeren en haar kussen is nat van de tranen.

„Ik verlangde naar je, schatje, dus kom ik maar gauw weer een zoentje stelen." Vrolijk en onbezorgd als altijd kijkt Albert Tonnie aan en hij trekt haar in zijn armen als hij haar ogen blij ziet oplichten, maar als hij wil gaan knuffelen houdt zij hem tegen.

„Ik wil eerst even onder vier ogen met jou praten, Albert."

„Wat een ernstig gezichtje; is het zo'n zwaarwichtig onderwerp."

„Laten we maar even naar een andere gelegenheid gaan,

jongen, want hier kennen ze me allemaal."

„Goed, dan drinken we een kop koffie in de lunchroom om de hoek." Albert doet wel luchtig, maar hij schrikt wel degelijk van het ernstige gezicht van zijn lieve meisje.

„Vertel eens wat er aan de hand is, liefste," dringt Albert aan als ze in een rustig hoekje van de lunchroom achter een kop dampende koffie zitten.

„Ik was enkele ochtenden achter elkaar misselijk en op aanraden van mevrouw Donkers ben ik toen naar de dokter gegaan."

„Och, lieve schat," onderbreekt Albert haar, „als ik geweten had dat je ziek was, was ik meteen al gekomen. Wat naar nou. En wat zei de dokter?"

„Dat ik zwanger ben."

„Wat?" Met grote verbaasde ogen kijkt hij haar aan en stamelt: „Ik word vader." Maar meteen erna komt er een blijde glans in zijn ogen en zegt hij spontaan: „Dan gaan we trouwen!"

„Je bent pas negentien en je studeert, jongen." Tonnie is blij met de spontane reactie van haar lieve jongen, maar ze betwijfelt of hij de draagwijdte van zijn woorden wel overziet.

„Als het kindje er eenmaal is ben ik twintig. Er zijn genoeg vaders van twintig. En weet je wat zo fijn is, Tonnie? Als ik thuis vertel dat jij een kindje van mij moet krijgen, dan moeten ze mij wel toestemming geven om met jou te trouwen. En we wachten er niet te lang mee, want mensen staan zo vlug klaar met hun oordeel. Een te vroeg geboren kindje komt vaker voor. Kijk niet zo beteuterd, het komt allemaal best voor elkaar." Hij raakt in vuur en vlam door zijn eigen woorden en hij kijkt haar daarbij stralend aan. Iets heel anders dan waarop Tonnie gerekend had. Ze had verwacht dat hij in zak en as zou zitten, maar het omgekeerde is het geval en toch schudt ze haar hoofd. „Geloof je me niet, lieveling?" is de wat ontnuchterende vraag van Albert.

„Ik ben erg blij met je spontane reactie, lieverd, maar ik moet het allemaal nog zien gebeuren. Ga nou eerst maar eens met je ouders praten. Bedenk wel dat je nog minderjarig bent."

„Het spreekt vanzelf dat ik met mijn ouders ga praten, maar ik reken op hun positieve reactie. Natuurlijk zullen ze wel even steigeren, maar als ik zeg dat ik mijn verantwoordelijkheid niet uit de weg ga en bovendien zielsveel van jou hou, dan gaan ze wel overstag. Laat dat maar aan mij over."

Dat Alberts optimisme slechts gestoeld is op jeugdige overmoed ervaart hij diezelfde avond.

„Het lijkt wel of je er nog blij om bent ook," zegt zijn moeder met een hoogrode kleur van ergernis als haar zoon haar zijn zonde opbiecht. „Ik had je verboden in de dienstvertrekken te komen, maar jij kruipt gewoon bij dat meisje in bed. Waar zit jouw fatsoen?"

„Het was niet netjes wat ik deed, mama, maar ik hou al een hele poos van Tonnie en we hebben er beiden schuld aan. Zij houdt ook van mij."

„Maar je doet net of je er blij om bent," herhaalt Sonja van Nisperden. Zij zit te trillen op haar stoel van agitatie.

„Dat is tot op zekere hoogte ook zo."

„Hoe kan dat nou?"

„Als ik jullie gevraagd had met Tonnie te mogen verkeren en later te trouwen, dan was dat waarschijnlijk geweigerd. Nu ik verplichtingen tegenover Tonnie heb en ik dus mijn verantwoordelijkheid niet uit de weg wil gaan, moeten jullie mij wel toestemming geven. Daarom ben ik blij. Over enkele maanden al getrouwd te zijn met het liefste meisje dat er bestaat, is voor mij een droombeeld." Het klinkt erg romantisch, maar Sonja van Nisperden is er niet van onder de indruk en ze verbaast zich over de haast die Albert heeft.

„Over enkele maanden al getrouwd? Hoe kom je daar nou bij?"

„Mensen kletsen gauw, mama, dus hoe eerder we trouwen hoe beter het is."

„Dat mensen zullen kletsen als we jou je zin zouden geven, is sowieso vanzelfsprekend, kind of geen kind. Ik zou mijn vrienden en bekenden niet meer onder ogen durven komen."

„En ik zou mijn vrienden en bekenden niet meer onder ogen durven komen als ik een meisje die een kind van mij verwacht, aan haar lot over zou laten."

„Wat zie jij er opgewonden uit, Sonja," constateert Govert van Nisperden als hij van een zakelijke bespreking thuiskomt. „Je hebt toch hopelijk geen ruzie met zoonlief," lacht hij.

„Onze zoon stelt ons vreselijk teleur, Govert," zegt ze met een snik en dan vertelt ze wat Albert haar zojuist toevertrouwd heeft. Ook herhaalt ze de bedoelingen van de jongen.

„Ik had een goed humeur door een uitstekend geslaagde zakelijke transactie vandaag, maar jij boort datzelfde goede humeur danig de grond in, vlegel. Hoe haal jij het in je botte hersens een dienstmeid zwanger te maken?"

„Niet zo laatdunkend over die lieve Tonnie doen, pa!" protesteert Albert. Hij schrikt van de reactie van zijn vader, maar hij geeft zich niet gewonnen en wijst ook zijn vader op diens plichten.

„Ik had de plicht jou netjes op te voeden, maar daarin ben ik helaas niet geslaagd. Je stelt me vreselijk teleur, jongen. Jij behoort je studie af te maken en een meisje van je eigen stand te trouwen en niet de eerste de beste dienstbode."

„Ik ga wel naar De vergulde Vink om met Tonnie te praten, Govert," stelt Sonja voor, maar Albert is het daar niet mee eens.

„Nee, dat doe ik zelf, mama. Ik zal haar zeggen dat het me spijt dat ik niet meteen met haar kan trouwen, maar of jullie het nou leuk vinden of niet, ik beloof haar wel haar te zullen trouwen als ik meerderjarig ben."

„Je gooit je eigen toekomst weg, jongen, want op mijn steun hoef je dan niet te rekenen. Ik ben het met je eens dat je dat meisje niet aan haar lot over kunt laten. Het minste wat je dus doen kunt is haar geld bieden."

„Ja, dat is zeker het minste," reageert Albert nijdig. Hij weet precies wat zijn vader bedoelt, maar dat woordje 'minste' heeft voor hem een heel andere betekenis. Hij vindt het min om zijn verantwoordelijkheid af te kopen. Moeilijk is dat niet, want de familie Van Nisperden is schatrijk. Nee, hij laat Tonnie niet in de steek. En dat vertelt hij haar de volgende avond al.

„Jij was veel te optimistisch, lieverd," zegt Tonnie als Albert haar die avond verslag uitbrengt van zijn gesprekken thuis. „Ik moet mijn studie afmaken en dan trouwen met een meisje van mijn eigen stand, Tonnie, maar dat ben ik echt niet van plan. Meteen met jou trouwen gaat niet. Zonder de steun van mijn ouders kan ik je niks bieden." Over geld praat hij niet, want dat vond en vindt hij te min. „Maar als ik meerderjarig ben en zelf geld verdien, dan gaan we trouwen en voordien zal ik je zeker niet uit het oog verliezen."
„Als mijn buikje zichtbaar wordt, moet ik hier weg, Albert."
„Als je maar zegt waar je heen gaat, dan zal ik je altijd wel weten te vinden, schatje. Ons kindje wil ik in ieder geval zien zodra het geboren is."
In de maanden die volgen houdt Albert zich aan zijn woord en hij komt haar dan ook regelmatig bezoeken. Bovendien geeft hij haar het adres van zijn hospita in Delft, zodat zij hem ook kan schrijven als ze daar behoefte aan heeft.

En dan nadert de periode waarin haar buikje zichtbaar zal worden en dus moet ze haar grootouders, die ze tot dan onkundig heeft gelaten van haar toestand, vragen haar onderdak te bieden.
Het kost haar vervolgens ontzettend veel moeite die boodschap op papier te krijgen. Enkele probeersels eindigen als proppen in de prullenmand, maar eindelijk heeft ze dan alles netjes verwoord. Details laat ze achterwege, die zal ze de oude mensen wel persoonlijk vertellen. Wie de vader van haar te verwachten kindje is, schrijft ze ook niet.

„Een brief van Tonnie; ik zie het aan het handschrift," zegt opoe Pasman als ze haar man de envelop toont die de postbode zojuist bezorgd heeft.

„Oh, wat schrijft ze?"

„Hoe weet ik dat nou? Ik heb de envelop nog niet eens opengescheurd en ik heb mijn leesbrilletje ook nog niet op," moppert opoe. Maar als ze de brief voor zich op tafel legt en leest, kan ze kreetjes van verbazing en ergernis niet onderdrukken.

„Wat schrijft ze dan?" herhaalt opa zijn vraag en dan barst opoe bijna van woede en scheldt ze op die slet die hun op hun oude dag nog te schande zal maken. „Hier lees zelf maar," zegt ze, hem nijdig de brief toewerpend.

„Wat erg voor dat lieve kind," steunt opa ontzet. „Ze schrijft niks over verkering of wie de vader is. Ze zal toch niet overmeesterd zijn door de een of andere onverlaat."

„Die bokser zal wel de vader zijn," veronderstelt opoe. „Maar hier komt ze er niet in. Wie z'n gat brandt moet op de blaren zitten, dus ze zoekt het maar uit!" Woedend maakt ze aanstalten om naar bed te gaan, maar opa schudt zijn hoofd. Hij kent de felle aard van zijn vrouw, maar hij weet ook dat zij in feite maar een klein hartje heeft. Zij zal wel de laatste zijn die Tonnie aan haar lot overlaat.

„Slaap je al, moeder?" vraagt opa Pasman als hij die avond naast zijn vrouw in de bedstee ligt.

„Wat een vraag," moppert ze. „Hoe kan ik nou slapen na ontvangst van zo'n brief?"

„Ze wil antwoord van ons."

„Schrijf haar dat die bokser maar een oplossing moet vinden."

„Maar je weet toch niet zeker dat hij de vader is, Trui."

„Wie dan wel? Ik wil de schande buiten de deur houden, Geert. Wij hebben altijd netjes geleefd en zo'n meid zou ons op onze oude dag de kroon nog van het hoofd stoten? Mij niet gezien. Schrijf dat maar!"

„Maar wij kunnen dat lieve kind in haar positie toch niet in de steek laten, Trui." Hij slaat een arm om haar heen en dan kruipt ze snikkend tegen hem aan.

„Jij bent veel te goed voor deze wereld, jongen," snikt ze.

„Wat wil jij dan doen?"

„Haar schrijven dat ze kan komen."

„Nou, doe dat dan maar."

„Ik wist het wel, lieve schat. Morgen schrijf ik haar terug. Welterusten." Hij kust haar innig en beseft dat hij na meer dan vijftig jaar nog dol is op zijn mopperende vrouwtje.

HOOFDSTUK 4

Storm, regen, natte sneeuw en af en toe wat zon. De maartse buien worden af en toe onderbroken door een vriendelijke dag. Zo'n dag die beloften inhoudt voor het afscheid van de kille winter en een welkom aan de lente. Maar als de postbode zich met een bundel post bij De vergulde Vink meldt, heeft hij zijn cape omgeslagen en is hij blij met de dampende kop koffie die hem geboden wordt. Er staat een snijdende wind en uit de donkere lucht kletteren de hagelstenen op straat.

Tonnie, die de postbode zijn koffie gebracht heeft, is benieuwd of er al antwoord van opa is en tot haar opluchting is dat het geval. Vlug gaat ze aan een tafeltje zitten, scheurt de envelop open en leest.

Beste Tonnie,

Wij, opoe en ik, zijn erg geschrokken van je brief. Je zult wel begrijpen dat we verdrietig en boos zijn, want je bent al vijf maanden zwanger en dat schrijf je ons nu pas. Maar we laten je niet in de steek, dus kom maar. Hier praten we verder, want praten is makkelijker dan schrijven.

Je opa

Tonnie slaakt een zucht en laat haar armen lusteloos in haar schoot vallen. Een kort, maar veelzeggend briefje. De oudjes zijn geschrokken, verdrietig en boos, maar toch mag ze komen. Ze denkt dat vooral opoe boos is en dat opa verdrietig is, maar dat wil die goeierd natuurlijk niet schrijven. Praten is makkelijker voor hem. Ook voor haar? Ze ziet op tegen de confrontatie met vooral opoe. Natuurlijk zal ze de wind van voren krijgen. Enfin, ze moet zich maar geen zorgen maken voor de tijd.

Enkele dagen later staat ze met een zware tas en een bundel

kleren klaar om te vertrekken. Het afscheid is van beide kanten moeilijk, maar hartelijk. Ze kan meerijden met een leverancier die langs haar dorp komt. Hij is zo vriendelijk haar zelfs voor de deur bij opa en opoe af te zetten.

Opa ziet haar komen en hij komt naar buiten om de zware tas van haar over te nemen. „Dag opa, is opoe erg boos?" informeert ze alvast maar en als opa zegt dat ze daar natuurlijk alle reden toe heeft, weet Tonnie dat ze zich schrap moet zetten. Ze heeft even gehoopt dat opa haar op haar gemak zou stellen en zeggen dat het allemaal wel meevalt, maar ze merkt dat de oude man ook gespannen is.

Eenmaal binnen zet opoe meteen haar stekels op en de verwijten vliegen Tonnie om de oren.

„Je maakt ons op onze oude dag te schande," moppert ze. „Die bokser is zeker de vader. Met zijn geknok heeft hij ons al eerder te schande gemaakt, maar dat heb ik je al eens gezegd. Nu dit weer. Wij hebben altijd netjes geleefd, maar jij stoot ons nu de kroon van het hoofd." Opoe herhaalt wat ze eerder opa gezegd heeft. „Zeg jij ook eens iets, Geert!" zegt ze nu tegen haar man.

„Jij praat voor twee, Trui. Laten we Tonnie even bij laten komen. Voor ons is het moeilijk, maar voor haar ook en misschien nog wel moeilijker dan voor ons."

„Maar ik wil weten of die bokser de vader is," houdt opoe vol.

„Met hem heb ik geen omgang meer, opoe," reageert Tonnie maar neutraal op de woorden van haar grootmoeder. Als ze vertelt dat het kind is verwekt door de zoon van haar vroegere mevrouw, dan is opoe in staat erheen te gaan om verhaal of misschien zelfs geld te halen. En zij wil dat niet. Ze hoeven niet te weten wie de vader is. Daarom ook heeft ze gisteravond Albert een briefje geschreven over haar vertrek bij De vergulde Vink zonder vermelding van haar toekomstige adres. Het is maar beter dat hij haar niet weet te vinden en zeker niet hier in het dorp met al die jaloerse leeftijdgenoten. Als het haar te veel wordt kan ze hem altijd nog een briefje schrijven met het voorstel elkaar ergens te ontmoeten.

„Je kunt je oude kamertje weer krijgen, Tonnie," zegt opa als de gemoederen enigszins gekalmeerd zijn. Hij brengt haar spullen erheen en Tonnie volgt hem het smalle trapje op.

„Ik berg mijn spulletjes meteen maar even op," zegt ze zacht. Ze kijkt haar opa daarbij zo zielig aan, dat deze haar een tikje tegen haar wang geeft en zegt dat ze alles wat opoe zegt, maar niet al te letterlijk moet nemen.

„Je weet dat zij het niet zo kwaad meent, meissie. Ze is door deze gebeurtenis nogal van streek, maar ze draait wel bij. Bedenk maar dat je er niet alleen voor staat."

„Dankjewel, opa." In een spontaan gebaar slaat ze haar armen om de nek van de oude baas en zoent hem op beide wangen. „Ik wist wel dat jullie me niet in de steek zouden laten en ik beloof dat ik jullie zo min mogelijk tot last zal zijn."

„Jij bent ons niet tot last, lieve kind." Het gebaar van zijn favoriete kleinkind ontroert Geert Pasman zo dat de tranen hem in de ogen springen en dan kan Tonnie zich ook niet goed houden. Het slot van het liedje is dat ze elkaars tranen drogen en dan moeten ze lachen. Maar de lach van Tonnie eindigt toch in een snik, want als ze om zich heen kijkt, dan beseft ze dat ze de komende tijd met dit kleine kamertje en de muffe bedstee genoegen zal moeten nemen.

Alles went, zegt men wel, maar Tonnie kan haar draai niet vinden in het kleine huisje. In De vergulde Vink had ze een mooie slaapkamer en altijd mensen om zich heen. Hier moet ze het doen met een piepklein slaapkamertje en de enige mens die ze om zich heen heeft, is haar mopperende opoe. Maar het allerergste vindt ze de muffe bedstee. Ze heeft de laatste jaren altijd in een ledikant geslapen en de bedstee is ze volledig ontwend, erger, ze voelt zich erin opgesloten, zelfs als ze de deuren openlaat. Nu weet ze dat er op zolder nog een oud ledikant staat, maar ze durft opa niet te vragen het naar beneden te halen. Als opa een klus voor de smid doet en opoe een boodschap is gaan doen, gaat ze naar de zolder en ontdoet ze het ledikant van stof. Wat er onder die laag stof vandaan komt valt haar alleszins mee. Het ledikant is uit elkaar gehaald. Ze probeert of ze de verschillende delen kan dragen en dat lukt. Dan bedenkt ze dat ze er opa helemaal niet mee lastig hoeft te vallen. De delen naar haar kamertje dragen kan ze zelf wel. Toch valt het tegen als ze met de lange stukken de zoldertrap afdaalt, maar met inspanning van al haar krachten lukt het. Na de grote stukken volgen de planken en dan kan het ledikant weer in elkaar gezet worden. Met veel moeite lukt dat ook, maar als ze daarna de matras erin gelegd heeft, is ze dood-op. De zweetdruppels staan op haar voorhoofd.

Op dat moment komt opoe terug van de boodschap en even later opa. „Ben jij boven, Tonnie?" roept opoe en als ze een wat hijgende bevestiging van haar kleindochter krijgt, loopt ze naar boven om te zien wat ze aan het doen is. En dan schrikt ze als ze ziet waar Tonnie mee bezig is. „Heb jij dat ledikant zelf van zolder gehaald?" vraagt ze verbaasd. En als Tonnie knikt roept ze haar man.

„Wat is er, Trui?" roept die terug.

„Kom eens even boven." En als opa boven is: „Breng jij dat ledikant maar weer naar de zolder, Geert. Met dat ledikant in dit kleine kamertje kun je je kont niet meer keren."

„Maar ik wil eerst wel eens weten hoe dat ledikant hier komt," zegt opa. Hij schrikt van de zweetdruppels op het voorhoofd van zijn kleindochter.

„Ik wilde u er niet mee lastigvallen, opa, dus heb ik het zelf gehaald. Ik kan niet wennen in die muffe bedstee."

„Maar besef jij dan niet dat het in jouw toestand levensge-vaarlijk is zo zwaar te sjouwen, meissie?"

„Ze is zo eigenwijs als ze groot is," moppert opoe, maar evenals haar man schrikt zij zich vervolgens een ongeluk als Tonnie plotseling op het bed zakt en kreunend haar handen tegen haar buik drukt.

„Oh, ik krijg zo'n vreselijke pijn in mijn buik," kreunt ze en ze wordt wit als een doek.

„Dat gaat fout," steunt opa. „Ik laat de dokter halen." De

consternatie is ineens groot en die wordt nog groter als de rok van Tonnie rood wordt van het bloed.

„Gauw Geert, ze verliest bloed!" schreeuwt opoe haar man nog na. En tot Tonnie: „Ga maar liggen." Ze pakt een kussen uit de bedstee en schuift die onder het hoofd van haar kleindochter. Ze dekt haar ook toe met een deken, maar af en toe kijkt ze er bezorgd onder en dan ziet ze dat Tonnie steeds meer bloed verliest. „Heb je pijn?" vraagt ze.

„Ja, ik heb krampen in mijn buik, opoe en het doet erg veel pijn. Ik voel dat ik helemaal nat ben. Wat is dat?"

„Je bloedt, meissie. Blijf maar stil liggen, opa laat de dokter halen."

Buiten heeft opa een buurman die een fiets heeft, gevraagd vlug naar de dokter te gaan, omdat zijn kleindochter niet goed geworden is en dat ze dringend doktershulp behoeft. Wat het meisje mankeert vertelt hij niet en de man vraagt er ook niet naar. Hij springt op zijn fiets en tien minuten later is dokter Van Laarhoven er al.

„Wat is er aan de hand, Pasman?" vraagt de dokter als hij het kleine huisje binnenkomt.

„Mijn kleindochter is bijna een half jaar zwanger en nu verliest ze bloed, dokter."

„Gebeurde dat spontaan of is er een oorzaak voor die bloeding aan te wijzen?"

„Ze heeft met zware dingen lopen sjouwen, dokter."

„Pfuh! Dat is niet best, Pasman. Ik ga gauw kijken." Vlug loopt dokter Van Laarhoven de trap op. In haar kleine kamertje vindt hij Tonnie in een plas bloed en dan ligt zijn diagnose voor de hand. Het wordt een miskraam en het kindje, een meisje, is niet levensvatbaar.

Als de dokter weg is verschoont opoe het bed en ze geeft Tonnie alle zorg die ze nodig heeft. Ze spreekt haar moed in en zegt haar dat ze vooral veel zal moeten rusten.

„De dokter komt morgen terug om te kijken hoe het gaat, Tonnie," zegt ze zacht. Ze moppert niet en er komen geen verwijten meer uit haar mond. „De dokter geeft wat tegen de pijn en om je te kalmeren. Opa haalt het op; probeer maar wat te slapen."

Het advies van opoe is goed bedoeld, maar slapen kan Tonnie al helemaal niet, hoewel ze toch doodmoe is. Een dood kindje, een meisje, heeft ze gebaard. Haar eigen schuld blijkt achteraf. Opa had gelijk dat zij in haar toestand zeker niet met zware delen van een ledikant had mogen sjouwen. Dom vindt ze het van zichzelf, maar ze heeft er niet bij stilgestaan dat het zo gevaarlijk was.

En dan kan ze niet helder meer denken. Ze suft weg, maar ze valt niet in slaap, want pijnscheuten gieren door haar lichaam. Ze hoopt maar dat opa gauw komt, want ze wil van de pijn af en slapen. Ja slapen wil ze, want ze is zo ontzettend moe en verdrietig. Het kindje van Albert is dood. Tranen druppen op haar kussen en dan voelt ze een koele hand op haar voorhoofd. Als ze haar ogen opent staat opa bij haar bed.

„Gaat het een beetje, meissie?" vraagt-ie bezorgd. „Heb je nog pijn?" En als ze knikt haalt hij de medicijnen die hij zojuist bij de dokter gehaald heeft, uit zijn tas. Hij haalt ook een kroes water. „Hier word je rustig van en deze poeders zorgen ervoor dat de pijn vermindert." Hij helpt haar de poeders met wat water in te nemen.

„Het is mijn eigen schuld, opa, dat het kindje dood is," kreunt ze en dikke tranen rollen over haar wangen.

„Je hebt het toch niet met opzet gedaan, Tonnie. Je moet jezelf geen schuld aanpraten, maar proberen te slapen. De poeders zullen je daarbij helpen. Straks kom ik nog wel even kijken hoe het gaat en ook opoe komt straks nog." Hij streelt even haar hand die op het laken ligt en gaat dan stil naar beneden.

Terwijl Tonnie, na de poeders ingenomen te hebben, in slaap valt, zitten de twee oudjes met een zorgelijk gezicht tegenover elkaar. „Als ze het maar haalt, Geert," steunt opoe. „Ik ben toch zo geschrokken van al dat bloed en dat bleke gezicht van Tonnie. En de dokter keek ook al zo bedenkelijk. Heeft hij nog iets gezegd toen je de medicijnen kwam halen?"

„Ja, de dokter zei dat ze jong en sterk is en dat rust en goede verzorging wonderen verrichten. Ze moet vooral veel rusten en spanningen moeten vermeden worden."

„In haar bijzijn zal ik niet mopperen, Geert."

„Daarom zal de dokter dit advies niet geven, Trui. De dokter denkt eerder aan zelfverwijt en ik weet nu dat hij daar gelijk in heeft."

„Hoezo?"

„Toen ik net bij Tonnie was zei ze dat de miskraam haar schuld is en dat ze dat denkt is wel te begrijpen, want als ze niet met dat zware ledikant was gaan zeulen, was er waarschijnlijk niets gebeurd."

„Heb jij haar dat gezegd?"

„Nee natuurlijk niet! Ik heb haar gezegd dat ze zichzelf geen schuld moet aanpraten, omdat ze het niet met opzet gedaan heeft."

„Gelukkig maar. We zullen haar goed verzorgen, Geert. Ik mopper wel op haar, maar ik hou veel van ons kleinkind, hoor!"

„Ik ken je al een paar jaar, Truitje, dus mij hoef je daarvan niet te overtuigen."

De eerste dagen rust en slaapt Tonnie erg veel en dokter Van Laarhoven knikt bemoedigend als opoe vraagt of ze er weer bovenop komt. „Ik zei het al tegen uw man, mevrouw Pasman, dat rust en goede verzorging wonderen verrichten."

„Gelukkig maar, dokter, want ik ben me lam geschrokken. Ik zal de dag prijzen waarop ze weer gezond en wel op haar twee benen staat."

„Die dag komt, mevrouw, maar eerst zult u nog lang geduld moeten hebben, want uw kleinkind zal nog weken het bed moeten houden. Gelukkig komt het voorjaar eraan en dan kan ze buiten in het zonnetje aansterken."

De eerste week merkt Tonnie nauwelijks het verschil tussen

dag en nacht. Daarna voelt ze zich nog erg slap, maar gelukkig is de ergste pijn weg. Het suffe gevoel in haar hoofd raakt ze ook langzamerhand kwijt en dan kan ze weer normaal denken. Ze heeft gemengde gevoelens en mist Albert nu meer dan ooit. Ze zou hem willen zeggen hoe het haar spijt dat ze zo onvoorzichtig is geweest, maar ze zou er dan wel bij vertellen dat ze niets met opzet gedaan heeft. Zeggen kan ze het hem niet, maar ze heeft zijn adres, dus zal ze hem schrijven als ze daar weer de kracht toe heeft. Misschien is hij wel opgelucht dat zij geen ongetrouwde moeder wordt. En hoe staat het met haarzelf? Is het voor alle betrokkenen niet beter zo? Zij is nog maar kort in het dorp en niemand heeft gemerkt dat zij in verwachting was. Nu er geen kindje komt, wordt opa en opoe ook de schande, waar vooral opoe zo bang voor was, bespaard. Albert heeft nu geen verplichtingen meer tegenover haar en dat is goed. Tussen hen zou het toch nooit iets geworden zijn, want als zijn vader hem onterft moet hij een veel te grote stap terug doen. En als hij dat niet vol zou houden, wat dan? Nog is ze verdrietig om wat er gebeurd is, maar er zijn wel veel problemen opgelost. Ze zal Albert een eerlijke brief schrijven en ook dan geen afzendadres vermelden.

Een mooie dag in april. De zon schijnt uitbundig en er zitten al dikke knoppen in de appelboom van opa. Straks zullen die knoppen openbreken en wordt de boom één boeket van sneeuwwitte bloesem. Tonnie loopt voorzichtig naar de bank achter het huisje en laat de ontluikende natuur op deze mooie voorjaarsdag op zich inwerken. Achter de tuin is een sloot en daarachter strekken de weilanden zich uit tot zover het oog reikt. Door de malse buien in het begin van april zijn de weilanden, waarin de koeien vredig lopen te grazen, welig groen. Een merel verzamelt wat modder in de slootkant en vliegt ermee naar haar nest van takjes om het te versterken. Ze metselt als het ware haar huisje, het nestje voor haar eitjes waaruit later de jonge mereltjes zullen kruipen. De gele bloesem van de forsythia contrasteert fel met het groene gras van de bleek, waarop opoe 's maandags de was droogt en bleekt. Zodra zij, Tonnie, weer voldoende aangesterkt is zal ze opoe erbij helpen, want het goeie mens staat er nu helemaal alleen voor. Opoe stond erop haar bed tweemaal in de week te verschonen, maar nu ze er niet meer dag en nacht in ligt, kan dat wel wat minder. Ze kent haar opoe de laatste tijd niet meer terug. De altijd mopperende oude vrouw is vriendelijk en behulpzaam en geen naar woord komt meer over haar lippen. 'Jij moet er beter van worden' zegt ze als ze haar de lekkerste hapjes toeschuift. Tonnie weet dat het geen vetpot is en dat de oude mensen de kosten voor haar verzorging nauwelijks kunnen dragen. Opa verdient wat geld door klusjes te doen voor de smid, waar hij jaren een volledige dagtaak had. Nu beperkt hij zich tot het ophalen en wegbrengen van paarden die beslagen moeten worden. Hij houdt zodoende contact met de boeren in de streek en die maken graag gebruik van zijn vaardigheid mollen te vangen. Daarbij is hij wel een deugniet vindt Tonnie, want gierige boeren draait hij soms een rad voor ogen. In zijn jas heeft hij een dubbele voering genaaid en daarin stopt hij eerder gevangen mollen als hij bij zo'n boer het land op gaat. Terug bij de hoeve toont hij de boer zijn vangst en beurt voor elke mol twee centen, waarbij de eerder gevangen mollen dus dubbel betaald worden. De velletjes die hij mooi vierkant op planken spijkert en laat drogen, brengen later ook nog eens twee centen op. Verder verdient hij nog wat aan de verkoop van konijnen. Melk hoeft opoe niet te kopen, want dat hebben ze van de geit, de werkmanskoe, zoals die in het dorp toepasselijk genoemd wordt.

Tonnie overdenkt dit allemaal en ze geniet ondertussen van het mooie weer en het steeds sterker wordende zonnetje. Maar dan wordt haar aandacht getrokken door een luid kakelende kip aan de rand van de sloot in de tuin van de buurman. Als ze goed kijkt ziet ze dat er eendenkuikentjes in het water zwemmen, maar dat er van een moedereend geen spoor is. Dan weet ze wat er gebeurd is. Het komt vaker voor, maar ze ergert zich eraan. De buurman heeft een broedse kip op eendeneieren gezet en nu de eieren uitgekomen zijn, volgen de kuikens hun natuurlijke instinct en gaan de sloot in, hun radeloze stiefmoeder op de kant achterlatend. Een misselijke streek vindt Tonnie.

„Tonnie, kom je even binnen? Meneer pastoor is er." Het is de stem van opoe die Tonnie uit haar gemijmer haalt. Moeizaam staat ze op en wat stijf van het zitten schuifelt ze voetje voor voetje de kamer in en begroet de oude pastoor Schoevenaer.

„Ik kom eens kijken hoe het met de patiënte gaat," zegt de herder van de parochie. „Dokter Van Laarhoven houdt mij op de hoogte van de zieken in mijn parochie, maar ik heb begrepen dat jij een bijzondere ziekte gehad hebt, Tonnie."

„Haar zondige omgang met een jongen in de stad heeft haar op het randje van de dood gebracht, meneer pastoor," bevestigt opoe de woorden van de pastoor. „Ik hoop niet dat het een straf van God is, want dat zou ik verschrikkelijk vinden."

„Niet zo hard van stapel lopen, Truitje," reageert de oude pastoor gemoedelijk. En tot Tonnie: „Als de priester in de stad waarbij je je zonden gebiecht hebt, je de absolutie gegeven heeft, zijn de zonden je vergeven, Tonnie."

„Ja, meneer pastoor," zegt Tonnie kleintjes. Ze schrikt van de uitspraak van meneer pastoor, want haar zondige omgang met Albert heeft ze in de stad niet gebiecht, maar dat durft ze de pastoor toch niet te zeggen.

Er wordt daarna nog over algemeenheden gesproken en het valt Tonnie daarbij op dat er geen woord van verwijt uit de mond van de grijze pastoor komt en dat doet haar goed, maar ze zit wel met een probleem.

Als de pastoor weg is, blijft Tonnie met dat probleem achter. Ze heeft er nooit bij stilgestaan dat de heerlijke avond met Albert een zonde tegen de regels van de kerk is. Nu wordt ze met haar neus op de feiten gedrukt. Een zondige omgang noemde opoe het en meneer pastoor ging er als vanzelfsprekend vanuit dat zij die zonde in de stad al gebiecht heeft en dat de priester daar haar er al de absolutie voor gegeven heeft. Niks biecht, niks absolutie! Er zit een grote zwarte vlek op haar ziel en daarmee heeft ze maanden geleefd of er niets aan de hand was. Ze is te communie gegaan en ze was bijna met een doodzonde op haar ziel gestorven na de miskraam. Ze zoekt de catechismus, die ze altijd zorgvuldig bewaard heeft, op. Onder De belijdenis en de voldoening leest ze:

Wat moet men doen, als men vrijwillig een doodzonde verzwegen heeft?

Als men vrijwillig een doodzonde verzwegen heeft, moet men:
1. die verzwegen doodzonde biechten en ook alle doodzonden die men na de laatste goede biecht bedreven heeft;
2. zeggen, hoe dikwijls men intussen onwaardig heeft gebiecht, gecommuniceerd of andere sacramenten onwaardig heeft ontvangen.

Ze had het kunnen weten, want op school wist ze steeds alle catechismusvragen goed te beantwoorden. Dom dat ze er niet aan gedacht heeft. Nu heeft ze zonde op zonde gestapeld. Ze kan er die nacht nauwelijks van slapen. Nog weken loopt ze met het probleem te tobben en dan komt de dag, waarop ze weer mee naar de kerk kan. Ze is voldoende aangesterkt en samen met opa en opoe gaat ze die zondag naar de kerk. Maar in de kerk gebeurt er iets heel ongewoons. Terwijl iedereen te conmmunie gaat, blijft Tonnie in haar bank zitten.
„Ga jij niet te communie, Tonnie?" vraagt opoe verbaasd en ze begrijpt er vervolgens niets van als Tonnie haar hoofd schudt.
„Nou moet jij me toch eens uitleggen waarom jij vanmorgen

niet te communie ging, Tonnie," zegt opoe als ze terug uit de kerk weer thuis zijn. En dan: „Waarom ga je nou huilen?"

„Ik heb er nooit aan gedacht mijn zondige omgang, zoals u het noemde, in de stad te biechten en nu leef ik al al die tijd in zonden en ik ben zelfs al meerdere keren te communie gegaan." Ze heeft het snikkend gezegd.

„Dat had je meneer pastoor wel eens kunnen zeggen toen hij hier was en we het erover hadden; ik schaam me dood!"

„Niet te hard oordelen, Trui!" vermaant opa zijn vrouw, die, nu Tonnie weer wat sterker is, af en toe weer vervalt in haar gemopper. En tot Tonnie: „Ga jij de komende week maar biechten bij meneer pastoor. Pastoor Schoevenaer is een wijs man en hij zal je wel kunnen helpen."

„Ik heb je afgelopen zondag in de kerk gezien, Tonnie, en dat doet me deugd. Het bewijst dat jij het ergste achter de rug hebt." Met deze vriendelijke woorden begroet de oude pastoor Tonnie als zij die woensdagmiddag bij hem in de biechtstoel zit.

„Ik ben wel beter, maar het allerergste heb ik nog niet achter de rug, meneer pastoor," zegt Tonnie schuchter.

„En wat mag dat allerergste dan wel wezen, Tonnie?"

„Ik heb mijn zondige omgang met die jongen in de stad niet gebiecht, zoals u veronderstelde, meneer pastoor, en nu heb ik zonde op zonde geladen. Daarom durfde ik de afgelopen zondag ook niet te communie te gaan."

„Oei, dat is niet zo mooi, Tonnie. Maar waarom heb jij die zonde niet gebiecht?"

„Die jongen en ik waren erg verliefd en ik heb er niet bij stilgestaan dat het een doodzonde was die ik moest biechten."

„Jij hebt dus niet vrijwillig een doodzonde verzwegen?"

„Ik dacht er niet aan, meneer pastoor."

„Maar dan liggen de zaken anders, meissie, want in de catechismus staat:

Als men na een ernstig gewetensonderzoek een doodzonde

vergeten heeft, is de biecht goed en wordt ook de vergeten doodzonde vergeven.

Ik merk dat je berouw hebt en ik zal je de absolutie geven, Tonnie. Ga jij aanstaande zondag maar te communie en maak je verder geen zorgen, want gestraft ben je inmiddels al voldoende. Bid als penitentie nog maar drie Onzevaders en drie Weesgegroetjes. Dag Tonnie, het beste ermee."
„Dag meneer pastoor." Met een opgelucht gevoel verlaat Tonnie de biechtstoel en, na aan de haar opgelegde penitentie te hebben voldaan, gaat ze vlug naar huis en die volgende zondag in de kerk ondergaat ze de Heilige Eucharistie met een devotie als nooit tevoren. De sfeer in de dorpskerk is anders dan die in de stad.

Tijdens de consecratie heerst er een doodse stilte die af en toe onderbroken wordt door wat gekuch. Met kromgevouwen handen gaan eerst de rijke boeren naar de communiebank en daarna volgt het gewone volk. In de stad viel dat haar niet zo op, omdat ze daar de mensen niet kende, maar hier kent ze iedereen en ze weet ook wie rijk en wie arm is.

In zijn preek besteedt de pastoor aandacht aan de zieke boerin van de Sweykerhoeve, een kapitale boerderij in de Sweykerpolder. Tonnie kent de bewoners van die hoeve wel en zeker de boerin. Ze heeft medelijden met de zieke vrouw, want van haar kreeg ze als kind altijd meer dan van andere boerinnen als ze zalig nieuwjaar ging wensen. Een lief mens, weet ze.

Terug in het huisje van haar grootouders wordt, zoals gebruikelijk na de mis, koffiegedronken. Er wordt nog nagepraat over de preek van de pastoor en ze staan even stil bij de zieke boerin van de Sweykerhoeve.

„Als Ada ziek is zal haar dochter Kee er wel de handen vol aan hebben," veronderstelt opoe. „Voor zover ik weet is zij de enige dochter. Met Ada Groot, die later met de rijke boer Kees Vlieland trouwde, heb ik op school in dezelfde klas gezeten."

81

„Aan Barend en Koos zal ze niet veel steun hebben," veronderstelt opa. „Jij hebt met die jongens op school toch ook in dezelfde klas gezeten, Tonnie?"

„Met Koos wel, maar Barend zat enkele klassen hoger. Barend was een rustige knaap, maar Koos was altijd haantje de voorste."

„Dan heeft Barend zeker de aard naar zijn moeder," veronderstelt opoe. „Ada Groot was altijd een rustig meisje, maar ze had wel alles wat haar hartje begeerde. Daar was ik, als de dochter van een knecht, wel jaloers op. Ik heb haar vaak met succes wat speelgoed afgetroggeld."

„Ja, jij bent altijd al een kattenkop geweest," lacht opa.

„En jij een pestkop," wil opoe het laatste woord. Ze heeft haar oude vinnigheid terug en dat merkt Tonnie, nu ze weer beter is, maar al te goed.

Naarmate de tijd verstrijkt voelt Tonnie zich steeds beter en ze voelt wel aan dat twee vrouwen in het kleine huisje elkaar alleen maar in de weg lopen. Bovendien is ze de kribbige en vitterige opoe de hele dag om haar heen meer dan zat. Nu ze weer helemaal gezond is, merkt ze dat opoe haar niet meer ontziet en op alles en nog wat blijft mopperen. Ze weet wel dat het de aard van het beessie is en dat ze er niks van meent, maar ze heeft er toch langzamerhand genoeg van. Daarom heeft ze wat werkhuizen gezocht en daarmee snijdt het mes aan twee kanten. Overdag is zij van de vitterige opoe verlost en ze verdient bovendien nog haar eigen kost. Eerst heeft ze overwogen naar De vergulde Vink te gaan om te vragen of ze daar haar dienstje weer terug kan krijgen, maar ze heeft dat toch niet gedaan. Ze wil opoe, die de laatste tijd met haar gezondheid tobt, niet in de steek laten. Opoe en opa hebben haar opgevangen toen ze in moeilijkheden kwam en dat schept verplichtingen, vindt zij. Maar er is meer. Als zij naar de stad gaat loopt ze de kans Albert weer te ontmoeten en die probeert ze nou juist te vergeten. Dat valt haar niet mee, want ze denkt nog vaak aan die lieve jongen, maar ze moet doorzetten. Op momenten verlangt ze hevig naar hem en huilt ze tranen met tuiten, maar hem weer ontmoeten verhoogt de kans op teleurstellingen.

„Ik maak me zorgen om opoe, Tonnie," zegt opa op een avond als ze samen in de kleine huiskamer zitten. Opoe ligt al in bed, want zij voelt zich niet goed.

„Zal ik morgen naar de dokter gaan en hem vragen even langs te komen, opa?"

„Opoe zal het niet nodig vinden, meissie, maar ik denk dat je het maar moet doen. Ik ben er niks gerust op."

„Heeft mijn miskraam en mijn ziekbed daarna soms te veel van haar krachten gevergd, opa?" Tonnie voelt zich alweer schuldig.

„Het is de leeftijd, Tonnie. Jij hoeft je niks te verwijten. Opoe heeft jou met liefde verzorgd en dat heeft haar gezondheid echt niet geschaad. Met jouw lichamelijke gezondheid gaat het gelukkig weer goed, maar hoe ben jij er geestelijk aan toe? Jij hebt mij destijds gezegd dat je van de jongen die een kindje bij jou verwekt heeft, veel gehouden hebt. Wie het is weet ik niet, maar ben je hem al vergeten of tob je daar nog over? Af en toe zie ik je een traan wegpinken en dan wilde ik wel dat je je hart eens zou uitstorten. Het is niet goed alles op te kroppen en niemand in vertrouwen te nemen."

„U wil ik het wel vertellen, opa, maar houd het dan voor uzelf. Het was de zoon van de rijke familie waar ik werkte. Een lieve jongen. Wij hielden veel van elkaar en nog kan ik hem niet vergeten. Hij heeft mij bezworen met me te zullen trouwen als hij meerderjarig is, maar nu ik een miskraam gehad heb, is hij van die verplichting ontheven."

„Voelde hij het als een verplichting?"

„Daar hebben we nooit over gesproken. Wel heb ik begrepen dat zijn vader hem zal onterven als hij met mij trouwt. Hij komt uit een schatrijke familie en als hij met mij zou trouwen dan moet hij zoveel stappen terug doen, dat ik voor het ergste vrees, dus wil ik hem vergeten."

„Hij jou kennelijk ook, want hij doet geen enkele moeite om contact met jou op te nemen."

„Dat kan hij niet, opa, want hij weet niet waar ik woon. Zijn adres, dat van zijn hospita in Delft, heb ik wel en ik heb hem ook diverse brieven gestuurd, maar zonder afzendadres. Ik hou nog steeds van hem, maar ik vind dat wij niet bij elkaar passen."

„Pieker er dan niet verder over, kindje, en probeer hier in het dorp je zinnen een beetje te verzetten. Sedert je komst en de miskraam leef je hier als een soort kluizenaar. Word lid van het zangkoor of de naaiclub en ga eens naar het dorpshuis, want daar ontmoet je mensen van jouw leeftijd."

„Dat zal ik doen, opa, maar eerst ga ik morgen naar de dokter." En de volgende morgen voegt ze de daad bij het woord. Ze is er ook bij als dokter Van Laarhoven haar opoe onderzoekt. Zijn diagnose is dat het vooral de ouderdom is die opoe parten speelt. „Direct gevaar is er niet bij," verzekert hij de huisgenoten.

Die zondag volgt Tonnie de raad van haar opa op en gaat ze naar het dorpshuis. Daar ontmoet ze haar klasgenootjes en het is er erg gezellig. Er is ook een nieuw meisje dat Rietje Derkse heet. Als Tonnie met haar een gesprekje aanknoopt, blijkt dat zij bepaalde ervaringen delen. Rietje komt uit een naburig dorp en ze is dienstmeisje bij de notarisvrouw. Het klikt meteen tussen Rietje en Tonnie. Beiden hebben ervaring met hun dienstjes in de stad. Tonnie vertelt over haar vervelende ervaringen met Coba Tuling en dan schudt Rietje haar hoofd en zegt: „Wat jij met die Coba meegemaakt hebt, heb ik meegemaakt met de mevrouw waar ik werkte. Misschien was die nog wel een haartje erger. Als ik de slaapkamers gestoft had, ging ze onder het bed in de randjes van de ledikanten voelen of er soms nog wat stof achtergebleven was. Dat was een onmens. Zelf bezat ze geen cent, maar ze is getrouwd met een rijke kerel en nu doet ze of ze de koningin zelf is."

„Mijn opoe, die vroeger zelf ook gediend heeft, kent dat

soort vrouwen," zegt Tonnie. „Mensen die van niets iets worden, zijn vaak onverdraaglijk," is haar ervaring.

„Ik ben blij dat ik van dat mens verlost ben," zegt Rietje. „Mevrouw Coenraeds, de vrouw van de notaris, is aardig; het is een beschaafde vrouw die uit een goed nest komt."

„Ben jij rechtstreeks van je dienst in de stad naar de notarisvrouw gegaan?"

„Nee, ik heb eerst nog een poosje bij een boer gewerkt, maar dat vond ik ook niks. Naast het huishouden moest ik soms melken en helpen bij de hooibouw. Nu heb ik het veel beter naar mijn zin. Alleen de zoon van de notaris kijkt mij soms zo verliefd aan en daar heb ik het niet op. Het is helemaal mijn type niet."

„Over verliefd aankijken gesproken," lacht Tonnie, „de zoon van de vrouw die werkster was bij mijn vorige dienst, had daar ook een handje van." En dan vertelt ze over de jaloerse dorpsjongens en de reactie van Cor Loos. „Ze kwamen van een kouwe kermis thuis en toch had ik met ze te doen." Tonnie krijgt nog de beef als ze aan die avond denkt.

„Nou je het over de kermis hebt, zou ik graag willen weten wat jouw plannen zijn, Tonnie," zegt Rietje. „Ik ben hier een beetje een vreemde eend in de bijt, maar nu ik jou ontmoet heb, zou ik het wel leuk vinden samen kermis te vieren. Hoe denk jij daarover?"

„Het lijkt me wel leuk, Rietje, maar mijn opoe is erg ziek en ik weet niet of ik opa wel een hele avond alleen met haar kan laten. Weet je wat? Ik vraag het hem gewoon. Je hoort het nog wel." En met die woorden neemt Tonnie afscheid van Rietje Derkse, die ze erg symphatiek vindt.

„Kan ik u nou wel alleen met opoe laten, opa?" vraagt Tonnie als de grote dag van de jaarlijkse kermis is aangebroken. Opoe is de laatste dagen sterk achteruitgegaan en ze is er niks gerust op. Maar opa is allang blij dat zijn kleindochter zich weer wat meer met de dorpsjeugd bemoeit en dus zegt hij dat ze maar moet gaan.

„Ik houd haar wel in de gaten, Tonnie," zegt-ie en dus besluit

Tonnie kermis te gaan vieren met Rietje Derkse.

„Maar als er iets met opoe is moet u me wel laten roepen, hoor!" bindt ze opa op het hart. Ze is er niet gerust op, maar omdat opa zo aandringt, gaat ze toch. En ze heeft er geen spijt van. Als ze op het kermisterrein is, ontmoet ze er alle bekenden en onder elkaar hebben ze de dolste pret. Het duurt niet lang of twee jongens proberen zich over de meiden te ontfermen. De ene knul is Piet de Roo. Hij heeft het vooral op Tonnie voorzien. Hij werpt zich op als haar beschermer, maar Tonnie moet erom lachen. Ze denkt terug aan de avond waarop hij met een bloedneus in de berm van de weg zat nadat Cor Loos hem niet zachtzinnig van zich af geslagen had. Toen had ze met Piet te doen en nog vindt ze hem een aardige knul. Daarom verzet ze zich niet als hij haar vraagt de rest van de avond met haar kermis te vieren. Maar voordat ze hem die toestemming geeft, vraagt ze eerst wat de plannen van Rietje zijn. Zij wil haar vriendin niet in de steek laten, maar Rietje verzekert haar dat zij met haar stoere eendagsvrijer wel heelhuids thuis zal komen.

„Nou jongens, jullie vermaken je wel, ik heb nu veel beter gezelschap," zegt Piet de Roo trots als Tonnie hem een arm geeft. Aan de gezichten van zijn kameraden ziet hij dat ze jaloers zijn en dat is niet zo vreemd, want Tonnie is een van de mooiste meisjes van het dorp. Maar Piet is ook een knappe knul. Hij is knecht bij de rietdekker. Als hij in het dorp een dak van nieuw riet moet voorzien en er lopen meisjes langs, dan fluit hij ze na. De meisjes zwaaien terug, want ze mogen de vrolijke jonge rietdekker maar al te graag. Ook Tonnie vindt het een leuke jongen en daarom heeft ze erin toegestemd met hem kermis te vieren. Spijt heeft ze er niet van, want het wordt een fijne dag. Terwijl veel van zijn kameraden 's avonds te diep in het glaasje kijken, doet Piet het rustig aan en dat waardeert Tonnie in hem. Hij is slank en hij danst goed. De meisjes kijken een beetje jaloers als hij maar steeds met haar danst. Ze ziet het en ze zegt Piet dat hij ook wel met andere meisjes mag dansen, maar Piet schudt dan beslist zijn hoofd. „Ik houd met jou kermis en niet met andere meisjes," zegt-ie.

„Maar andere jongens willen misschien ook wel een keertje met mij dansen."

„Dat misschien kun je wel weglaten, Tonnie," lacht Piet. „Ze zijn zo jaloers als een aap. Moet je die smoelwerken zien; uit louter chagrijn drinken ze zich een stuk in hun kraag."

Tonnie laat het dan maar zo. Ze gunt Piet zijn overwinning en ze heeft toch een leuke avond. Wel maakt ze zich wat zorgen om opoe en dus wil ze het niet te laat maken. Piet heeft er begrip voor en dus stappen ze op. Het is een mooie zachte avond en Tonnie weet dat ze niet rechtstreeks naar huis zullen gaan. Ze kent de gewoonte met je kermisvrijer wat te knuffelen en te kussen alvorens thuis afgeleverd te worden. Het duurt dan ook niet lang of Piet stelt voor een stukje door het bos langs het meer te lopen. Even uitblazen wil hij ook wel en daarvoor zoekt hij een stil plekje achter wat struiken op. Galant spreidt hij zijn jasje uit over het gras en als ze zitten trekt hij haar in zijn armen. „Ik was destijds zo jaloers op die bokser uit de stad, Tonnie, en nou heb ik je in mijn armen. Lief van je dat je kermis met mij wilde houden. Heb je een leuke dag gehad?"

„Het was heel erg leuk, Piet, maar je weet dat ik het niet te laat wil maken."

„Maar we zitten hier nog maar net, schatje." De greep om haar slanke middel wordt vaster en dan drukt hij voorzichtig een kus op haar mond. Tonnie wist dat het ging komen, maar ze schrikt er toch van. Piet noemt haar schatje en hij kust haar innig. Dat deed Albert ook en als hij dat deed dan ging voor haar de hemel open. Nu voelt ze niets. Ze verstijft zelfs een beetje en dat heeft Piet in de gaten.

„Jij hebt zeker weinig ervaring met jongens, Tonnie. Geeft niet hoor, ik zal erg voorzichtig zijn," fluistert-ie en weer drukt hij zijn mond op de hare en dan kust ze hem terug. Ze wil hem niet teleurstellen, want hij kan er tenslotte ook niets aan doen dat zij vooral nu aan Albert moet denken. Toch maakt ze zich na een poosje los uit zijn omarming en springt overeind.

„Ik wil naar huis, Piet. Tegen opa heb ik gezegd dat hij me moet laten halen als de toestand van opoe verslechtert, maar hier kan niemand ons vinden."

„Goed dan gaan we, Tonnie." Er klinkt teleurstelling in zijn stem. Naar dit moment heeft hij de hele dag toegeleefd en precies nu moet die vervelende opoe Pasman ziek zijn. De laatste kus van Tonnie brandt hem nog op de lippen en de zachte warmte van haar slanke leest wond hem op. Met een zucht trekt hij zijn jasje aan en dan gaan ze op weg. Hij heeft een arm om haar heen geslagen en al lopende drukt hij haar af en toe tegen zich aan. Uren zou hij zo met haar willen lopen, maar de afstand tussen het meer en het huisje van opa en opoe Pasman is snel overbrugd.

Opa heeft kennelijk gerucht gehoord als ze er zijn, want hij steekt zijn hoofd om de hoek van de deur en roept: „Ben jij daar, Tonnie?"

„Ja, wat is er, opa?"

„Kom gauw binnen, meissie, het gaat niet goed met opoe; de dokter moet gewaarschuwd worden." Er klinkt angst door in zijn stem.

Piet moet het zonder afscheidszoentje doen, want Tonnie gaat vlug naar binnen, maar hij heeft nog wel de gelegenheid zijn diensten aan te bieden. Hij zal vlug naar de dokter gaan en zeggen dat er haast bij is.

Het is tegen middernacht als dokter Van Laarhoven bij de familie Pasman aanklopt. Veel onderzoek hoeft hij niet meer te verrichten om te zien dat het een aflopende zaak is. Hij geeft opa en Tonnie weinig hoop en nog diezelfde nacht overlijdt opoe. Opa is erg verdrietig en voor Tonnie is het een domper na de fijne kermisdag. Dat opoe niet lang meer te leven had heeft ze eerder van de dokter begrepen, maar haar dood overvalt haar nu toch. Als ze terugdenkt aan de zorg waarmee opoe haar omringde na de miskraam, dan krijgt ze een brok in haar keel en dan gaat ze stil in een hoekje zitten huilen, maar tijd om te blijven zitten is er niet. De buren moeten gewaarschuwd worden om opoe af te leggen.

De nieuwe dag staat al op het punt geboren te worden als opa en Tonnie doodmoe nog even gaan rusten.

Gapend en bleek zitten ze de volgende morgen tegenover elkaar. Tonnie heeft thee gezet en met moeite wurmt ze een boterham naar binnen. Opa neemt alleen een kop thee. Hij zegt bijna geen woord en zit maar te zuchten. Telkens dwaalt zijn blik af naar de deur van de kleine kamer waar zijn vrouw nu wasbleek en met strak naar achteren gekamde haren in de bedstee ligt. „Ze lijkt tien jaar jonger," zegt-ie zacht en tranen druppen uit zijn ogen. „Ik heb veel van je opoe gehouden, Tonnie. Ze mopperde wel, maar ze was goed en lief. Hoe moet ik nou verder zonder haar?" Hij kijkt haar met zulke bedroefde ogen aan, dat ze intens medelijden met hem heeft.

„Ik ben er ook nog, hoor!" zegt ze zacht. Zijn grote smidshanden, die haar gestreeld en getroost hebben, heeft hij met een moedeloos gebaar op tafel gelegd. Zij streelt nu zijn handen, loopt dan naar de andere kant van de tafel en slaat beide armen om hem heen. „Huil maar uit, opa, dat lucht op," zegt ze zacht. Maar veel tijd om zo samen te zitten treuren krijgen zij niet, want opoe moet gekist worden en de begrafenisplechtigheid moet geregeld worden. De volgende dag komen buren en bekenden om voor de zielenrust van de overledene te bidden en twee dagen later volgen de rouwmis en de begrafenis.

Tijdens de rouwmis wijdt de oude pastoor gevoelige woorden aan het leven van de overledene die hij zovele jaren gekend heeft. In het bijzonder roemt hij de zorg die zij besteedde aan haar kleinkind toen deze in moeilijkheden kwam te verkeren. Met veel aandacht en waardering heeft zij naar de lovende woorden van meneer pastoor geluisterd, maar nu schrikt ze zich een ongeluk, temeer daar vele hoofden haar kant uit draaien. Op hun gezichten staat duidelijk te lezen dat ze zich afvragen of er iets is waar zij geen weet van hebben.

Als er na de begrafenis gelegenheid tot condoleren is, werpen velen een nieuwsgierige blik op haar figuur, maar veel wijzer worden zij er niet van. Dus blijven zij met de vraag zitten wat meneer pastoor toch wel bedoelde toen hij het over de moeilijkheden van Tonnie Pasman had.

HOOFDSTUK 5

De eerste weken na het overlijden van opoe Pasman gebeuren er geen bijzondere dingen. Opa zit vaak stil in de hoek van de kamer zijn pijpje te roken en Tonnie ziet dat hij af en toe zijn ogen met zijn grote rode zakdoek moet drogen. Ze gaat dan weer naast hem zitten en met een arm om zijn schouder probeert zij hem een beetje op te beuren. Meer dan vijftig jaar was hij getrouwd met zijn Truitje en haar overlijden kan hij maar moeilijk verwerken.

„Ik mis haar elk uur van de dag, Tonnie," zegt hij zacht als zij hem probeert te troosten. En dan: „Ik ben erg blij dat jij er nog bent, lieve kind, want zonder jou zou ik het helemaal niet meer zien zitten."

„Samen zullen wij proberen er het beste van te maken, opa," zegt ze en eens te meer beseft ze hoeveel ze van deze lieve man houdt. Ze spoort hem aan weer klussen voor de smid te gaan doen en bij de boeren de mollen weg te vangen en op een dag doet hij dat ook. Ze is er erg blij om en als hij 's avonds thuiskomt met verhalen over een grote vangst aan mollen, dan weet ze dat hij op de goede weg is. Ze gaat dan ook weer met een gerust hart naar haar werkhuizen, maar haar rust is van korte duur. Tot nu toe heeft de uitspraak van meneer pastoor tijdens de rouwdienst voor opoe geen of nauwelijks gevolgen gehad. Maar nu begint Toos Groenveld, de vrouw van de meelhandelaar waar Tonnie drie ochtenden in de week werkt, erover.

„Ik heb je er meteen na het overlijden van je grootmoeder niet naar willen vragen, Tonnie, maar je moet me toch eens vertellen wat meneer pastoor bedoelde toen hij het tijdens de rouwmis van je opoe over jouw moeilijkheden had. Hij prees jouw opoe voor haar goede zorgen toen jij in moeilijkheden verkeerde."

„Wat meneer pastoor bedoelde was mij wel duidelijk mevrouw. Mijn opoe was erg zorgzaam." Tonnie schrikt van de opmerking van haar werkgeefster en ze weet er niet goed raad mee.

„Jou is het duidelijk, maar mij niet, Tonnie. Daarom wil ik graag weten wat hij ermee bedoelde. Jij hebt in de stad gediend en daar kan wel van alles gebeurd zijn. Van iemand die hier drie ochtenden in de week met mijn man en kinderen omgaat, wil ik de achtergronden kennen, Tonnie."

„Ik wil er liever niet over praten, mevrouw," zegt Tonnie en als vanouds krijgt zij een kleur tot achter haar oren en juist dat verhoogt de argwaan van mevrouw Groenveld.

„Ik begrijp best dat je er liever niet over praat als het iets erg vervelends is, maar jij moet begrijpen dat ik moet weten wie ik in huis gehaald heb."

„Maar hebt u dan iets aan te merken op mijn werk, mevrouw?" Tonnie probeert de aandacht van mevrouw af te leiden, maar daar trapt Toos Groenveld niet in.

„Jij weet best dat ik jou in je werk waardeer, Tonnie. Jouw afwerende houding maakt mij argwanend. Je moet mij vertellen wat meneer pastoor bedoelde en zo niet, dan kan ik je niet langer handhaven." Het is een bikkelhard oordeel, maar Tonnie zwicht niet voor het dreigement. Niemand, behalve opa en meneer pastoor, weet wat er in de stad gebeurd is. Als zij het Toos Groenveld vertelt, dan is het risico groot dat binnen de kortste keren het hele dorp ervan op de hoogte is en dat is haar haar baan bij de vrouw van de meelhandelaar niet waard.

„U moet doen wat u denkt dat goed is, mevrouw, maar wat meneer pastoor bedoelde ga ik u niet vertellen." Tonnie kijkt haar bazin strak aan en deze weet dan dat er maar één mogelijkheid overblijft. Tonnie krijgt de bons. En dat heeft verstrekkende gevolgen. De gemoedelijke oude pastoor zal het niet kwaad bedoeld hebben, maar in de ogen van Tonnie is hij nu toch de grote boosdoener.

Als Tonnie die middag thuiskomt en opa verslag doet van wat haar overkomen is, is de oude man erg verdrietig. „De vrouw van de meelhandelaar kent jou toch en zij weet toch dat jij een goed meisje bent, waarom wil zij dan het naadje van de kous weten?" vraagt hij.

„Voor zover ik het begrepen heb wil zij haar man en haar

kinderen tegen mij beschermen, opa. Het lijkt wel of ik een besmettelijke ziekte heb!"

„Veel mensenkennis heeft die vrouw niet, kindje. Ook hier komen we wel weer overheen, maar het doet me wel erg veel verdriet."

„Ik zal wel weer vlug iets anders vinden, opa," stelt Tonnie de oude man gerust.

Het optimisme van Tonnie vlug andere werkhuizen te zullen vinden, blijkt niet gerechtvaardigd te zijn. Overal waar ze haar diensten aanbiedt, vraagt men waarom zij bij de vrouw van de meelhandelaar is weggegaan. In het kleine dorp aan het Sweykermeer weet iedereen alles van elkaar en waarschijnlijk is al wel bekend dat Tonnie niet wil praten over de uitspraak van pastoor Schoevenaer tijdens de rouwmis van haar opoe.

De eerste paar keer heeft ze gezegd dat ze eens wil veranderen, maar dat geloven de mensen niet. Andere smoezen wil ze niet verzinnen en dus komt ze niet aan de bak. Opa zit haar na elk gesprek achter het raam op te wachten. Zodra zij binnen is vraagt hij hoe het gegaan is en als Tonnie dan haar hoofd schudt, is hij verdrietig. Het kleine spaarpotje slinkt en opa begint te tobben. De keren dat hij klussen voor de smid doet worden zeldzamer en ook de mollenvangst schiet er meer en meer bij in.

Dan hoort Tonnie van haar vriendin Rietje Derkse dat de nieuwe klerk van de notaris een net kosthuis zoekt. Het is een weduwnaar van midden veertig uit Rotterdam. Tonnie polst opa of hij iets voelt voor een commensaal.

„Zo'n deftige klerk van de notaris zal toch geen genoegen nemen met een plaatsje in dit kleine huis," veronderstelt hij en zij is het wel met hem eens, maar het is wel een gemiste kans. Het geld voor kost en inwoning van een commensaal kunnen zij goed gebruiken. Zelf heeft ze nog een werkhuis voor twee middagen in de week en als opa nog wat bij de smid en bij de boeren kan verdienen, redden ze het wel weer. Ze zegt het ook en opa knikt. Ook hij vindt het wel jammer en oppert dan dat die klerk wel de grote slaapkamer zou kunnen krijgen. Hijzelf verhuist dan naar het kleine kamertje naast de keuken.

„Maar geld om de grote slaapkamer op te knappen hebben wij niet, Tonnie," zegt hij met een spijtig gezicht.

Als Tonnie haar vriendin die woensdagavond weer ziet begint zij erover.

„Maar hij is helemaal niet zo deftig, hoor!" verzekert Rietje haar. „Hij heeft mij gevraagd eens hier en daar te informeren en ik kan hem dus vragen zelf eens langs te komen. Het ziet er bij jouw opa thuis toch keurig uit. Gave meubeltjes en alles netjes schoon."

„Ja, daar heeft opoe wel voor gezorgd. Goed, vraag hem maar eens langs te komen."

Enkele dagen later staat er een lange man met een hoed op en een regenjas aan voor de deur. „Mijn naam is Anton Degenaar," stelt de man zich aan Tonnie voor. „Van het dienstmeisje van de notaris heb ik gehoord dat u eventueel plaats hebt voor een commensaal."

„Veel plaats hebben wij niet, meneer," zegt Tonnie kleintjes. Rietje kan nou wel zeggen dat die klerk van de notaris niet deftig is, maar zij vindt van wel en dus schrikt ze een beetje van zijn komst. „Maar komt u verder dan kunt u ook kennismaken met mijn opa en zelf beoordelen of het iets voor u is."

Na de kennismaking binnen laat Tonnie meneer Degenaar het huisje zien en dan knikt de man goedkeurend. „Klein, maar wel knus," is zijn oordeel.

Als ze in de grote slaapkamer komen zegt Tonnie dat hij die wel zou kunnen krijgen, maar dat zij geen geld hebben om de kamer op te knappen. „Daar is wel een mouw aan te passen," reageert meneer Degenaar. „Ik ben geen overdadige luxe gewend en wat het eten betreft ben ik ook niet zo veeleisend. Gewone dorpskost lijkt me best gezond," lacht hij. Hij wil goed betalen en algauw zijn ze het eens en onder het genot van een kopje koffie wordt verder gepraat. Afgesproken wordt dat hij 'opa' en 'Tonnie' zal zeggen en dan moeten zij hem maar 'Anton' noemen.

„Het lijkt wel of ik plotseling een kleinzoon heb van midden veertig," lacht opa. De toezegging van Anton beurt hem zichtbaar op. Van beide kanten worden nu wat achtergronden verteld en bij het tweede kopje koffie is het ijs gesmolten, want Anton is een vlotte prater. Hij vertelt dat zijn vrouw enkele jaren terug overleden is en dat zijn twee zoons kortgeleden getrouwd zijn. Het kantoor in Rotterdam waar hij werkte, ging failliet en dus schreef hij op een advertentie van notaris Coenraeds.

„En nu werk ik dus in dit mooie dorpje en heb ik gelukkig onderdak gevonden bij een paar aardige mensen," besluit Anton.

In opdracht van Anton Degenaar voorziet een plaatselijke schilder de grote slaapkamer in het huisje van Geert Pasman van een nieuw behangetje en het houtwerk van een frisse laag verf. Als alles klaar is laat Anton zijn spulletjes overkomen en neemt hij na enkele dagen ook zijn intrek in het kleine huisje. Hij heeft een maand vooruit betaald, zodat Tonnie ervoor kan zorgen dat er een gezonde pot eten op tafel komt. Ze krijgt als vanouds een kleur als Anton haar kookkunst prijst.

Koffie drinken ze gezamenlijk in de huiskamer en dan trekt Anton zich terug in zijn opgeknapte en gemeubileerde zit-slaapkamer. De komst van Anton brengt grote veranderingen met zich mee, maar opa en Tonnie zijn het er wel over eens dat ze er niet op achteruit gegaan zijn. Wel is het even wennen zo'n vreemde snoeshaan dagelijks over de vloer, maar het geld maakt veel goed. Niet dat ze last hebben van Anton, want hij is bescheiden en gauw tevreden. Als opa naar bed is komt Anton nog wel eens even bij Tonnie zitten en dan praten ze over van alles en nog wat. Dat opa het overlijden van zijn vrouw maar moeilijk kan verwerken is ook Anton al opgevallen. Tonnie vertelt dan dat opa ook al in de put zat na haar ontslag bij de meelhandelaar en dan wil

Anton natuurlijk weten waarom ze daar ontslag kreeg. Tonnie schrikt van die vraag. Nu moet ze liegen of de waarheid vertellen. Ze zit te draaien op haar stoel en krijgt een kleur. Anton ziet het en kijkt haar met gefronste wenkbrauwen aan en zegt dat hij niet nieuwsgierig is.

„Als je de reden van dat ontslag voor jezelf wilt houden, dan moet je dat doen, hoor Tonnie! Ik heb er niks mee te maken; ik vroeg het uit pure belangstelling."

„Je bent nu een huisgenoot, Anton, en voor huisgenoten wil ik geen geheimen hebben." En dan vertelt zij wat haar is overkomen en dat ze nog steeds naar Albert verlangt, maar dat zij de verstandigste wil zijn. „Ik ben het gewend niets te bezitten, maar Albert niet. Hij is in weelde grootgebracht en hij gaat zijn ongeluk tegemoet als zijn vader hem onterft."

„En jou zou hij in dat ongeluk meeslepen, bedoel je te zeggen."

„Precies! En daarom heb ik mijn adres geheimgehouden."

„Bedankt dat je me in vertrouwen genomen hebt, Tonnie. Ik beloof je dat ik dat vertrouwen niet zal beschamen." Vanaf die dag wordt de band tussen Tonnie en Anton hechter. Als er problemen zijn weet hij haar goede raad te geven en af en toe stopt hij haar wat extra geld toe om versterkende middelen voor opa te halen, want na een korte opleving gaat de gezondheid van de oude baas toch achteruit.

Na een natte herfst begint dat jaar de winter ook al met naargeestig kwakkelweer. Tijdens de kerstdagen staat er een stevige wind die de ene bui na de andere aanvoert. Tijdens de jaarwisseling valt er sneeuw, maar die is na twee dagen alweer gesmolten. Op de dag van Driekoningen breekt de lucht echter open en schijnt de zon. Er zit vorst in de lucht en als de wind gaat liggen komt er algauw een laag spiegelglad ijs op vaarten en sloten. Ook de rand van het meer is al dichtgevroren. De temperatuur zakt de dagen erna nog verder en dan worden de schaatsen uit het vet gehaald.

Hoewel Tonnie opa niet graag alleen laat, gaat ze op zijn

aandringen ook een middag het ijs op en natuurlijk wordt ze uitbundig verwelkomd door de vrijgezelle jongens van haar leeftijd. Ze zwiert met deze en gene, maar als Piet de Roo haar eenmaal te pakken heeft, lijkt het wel of hij haar niet meer los wil laten. Hij zwiert even goed als dat hij danst en dus vindt Tonnie het wel goed zo. Het is behoorlijk koud en ze moeten dan ook in beweging blijven. Maar toch sleept Piet haar even mee naar een koek-en-zopiekraam waar ze op een schraag met planken gaan zitten om met kleine slokjes de hete anijsmelk te drinken. Piet kijkt haar weer verliefd aan en hij probeert voor de volgende middag een afspraakje te maken. Hij moet terugdenken aan die fijne kermisdag en vooral aan de avond toen hij haar in zijn armen hield en haar lieve rode mondje mocht kussen. Jammer dat ze toen zo gauw weg moest. Nog diezelfde nacht overleed haar opoe en dat vond hij wel erg zielig. Maar dat is alweer een poos geleden. Vandaag heeft hij haar weer in zijn armen gehad, zij het niet om te knuffelen maar om te zwieren. „Doe het, Tonnie," dringt hij aan, maar Tonnie schudt haar hoofd.

„Morgenmiddag moet ik werken en kan ik dus niet gaan schaatsen."

„Jammer, overmorgen dan."

„Ik zie nog wel, Piet. Laten we nu nog maar wat rondjes zwieren, want ik krijg het koud van het stilzitten." En dat laat Piet zich geen twee keer zeggen. Onder de jaloerse blikken van de andere jongens zwiert hij over het gladde ijs en hij geeft haar een vluchtig kusje op haar rode wang als zij zegt te willen stoppen. Ze gaat nog even bij de kruidenier langs om wat bouillon te halen voor opa.

„Zo, jij brengt de frisse buitenlucht mee naar binnen, meissie," zegt opa als zijn kleindochter met een rode kleur van het schaatsen binnenkomt. „Heb je fijn geschaatst?"

„Ja, het is prachtig glad ijs, opa. Hebt u geen zin even een wandelingetje te maken en naar het schaatsen te gaan kijken? De wijk voor de kerk is vol mensen."

„Nee, dat zal ik maar niet doen."

„Waarom niet? Het is wel koud, maar prachtig windstil weer. Met uw dikke duffel hebt u er geen last van en het is gezond."

„Ik blijf maar liever bij de kachel, kindje."

„Zal ik dan een beker bouillon voor u maken, ik heb net nieuwe bij de kruidenier gehaald."

„Ja, doe dat maar." Eigenlijk heeft opa Pasman niet veel zin in eten en drinken, maar hij wil zijn kleinkind, die hem zo liefdevol verzorgt, niet teleurstellen. Hij heeft bijna nergens zin meer in. Vroeger als jonge knul was hij niet van het ijs te slaan en als er ergens een wedstrijd te rijden viel, was hij er als de kippen bij. Hoeveel wedstrijden hij gewonnen heeft weet hij bij benadering niet meer, maar het waren er vele. Maar dat is allemaal voorbij. Kon hij nog maar eens gaan zwieren met Truitje, maar Truitje is dood. Vlug veegt hij de opkomende tranen uit zijn ogen voordat Tonnie het ziet. Hij houdt zielsveel van zijn kleinkind en hij vindt het vervelend als hij haar tot last is. Ze is jong en moet zich vermaken, maar zij denkt altijd eerst aan hem. De man die haar als vrouw krijgt valt te benijden.

„Hier, drink dat maar lekker op, opa. Bouillon is goed voor u." Tonnie zet de beker bouillon bij haar opa neer en eens te meer valt haar de sombere blik in zijn ogen op. Ze moet dan denken aan de uitspraak van de dokter, die zegt dat de achteruitgang van opa niet alleen lichamelijk, maar vooral geestelijk is. 'Hij mist zijn vrouw heel erg en komt daar maar niet overheen' zegt-ie.

Het gaat niet goed met opa Pasman. Hij eet weinig en ligt veel in bed. Het blijft iedere dag alweer wat langer licht, maar opa merkt er niet veel van. Af en toe zit hij even op, maar algauw wordt hij dan weer moe en wil hij naar bed. Met een bezwaard gevoel gaat Tonnie naar haar enig overgebleven werkhuis, want ze vindt het vervelend de oude man alleen te moeten laten. 's Avonds kan ze wat makkelijker weg, want dan is de commensaal thuis. Ook hij maakt zich zorgen over de aftakeling van opa en adviseert Tonnie de dokter maar weer eens te laten komen.

„Als je het goedvindt rijd ik langs de pastorie om pastoor Schoevenaer te vragen je opa te komen bedienen, Tonnie," zegt de grijze arts nadat hij opa onderzocht heeft.

„Is het al zo ver, dokter?" schrikt Tonnie en de tranen springen haar in de ogen.

„Bij je opoe ging het op het laatste moment zo vlug dat daar geen gelegenheid meer toe was en daarom wil ik nu het zekere voor het onzekere nemen, Tonnie. Lang heeft je opa niet meer te leven. Hij is al oud, maar het verdriet om het verlies van zijn vrouw is toch de belangrijkste reden voor zijn snelle aftakelingsproces, Tonnie."

„Maar ik kan hem nog niet missen, dokter."

„Hij heeft mij toevertrouwd dat hij graag naar zijn Truitje gaat. Ik neem aan dat Truitje de naam van je opoe was."

„Ja, dat klopt, dokter."

„Dan verlangt hij naar de dood, Tonnie. Meneer pastoor kan nu meer voor hem doen dan ik. Als hij geweest is kom ik nog even terug. Sterkte hoor!"

Ruim een uur nadat dokter Van Laarhoven vertrokken is, komt meneer pastoor om opa te bedienen. Voordien heeft hij nog een gesprek met de stervende en als Tonnie bij hem komt pakt opa haar hand en bedankt haar voor alle goede zorgen. Zijn stem is zwak, maar de blik in zijn ogen is niet meer zo droefgeestig. En dan weet ze dat de dokter gelijk heeft en kan ze er, zij het met moeite, vrede mee hebben dat ze nu ook van de laatste dierbare in haar leven afscheid zal moeten nemen. Ze heeft er vrede mee, maar als meneer pastoor weg is, gaat ze naar haar kamertje, laat ze zich op haar bed vallen en huilt ze met gierende uithalen. De man waar ze met hart en ziel aan hangt, verdwijnt nu ook al uit haar leven. Waar heeft ze het toch aan verdiend dat ze alles en iedereen waar ze zich aan hecht, na verloop van tijd moet verliezen. Ze is nog maar twintig jaar en als opa dood is, heeft ze niemand meer, want aan haar twee broers heeft ze geen enkele steun. Ze ziet ze nooit! Ze weet zelfs niet of ze wel op de begrafenis van opa zullen komen. Bij de begrafenis van opoe was alleen Jan er met zijn vrouw. Van Gerrit, die in Duitsland werkt, hoort ze nooit iets. Ze heeft niet eens zijn adres.

Na de bediening leeft opa nog een dag en een nacht, maar dan is het afgelopen. Gelukkig is de dokter erbij als hij sterft. Tonnie is ontroostbaar en ze is blij dat Anton Degenaar haar helpt bij alle regelingen voor de begrafenis. In een tijdsbestek van een half jaar staat ze voor de tweede keer aan het graf van een dierbare. Nu blijft ze nog alleen achter met de commensaal. Anton Degenaar is begaan met het lot van Tonnie, die hij als een lief en zorgzaam meisje heeft leren kennen.

De eerste dagen na de begrafenis loopt Tonnie als verdwaasd in het kleine huisje rond. Buren en bekenden hebben haar al gevraagd wat ze nou moet met die vreemde snuiter over de vloer. Een meisje met een man in hetzelfde huisje voegt toch niet. De mensen spreken het niet uit, maar Tonnie is niet gek. Ze weet hoe de dorpelingen denken.

Ook Anton heeft kennelijk wat in die richting opgevangen, want 's avonds begint hij erover.

„Ik denk dat ik moet omzien naar een ander kosthuis, Tonnie," zegt hij. „Eerlijk gezegd doe ik dat met tegenzin, want ik heb het hier goed."

„Voor mij hoef je niet weg, hoor Anton!" In gedachte ziet Tonnie nu ook de laatste aan wie zij zich gehecht heeft uit haar leven verdwijnen en weer springen de tranen haar in de ogen. Anton ziet het en hij heeft met het meisje te doen. Zo'n meisje zou hij als dochter willen hebben. In een teder gebaar slaat hij een arm om haar heen en dan wordt het Tonnie te veel. Ze vleit haar hoofd tegen zijn borst en huilt snikkend. „Als jij nu ook nog weggaat, blijf ik helemaal alleen achter, Anton," zegt ze tussen twee snikken door. De commensaal is vooral de laatste dagen als een soort vader voor haar en ze heeft daardoor een enorme steun aan hem gehad.

„Maar de mensen beginnen te kletsen, Tonnie. Als ik nog in Rotterdam woonde zou ik me er niets van aan trekken, maar dit is een klein dorp. Jij mag niet over de tong gaan."
„Je hoeft toch niet op stel en sprong weg," probeert Tonnie het onheil nog wat af te wenden en gelukkig voor haar is Anton het met haar eens.
„De mensen zullen wel begrijpen dat ik enige tijd nodig heb om iets anders te vinden."

Of de mensen het al dan niet begrijpen doet er enkele dagen later niet meer toe, want dan staat de smid in zijn volle breedte voor de deur.
„Ik vind het naar het je te moeten zeggen, Tonnie, maar je zult naar andere woonruimte moeten omzien," zegt hij met zijn zware stem.
„Andere woonruimte?"
„Ja, andere woonruimte, want dit huisje is mijn eigendom. Zolang je opa leefde mocht hij, als mijn oude knecht, erin wonen, maar hoe naar ik het ook vind voor je, aan jou of je commensaal heb ik geen enkele verplichting. Nu je opa ook niets meer voor me kan doen ben ik dringend toe aan een nieuwe knecht en die moet ik woonruimte bieden."
„Wanneer moet ik eruit, Bregman?"
„Zodra mijn nieuwe knecht het huisje nodig heeft, maar laat ik zeggen over een maand. Dat lijkt me redelijk."
„Goed, ik zal zorgen dat ik dan weg ben; dat kan ik er ook nog wel bij hebben." Het laatste heeft ze hoofdschuddend gezegd, maar de smid is kennelijk niet tot andere gedachten te brengen, want na een korte groet maakt hij zich haastig uit de voeten.
„Waar vind ik andere woonruimte, Anton?" vraagt ze zich die avond, als de commensaal thuis is, hardop af.
„Datzelfde vraag ik me af, Tonnie. We zitten wat dat betreft dus in hetzelfde schuitje."
„Ik ga proberen een betrekking voor dag en nacht te krijgen, dan lost dat huisvestingsprobleem zich vanzelf op. Maar waar vind ik die? Naar de stad wil ik niet terug."

„Jullie pastoor kent toch iedereen, misschien weet hij wel iemand die een meisje voor dag en nacht zoekt. Ga eens naar hem toe."

„Dat is een goed idee, Anton. Morgen ga ik er meteen heen."

„Ik zou meneer pastoor graag even spreken, Ans," zegt Tonnie als ze de volgende morgen bij de pastorie aanbelt.

„Hij zit in zijn kamer, dus ik zal even vragen of hij je kan ontvangen, Tonnie." De gemoedelijke dikke pastoorsmeid Ans Koot schommelt weg en komt even later terug met de boodschap dat meneer pastoor wel even tijd voor haar heeft.

„Zo, Tonnie, gaat het weer een beetje? Jij krijgt het de laatste tijd wel voor je kiezen, meisje." De oude grijze pastoor kijkt zijn parochiane met een medelijdende blik aan. Hij kent de hele geschiedenis van Tonnie Pasman en hij weet dus wat het kind allemaal al heeft moeten doormaken.

„Zeg dat wel, meneer pastoor," zucht Tonnie. „Nu moet ik ook nog mijn huisje uit en de commensaal ook."

„De commensaal had toch niet kunnen blijven, Tonnie, want een ongetrouwde man en vrouw onder één dak voegt niet."

„Meneer Degenaar was al op zoek naar een ander kosthuis, maar de komst van de smid zet alles in de versnelling. Binnen een maand moet ik mijn huisje verlaten."

„Is dat huisje van de smid?"

„Ja, hij heeft het nodig voor een nieuwe knecht en dus moet ik een betrekking zoeken voor dag en nacht. Daarom ben ik hier, want u kent misschien iemand die een hulp voor dag en nacht zoekt."

„Daar kun je weleens gelijk in hebben, Tonnie. Je weet waarschijnlijk dat de boerin van de Sweykerhoeve in de Sweykerpolder kampt met haar gezondheid en daardoor nog slechts met moeite wat huishoudelijk werk kan verrichten. Nu ook Truus Borst weg is komt veel van dat werk neer op de nek van dochter Kee en dat is geen gezonde toestand."

„Zal ik daar eens gaan vragen, meneer pastoor?"

„Doe dat, Tonnie, en zeg maar dat ik je gestuurd heb. Ada

Vlieland, de boerin, is niet zo nieuwsgierig en zeker niet als ze weet dat ik achter je sta. Je begrijpt wel wat ik bedoel." Het is wel duidelijk dat er in het dorp geen enkel geheim voor meneer pastoor is. Waarom Tonnie ontslagen werd door de vrouw van de meelhandelaar weet hij precies. Als hij dit soort zaken al niet van horen zeggen heeft, dan hoort hij het wel in de biechtstoel.

„Vrouw Vlieland van de Sweykerhoeve ken ik als een lief mens, meneer pastoor, dus met haar zal ik het zeker goed kunnen vinden."

„Ik hoor wel hoe het afgelopen is, Tonnie, veel succes!"

De volgende morgen gaat Tonnie vroeg op pad. De Sweyker-polder waar de kapitale hoeve van de familie Vlieland ligt, ligt een eind van de kom van het dorp af. Het is begin maart en het is zacht. In de grote polder liggen de hoeven verspreid onder hun dikke rieten daken alsof ze er willekeurig neergesmeten zijn. Elke hoeve heeft haar lange stal met erachter de hooiberg. De winter is al bijna voorbij dus hebben de boeren de kap van de hooiberg al diverse keren een stukje laten zakken. Het is nog vroeg en de hanen kraaien hun schare kippen wakker, terwijl de hofhonden de jonge dag met geblaf begroeten. Voor Tonnie is het allemaal niet nieuw, want zij is een kind van de polder. Zij geniet van de mooie stille ochtend en zij weet nu wel zeker dat zij een dienst in de polder verkiest boven een dienst in de stad. Nog maar enkele weken scheiden haar van de lente, die alle bomen en struiken weer met fris groen zal tooien. In de stad ziet zij er weinig van, maar hier is de natuur op elk moment van de dag grijpbaar. Ze heeft een nare tijd achter de rug, maar misschien is deze mooie ochtend het begin van een betere toekomst. De boer van de Sweykerhoeve is een van de machtigste boeren van het dorp. Daar aangenomen worden als eerste of tweede meid is aantrekkelijk. Voor haar geldt dat temeer, daar zij weet wat een aardig mens de boerin is. Dochter Kee kent ze wel maar niet zo goed. Op school zat Kee twee klassen hoger dan zij. Een lelijk meisje is het met een rare mopsneus. Verder zijn er twee zonen: Barend en Koos. Barend kent ze niet goed, want hij ging al van school af toen zij nog maar in de derde klas zat. In die klas zat ze samen met Koos Vlieland. Een opschepper vond ze hem en altijd haantje de voorste. Het zou haar niet verbazen als hij nu de baas speelt over zijn oudere broer, want die kent zij als een beetje verlegen. De tegenpool van Koos. Enfin, ze zal wel zien wat zij op de Sweykerhoeve aantreft. Als ze eerst maar eens aangenomen wordt, want een vaste baan voor dag en nacht op die machtige hoeve ziet zij wel zitten.

„Volk!" roept ze als ze bij de deur van het achterhuis aankomt en als er niemand op reageert loopt ze een eind- je het achterhuis in en herhaalt haar roep. En dan hoort ze gestommel en steekt dochter Kee haar hoofd om de hoek van de deur, die het achterhuis scheidt van de bijkeu- ken.
„Tonnie Pasman, als ik me niet vergis," zegt Kee. „Wat kan ik voor je doen, Tonnie?"
„Ik zou graag je moeder willen spreken, Kee."
„Kom dan maar verder, Tonnie, moeder is in de keuken. We zitten net aan de koffie."
„Hier is Tonnie Pasman, moe, ze wil even met je praten," zegt Kee als ze de keuken binnenkomen. Aan de grote keu- kentafel zitten de boer, de boerin en de zonen Barend en Koos. Vooral de twee jongens nemen haar met nieuwsgie- rige blikken op en ze vragen zich af wat de knappe Tonnie bij hen te zoeken heeft.
„Drink dan eerst maar een kom koffie mee, Tonnie," zegt de boerin vriendelijk. „Als de mannen weer aan het werk gaan kunnen wij praten. Schenk jij Tonnie even in, Kee?"
„Alsjeblieft," zegt Kee, Tonnie de kroes koffie aanreikend.
De boer blaast in zijn hete koffie en neemt nauwelijks noti- tie van haar, maar de twee jongens volgen al haar bewegin- gen.
„Je hebt een zware tijd achter de rug, Tonnie," zegt de boe-

rin. „Eerst je opoe en toen je opa overleden. Dat gaat je niet in je kouwe kleren zitten, hè?"

„Het was een zware tijd, vrouw Vlieland," beaamt Tonnie de uitspraak van de boerin. En ze is dan blij dat de boer opstaat en tegen de jongens zegt dat ze weer aan de slag gaan. Kee ruimt de boel op en dan blijft zij met de boerin achter.

„Met welke boodschap kom jij hier, Tonnie?" vraagt de boerin als de anderen weg zijn.

„Meneer pastoor heeft me geadviseerd bij u langs te gaan. Ik zoek een dienst voor dag en nacht en meneer pastoor denkt dat u die voor mij heeft."

„Meneer pastoor is een goed mens, Tonnie. Hij weet dat ik een zwakke gezondheid heb. Heb jij ervaring met het werk op een boerderij?"

„Eerlijk gezegd niet, vrouw Vlieland, maar ik weet wat werken is en als het nodig is wil ik ook wel leren melken."

„Dat lijkt me vooralsnog niet nodig, Tonnie. We melken vierentwintig koeien; mijn man en onze twee zoons kunnen het wel aan. Maar waarom zoek jij een dienst voor dag en nacht?"

„Na de dood van opa moet ik uit het huisje waarin ik nu woon. De smid heeft het nodig voor een nieuwe knecht."

„Ik begrijp het. Ook de zorg van meneer pastoor begrijp ik, Tonnie, want ik wil meer dan ik kan. Wanneer kun je beginnen?"

„Wanneer u maar wilt, vrouw Vlieland."

„Laten we het dan eerst maar eens over de verdiensten hebben, Tonnie." De boerin vertelt haar dan wat ze kan verdienen en als Tonnie vraagt hoe de regeling van vrije dagen en avonden is, moet de boerin een beetje lachen. „Ik kan wel horen dat jij een dienstje bij burgermensen gewend bent, Tonnie. Wanneer jij ergens heen wilt, 's avonds of in het weekeinde, dan regelen we dat in goed overleg. Dus maak je daar maar geen zorgen om."

Als ze het eens zijn zegt de boerin dat Koos haar die maandag met de brik zal ophalen. „Voor zover je je spulletjes niet in je kamertje op de stalzolder kwijt kunt, zoek je maar een plekje op de stalzolder zelf. Er is ruimte genoeg."

„Ik moet jou en wat ouwe rommel ophalen van mijn moeder," zegt Koos Vlieland als hij Tonnie die maandag met de brik komt ophalen, zoals dat met de boerin is afgesproken. „Ouwe rommel? Dat zal jouw moeder zeker niet gezegd hebben." Tonnie voelt zich beledigd door de uitspraak van de jonge boer.

„Nee dat niet, maar veel soeps zal het niet zijn. Wijs me maar waar de troep staat, dan kunnen we het zaakje op de brik laden."

„Rommel, troep! Jij bent wel vriendelijk moet ik zeggen."

„Meid, maak je niet zo dik," zegt-ie lachend en hij vindt dan dat ze niet zo'n verbeelding moet hebben.

„Ik verbeeld me niks, maar jij hoeft niet zo laatdunkend over mijn spulletjes te doen."

„Jouw spulletjes? Ik dacht dat het meeste van je grootouders was."

„Nu zijn het mijn spulletjes en houd er verder maar over op." Met een rood hoofd van kwaadheid helpt Tonnie bij het inladen van de dingen die ze per se wil meenemen en als alles opgeladen is, gaan ze op weg. Van Anton Degenaar heeft ze de dag tevoren afscheid genomen. Hij heeft nu de sleutel van het huisje. De volgende week laat ook hij zijn spullen ophalen, want hij heeft het geluk onderdak te hebben gevonden bij een al wat oudere weduwe die aan de rand van het dorp woont.

Op de bok van de brik wendt ze haar hoofd nog een keer om, maar algauw is het huisje door een bocht in de weg aan het gezicht ontrokken. Ze moet een zakdoekje pakken om haar opkomende tranen te drogen. Alweer sluit zij een hoofdstuk af in haar nog zo korte leven. Wat zal de toekomst brengen? Met de boerin zal ze het wel goed kunnen vinden, maar hoe zal het gaan met de anderen? Met Koos zal het moeilijk worden, want die begint al meteen naar tegen haar te doen.

„Je zit toch niet te grienen, hè?" vraagt-ie bot als hij even naar haar kijkt.

„Bemoei jij je er niet mee!" Nijdig veegt Tonnie haar tranen weg en kijkt dan strak voor zich uit. Lompe boer. Begrijpt hij dan niet dat het voor haar een emotioneel moment is? Weg uit het huisje waaruit binnen een half jaar haar beide grootouders naar het kerkhof werden gedragen. Rotjongen! Het liefst zou ze zeggen dat hij haar maar terug moet brengen en dat ze wel een andere betrekking zal zoeken, maar dat kan niet. Waar moet ze heen?

„Ik zal me wel vaker met jou moeten bemoeien als je zo chagrijnig blijft doen." Koos lacht en gaat vervolgens zorgeloos een deuntje zitten fluiten. Toch is dat zorgeloze maar schijn. Hij doet opzettelijk naar tegen Tonnie Pasman om andere gedachten en gevoelens te verdringen. Hij vindt haar mooi en lief, maar dat zal hij nooit uitspreken of laten merken. Het is beter dat zij een hekel aan hem krijgt, want als zij hem met haar mooie smoeltje lief zou toelachen, dan zou hij zich geen raad weten. Nee, hij moet werk maken van een rijke boerendochter en Tonnie vergeten, maar met haar de hele dag om zich heen zal dat niet meevallen.

Als ze bij de hoeve zijn spant Koos het paard uit en verdwijnt, na het beest gestald te hebben, in huis. Tonnie blijft bij de volgeladen brik achter en ze weet niet wat ze moet doen. Zal hij nou nog terug komen om te helpen de spulletjes naar haar kamertje en naar de stalzolder te brengen of niet? Terwijl ze daar zo besluiteloos bij de brik staat, komt de oudste zoon Barend naar buiten.

„Waar is Koos heen?" vraagt-ie.

„Ik weet het niet, Barend. Hij spande het paard uit en liep het achterhuis in."

„Lekker vriendelijk om jou zo aan je lot over te laten. Waar moeten die spulletjes heen?"

„Een deel naar mijn kamertje en wat er niet in kan krijgt voorlopig een plekje op de stalzolder. Zo heb ik het met je moeder afgesproken."

„Als jij wat licht spul neemt, dan neem ik de zware stukken wel voor mijn rekening." Barend voegt de daad bij het woord en loopt alvast naar boven met een van de zwaarste stukken. Zij volgt hem met een tas kleding en wat matjes. Als de laatste spullen naar boven gaan, komt Koos eens kijken hoe ver ze zijn. Het ergert hem dat die dikke zich weer loopt uit te sloven, maar dat Tonnie dat op prijs stelt ziet hij wel aan haar gezicht.

„We hebben je hulp niet meer nodig, jongen," zegt ze. „Je broer heeft wat meer manieren." Zo, dat kan die lomperd in zijn zak steken. Tonnie is blij dat ze op de hoeve niet allemaal zijn zoals Koos. Eigenlijk valt hij haar tegen, want vroeger op school was Koos een opschepper, maar toch best een aardige knul. Barend kent ze niet zo goed, want die ging al van school toen zij in de derde klas zat. Hij is veel dikker dan Koos en misschien daardoor ziet hij er een beetje sullig uit. Koos loopt met verende pas, maar Barend loopt als een oude boer te sjokken. Maar sullig of niet, ze heeft liever met Barend dan met Koos te doen.

„Staan je spulletjes op zolder?" vraagt de boerin als Tonnie de grote keuken binnenkomt.

„Ja, Barend heeft me geholpen."

„Oh, ik dacht dat Koos dat zou doen."

„Koos heeft me met de brik opgehaald, maar Barend heeft me geholpen met het naar mijn kamer en naar de stalzolder brengen van mijn spullen."

„Nou ja, het belangrijkste is dat je heelhuids over bent."

Ada Vlieland vindt het wat vreemd dat niet Koos maar Barend haar geholpen heeft, maar ze besteedt er verder geen aandacht aan. „Ik ben blij dat je er bent, Tonnie, want sinds het vertrek van Truus Borst komt het meeste huishoudelijke werk op de nek van Kee terecht en dat wordt voor haar wel wat te veel."

„Heeft Truus hier lang gewerkt?" Tonnie weet dat Truus Borst eerste meid was op de Sweykerhoeve voordat ze onlangs trouwde en vertrok naar een naburig dorp.

„Bijna acht jaar. Ze kwam hier als meisje van achttien. Kee was toen nog erg jong, amper veertien en wellicht daarom mist ze Truus nog steeds."

„Kee is twee jaar ouder dan ik, dus de plaats van Truus zal ik voor haar niet kunnen innemen."

„Dat hoeft ook niet, hoewel Kee zich wel gauw aan iemand hecht. De volgende aan wie ze zich zal gaan hechten zal haar toekomstige man wel zijn," lacht de boerin, maar het valt Tonnie op dat haar ogen niet mee lachen, die staan eerder wat bezorgd. Zou ze bang zijn dat haar dochter niet aan de man komt? Aan de ene kant zou dat vreemd zijn, want haar vader bulkt van het geld, maar aan de andere kant ook weer niet, want Kee is met haar mopsneus nu niet bepaald moeders mooiste.

De eerste dagen merkt Tonnie dat de boerin gelijk heeft en dat Kee de vroegere eerste meid nog erg mist. Alles wat zij, Tonnie, doet, wordt vergeleken met hoe Truus het deed. Tonnie wordt er tureluurs van. Eerst doet ze net of ze het niet merkt, maar langzamerhand begint ze er schoon genoeg van te krijgen.

„Ik ben Truus Borst niet, Kee, maar ik weet best hoe ik mijn werk moet doen, hoor!" zegt ze op een gegeven moment nijdig.

„Moe zegt dat jij nooit op een boerderij gewerkt hebt, dus verbeeld je maar niks."

„Ik verbeeld me niks, maar jij moet ophouden met alles wat ik doe te vergelijken met het werk van Truus." Op dat moment komen Koos en Barend de keuken binnen voor thee en ze hebben meteen in de gaten dat hun zuster en Tonnie ruzie hebben.

„Wat hoor ik? Deelt de meid hier tegenwoordig de lakens uit?" vraagt Koos sarcastisch en die uitspraak doet Tonnie meer pijn dan de opmerkingen van Kee. Ze is wederom door Koos beledigd en met een nijdig gebaar zet ze de kroezen hardhandig op tafel. „Ze hoeven niet kapot, hoor!" blaft Koos weer en dan wordt het Barend te gortig. Hij is erg gesteld op de knappe Tonnie en hij begrijpt niet waarom zijn broer zo vervelend tegen het kind doet.

„Bemoei jij je toch niet met de meiden, joh!" wijst hij Koos terecht.

„Met wie ik me bemoei is mijn zaak, daar heb jij geen moer mee te maken, dikke." Als Koos kwaad is gebruikt hij het scheldwoord waar zijn broer razend om kan worden. Koos is kwaad op zichzelf en op zijn broer. Op zichzelf omdat hij weer naar moet doen tegen Tonnie en op zijn broer omdat hij diens gefleem tegenover het mooie meisje niet goed kan verdragen.

„Wat mankeert jou dat je zo'n toon aanslaat, man? Schelden doet geen pijn, maar ik heb er wel een hekel aan dat je het doet. Ik scheld jou toch ook niet uit!" Barend voelt zich kennelijk sterk verongelijkt en dat in het bijzijn van Tonnie.

„Je scheldt me niet uit, maar je bemoeit je wel met me."

„Stil nou, jongens, daar komt pa en als hij hoort dat er ruzie is wil hij weten waar het over gaat," zegt Kee. En tot Tonnie: „Je hebt gelijk, Tonnie, neem me niet kwalijk. Ik denk nog te veel aan Truus, maar het was niet mijn bedoeling jouw werk af te kammen, hoor!"

„We praten er niet meer over, Kee. Ik begrijp best dat je Truus nog mist." Tonnie is allang blij met de verontschuldiging van de boerendochter. Minder blij is ze met de ruzie tussen Koos en Barend. Waarom moet die Koos toch altijd zo bot zijn en dan dat gescheld op Barend. Wat kan die jongen er nou aan doen dat hij dik is. De gewoonte in het dorp om mensen met een afwijkend postuur of een handicap een daarmee verband houdende bijnaam te geven is haar altijd al een gruwel geweest. De dikke, de kromme, de lange, de schele, de neus. Ze weet wel een heel rijtje op te sommen. Bij de herinnering aan de scheldnaam de neus moet ze, ondanks de gespannen situatie, toch inwendig lachen. Jaap Groening stond in het dorp bekend als de neus, in verband met diens buitensporig lange reukorgaan, maar Jaap was een oersterke kerel en niemand durfde hem openlijk zo te noemen. Jaap was de collega van een buurman en toen hij

een keer op visite kwam had hij zijn vrouw op het hart gebonden gewoon Jaap te zeggen en niet neus. De buurvrouw beloofde het plechtig en ze nam zich ook heilig voor zich niet te vergissen, maar toen de koffiepot op tafel kwam vroeg de buurvrouw: „Jaap, wil jij suiker in je neus?"
Ze schrok zich lam, maar Jaap lachte er zelf nog het hardste om.

HOOFDSTUK 6

Nadat Kee Vlieland Tonnie Pasman het vuur na aan de schenen gelegd heeft door haar werk voortdurend te vergelijken met dat van de vroegere eerste meid Truus Borst, is ze omgedraaid als een blad aan de boom. Ze heeft ingezien dat Tonnie beter verdient dan dat haar werk wordt afgekamd en ze is blij dat ze haar dat duidelijk heeft gezegd. Tonnie zelf is er ook blij om.

De boerin is niet in staat veel werk te doen, dus zijn Tonnie en Kee op elkaar aangewezen. Kee is de oudste en bovendien de dochter van de boer, dus verdeelt zij het werk, maar ze doet dat niet bazig. Tonnie krijgt alle ruimte zelf dingen te veranderen en het komt niet vaak voor dat Kee zich ertegen verzet.

De lente heeft zich inmiddels in haar volle pracht ontluikt. De bomen en struiken dragen hun frisse groene kleed en de koeien doen zich in de malse wei te goed aan het jonge gras. Drukke weken hebben Tonnie en Kee achter de rug, want de stal moest worden schoongemaakt en gesausd en de grote schoonmaak vergde vervolgens veel van hun krachten. Het gezin verhuisde van de woning naar het zomerhuis en het is juist daar dat Tonnie het een en ander wil veranderen. De opstelling van de tafel en de stoelen is onlogisch en Tonnie zet alles zo neer dat de gezinsleden met elkaar kunnen praten zonder steeds hun stoelen te moeten draaien. Het ziet er goed uit en de boerin geeft haar een compliment voor haar idee, maar de boer denkt daar anders over. Hij is op de hoeve geboren en zolang hij het zich kan herinneren, is er aan de opstelling van de meubels niks veranderd. Hij vertelt dat zijn vader altijd zei: alle veranderinge benne geen verbetering en de duvel legt op de loer, en as 't de duvel niet is dan benne 't wel de hekse.

Kees Vlieland heeft de wijze woorden van zijn vader goed onthouden en dus is hij teugen. „Het heb altaid zo geweest en 't mot maar zo blaive ok," zegt-ie. „Jullie opa, main vader, had het niet op hekse en duvelsgebroed. Er mot hier boven de stal wel 't een en aar beurd zain, maar daar praat ik liever niet over."

„Dan ben ik blij dat mijn kamer boven de woning en niet boven de stal ligt," gniffelt Koos en hij kijkt Tonnie daarbij veelbetekenend aan. „Boven de stal hebben spoken en heksen kennelijk vrij spel."

„Jij zit Tonnie weer te pesten, Koos," zegt Barend nijdig en tot Tonnie: „Trek je er niks van aan, hoor! Die oude verhalen kennen we al jaren en er is nooit iets gebeurd."

„Omdat hier niet veel veranderd is, hè pa?" Koos geeft zich niet zo gauw gewonnen.

„Houden jullie nou eindelijk op," zegt de boerin. „Zie je dan niet dat je Tonnie de stuipen op het lijf jaagt" En tot haar man: „Houd jij die zotte verhalen ook maar achter je kiezen, Kees."

„Ik ben teugen veranderinge, Ada, en dat mot Tonnie maar wete ok."

Hoewel ze weet dat die oude verhalen van de boer onzinnig zijn, gaat Tonnie die avond toch met knikkende knieën de trap naar de stalzolder op en ze is blij als ze de dekens strak om zich heen kan trekken nadat ze de deur van haar kamertje op slot gedraaid heeft. Helemaal gerust is ze niet, want ze weet dat heksen en duivels zich niks van gesloten deuren aantrekken.

Ze heeft die nacht een enge droom en ze neemt het de boer dan hoogst kwalijk dat hij dat rare verhaal heeft opgehangen en dat alleen omdat zij wat meubels wilde verplaatsen. Nou, ze wacht zich er wel voor weer eens met een voorstel in die richting te komen.

„Je hebt na dat nare verhaal van mijn man toch wel goed geslapen, Tonnie," veronderstelt de boerin als ze de volgende morgen even met Tonnie alleen zit.

„Niet echt, vrouw Vlieland," moet Tonnie bekennen.

„Maar jij gelooft toch niet meer in heksen en spoken?"

„Nee, dat niet, maar alleen op die stalzolder voelde ik me toch niet op m'n gemak."

„Er is nog een klein kamertje vrij boven de woning, wil je dat liever hebben?"

„Och nee, de kamer boven de stal is goed en in de winter is het er bovendien lekker warm, omdat de warmte van de stal naar boven trekt. Maar bedankt voor uw aanbod."

„Je moet het zelf weten, hoor!"

„Ik blijf maar waar ik ben, vrouw Vlieland. Tot nu toe ben ik nooit bang geweest en ik wil me door dat ene enge verhaal niet laten kennen."

„Zo je wilt, meissie. Heb je het hier naar je zin?"

„In het begin moest ik wel wennen en was ik nog vaak bezig met alles wat ik de laatste tijd heb meegemaakt, maar nu gaat het beter."

„Gelukkig! Mis je je grootouders erg?"

„Ja, vooral mijn grootvader. Dat was zo'n lieve man."

„Het woordje lief hoort eigenlijk helemaal niet bij die stoere Geert Pasman, Tonnie. Toen-ie jong was, was hij een van de sterkste jongens van het dorp. Daarom ook wilde de oude smid hem graag hebben. Hij is er zijn hele leven gebleven en ik heb wel gehoord dat hij de jonge smid als kind nog paardje liet rijden op zijn rug."

„Dat verbaast me niks, want toen ik klein was deed hij met mij precies hetzelfde. Ik mis hem nog iedere dag."

„Meer dan je grootmoeder?"

„Opoe was wat kattig en ze mopperde veel, maar ook zij was, als het erop aankwam, lief en zorgzaam."

„Je zegt kattig, Tonnie, en dat herinner ik me maar al te goed."

„Dat begrijp ik best, vrouw Vlieland, want opoe vertelde mij dat ze u op school met succes af en toe wat speelgoed aftroggelde."

„Ja, dat herinner ik me ook, maar ja, zij was arm en ik had alles wat mijn hartje begeerde. Ze was kattig, maar als ik me bezeerde of zoiets, dan was ze bezorgd en deed ze alles voor me."

„Zo heb ik haar ook gekend. Mijn opa was gek op haar. Haar dood heeft hij niet kunnen verwerken. Op het laatst wilde

114

hij naar zijn Truitje en toen kon meneer pastoor meer voor hem doen dan de dokter. Dat zei de dokter zelf."

„Jij hebt veel van je opa gehouden, hè?"

„Ja, heel veel. Op zijn sterfbed bedankte hij me nog voor alle goede zorgen." Bij die herinnering moet Tonnie haar opkomende tranen weer met een zakdoekje drogen.

„Dan heeft jouw opa ook veel van jou gehouden, Tonnie. Kinderen en kleinkinderen zijn een kostbaar bezit, meissie. Zelf heb ik drie kinderen en ik hoop dat ik het nog meemaak dat zij kinderen krijgen."

„Vooral Barend en Kee hebben de leeftijd om verkering te krijgen en te trouwen, vrouw Vlieland," meent Tonnie en de boerin knikt.

„Het zijn geen hardlopers, Tonnie. Mijn gezondheid gaat achteruit, maar ik hoop de verloving en de trouwerij van Kee nog mee te mogen maken. Ik hoop maar dat ze iemand ontmoet waar ze van houdt en die ook van haar houdt. Als ze te lang wacht gaat mijn man koppelen en dat vind ik maar niks. Een liefdeloos huwelijk is slecht. Ook Barend moet zorgen een lieve vrouw te vinden."

„U praat niet over Koos."

„Och, over Koos maak ik me geen zorgen. Het is een branie en in alles haantje de voorste, maar het is een jongen met karakter. De vrouw die hem krijgt is goed af. Hij lijkt niet alleen op mij, maar hij heeft ook mijn aard. Ik mag het je eigenlijk niet zeggen, Tonnie, maar van hem houd ik het meest."

Tonnie is verbaasd over de openhartigheid van de boerin, maar het meest verbaasd is ze dat ze het meest van Koos houdt. Een jongen met karakter noemt ze hem. Nou, zij denkt daar wel wat anders over. Een gemeen karakter heeft hij. Barend is een goeie jongen en Kee is ook best aardig, maar Koos! Wel is ze het met de boerin eens dat Koos op haar lijkt. Koos is een knappe vent en de boerin moet vroeger ook een knappe meid geweest zijn. Zij paart een knap uiterlijk aan een goede inborst, maar dat gaat voor Koos zeker niet op.

Het lijkt wel of Kee de grote wens van haar moeder verstaan heeft, want enkele maanden na de komst van Tonnie op de Sweykerhoeve maakt een vrijer voor de rijke boerendochter zijn opwachting. Tonnie kent hem niet en dat is niet zo vreemd, want hij komt uit een naburig dorp. Hij heet Gijs Koren en hij is vier jaar ouder dan Kee. Gijs is een stevige kerel en niet onknap. Eigenlijk geen stel vindt Tonnie, maar waar de centen goed zitten worden de liefde en het mooie toetje naar het tweede plan verschoven. Zij kent de gewoonten in de streek maar al te goed. Gijs is een keurige jongen. Hij stelt zich netjes voor en hij geeft haar zelfs een hand. Die houdt hij echter wat te lang naar haar zin vast en bovendien kijkt hij haar met een nieuwsgierige blik aan. „Een vriendin van Kee?" vraagt hij, maar zij schudt haar hoofd en zegt hem dat ze hier de meid is. „Oh!" Het lijkt wel of er in dat kleine woordje enige teleurstelling door klinkt.

Het is zondagmorgen na de mis en dan is het altijd gezellig op de hoeve. Bij de koffie is er wat lekkers en daarna nemen de mannen een borreltje en krijgen de vrouwen een zoetslokkie. Op zondagmiddag gaat Tonnie graag naar het dorpshuis, maar de zondagmorgen op de Sweykerhoeve wil zij niet missen. Er wordt wat nagepraat over de preek van meneer pastoor en er worden dorpsnieuwtjes uitgewisseld. Omdat Gijs uit een ander dorp komt, kan hij nauwelijks deelnemen aan dat gesprek. Kee zit dicht bij hem en ze straalt van geluk. Zij legt hem geduldig uit over wie of wat ze het hebben, maar Gijs let naar haar gevoel niet voldoende op, want als Tonnie een nieuwe ronde koffie inschenkt, volgt hij haar met zijn ogen.

„Ik schenk straks de borreltjes wel in, Tonnie," zegt Kee op een gegeven moment. Ze heeft in de gaten dat Gijs meer oog voor Tonnie heeft dan voor haar.

„Dan breng ik de vuile kommen en schaaltjes wel naar de keuken," reageert Tonnie. Nooit komt het voor dat Kee haar op zondagmorgen kleine werkjes als een borreltje inschenken uit handen neemt, maar nu wel. Ze denkt de oorzaak te weten, maar ze laat niets merken. Wel let ze meer op de houding van Gijs en dan weet ze het zeker. Kee is gek op die jongen, maar Gijs niet op haar. Zij, Tonnie, is het gewend dat jongens naar haar kijken en Gijs maakt op die regel geen uitzondering. Ze vindt het verveldend, want ze gunt Kee haar geluk. 'Ik hoop maar dat ze iemand ontmoet waar ze van houdt en die ook van haar houdt, zei de boerin. Ze krijgt waarschijnlijk maar voor de helft haar zin, want zij, Tonnie, moet zich wel sterk vergissen als blijkt dat de liefde van twee kanten komt. Gijs zal wel met Kee trouwen, maar de dikke portemonnee van de boer zal voor hem dan wel de voornaamste drijfveer zijn.

„Jij gaat zeker vanmiddag pas naar het dorpshuis, Tonnie," veronderstelt Kee.

„Ja, na het eten, hoezo?"

„Oh nee, niks." Kee draait onrustig op haar stoel en probeert de aandacht van Gijs op zich te richten, maar het lijkt wel of Gijs alleen oog heeft voor Tonnie. Tonnie zelf vindt het erg vervelend en probeert zijn blikken te ontwijken, maar dat lukt niet altijd. Aan het gezicht van Kee ziet ze dat die er zich aan ergert. Dat is waarschijnlijk ook de reden van haar rare vraag over het dorpshuis. Op zondagochtend gaat zij nooit naar het dorpshuis.

Kee weet wel dat Tonnie op zondagochtend nooit weggaat, maar zij wil haar kwijt. Weg van Gijs, weg van de jongen die zij volledig voor zichzelf opeist. Eindelijk heeft ze een jongen ontmoet die haar echt zint en nu heeft hij alleen oog voor hun meid en die schijnt het nog leuk te vinden ook. Het is wel duidelijk dat Kee verblind is door jaloezie en dingen ziet die er helemaal niet zijn. Wel weet zij dat zij met haar mopsneus en dikke lippen niet kan tippen aan de knappe Tonnie Pasman en vooral dat maakt haar razend. Ze is dan ook blij als ze na het eten verlost is van de meid die de blikken van haar vrijer kennelijk naar zich toe trekt, want dat Tonnie Gijs Koren een leuke vent vindt, merkt ze aan alles. Doordat Tonnie weg is leeft ze weer wat op, maar als het melkestijd is en Gijs naar huis gaat, loopt ze met een gezicht als een oorwurm door het huis. Als ze die avond met lange

117

tanden op haar avondboterham kauwt en de helft laat staan, vraagt moeder Ada of er iets aan scheelt.

„Jij laat nooit brood staan, voel je je niet goed?"

„Laat me maar, moe," reageert Kee, maar ze moet wel enkele keren slikken om haar emoties te bedwingen. Als ze kort na het eten naar bed gaat, maakt de boerin zich toch ongerust.

In bed kan Kee de slaap niet vatten en dat is niet zo verwonderlijk, want het is nog erg vroeg en nog licht. Toch voelt ze zich in bed beter dan beneden. Plotseling kan ze de aanwezigheid van Tonnie Pasman niet meer verdragen. Waarom gunt die meid haar haar vrijer niet? Ze weet toch' dat zij, als dochter van het gewone volk, nooit iemand als Gijs Koren kan krijgen. Nee, dit houdt zij niet uit; Tonnie moet weg!

Met een bleek gezicht na een slapeloze nacht zit Kee de volgende morgen aan de keukentafel. Ze zegt boe noch ba en Tonnie vraagt dan ook of ze zich niet goed voelt. „Je lag gisteravond ook al zo vroeg in bed, heb je soms kougevat?"

„Doe nou maar niet zo onnozel, Tonnie Pasman!" stuift Kee plotseling op. „Ik word ziek van jou! Jij probeert Gijs Koren in te palmen, maar onthoud voor eens en voor altijd dat Gijs voor mij komt en niet voor jou." Het laatste heeft ze hard en op een ruzietoon gezegd.

„Wat gaan we nou krijgen?" Tonnie is met stomheid geslagen. Ze zag gisteren wel aan de houding van Kee dat die het niet leuk vond dat Gijs oog voor haar had, maar dat zij haar ervan verdenkt Gijs te willen inpalmen, slaat nergens op.

„Ja, sta daar maar niet zo onschuldig te kijken. Je doet het erom!" schreeuwt ze.

„Je ziet spoken, Kee, ik probeer Gijs helemaal niet in te palmen."

„Je liegt!" Kee gilt het uit en ze is buiten zichzelf van woede.

„Wat is hier in 's hemelsnaam aan de hand?" De boerin die wat langer in de bedstee gebleven is, komt in haar nachthemd af op het tumult.

„Kee beschuldigt mij van iets waar ik part noch deel aan heb, vrouw Vlieland," zegt Tonnie. Ze is geschrokken van de woede van de boerendochter.

„Ontkennen, dat kun je, maar ik weet wel beter."

„Stil nou even, Kee. Waar beschuldigt Kee jou van, Tonnie?"

„Ze zegt dat ik Gijs probeer in te palmen, maar er is geen haar op mijn hoofd die daaraan denkt. Ik begrijp echt niet hoe ze daarbij komt."

„Waar leid je dat dan uit af, Kee?" wil de boerin weten.

„Ze kijken de hele tijd naar elkaar en daardoor had Gijs nauwelijks oog voor mij."

„Maar dat lag dan eerder aan Gijs dan aan Tonnie, Kee." De boerin wil het niet hardop zeggen, maar ze heeft wel gezien dat Gijs Koren Tonnie overal met zijn ogen volgde. Het kind is nou eenmaal erg knap, maar daar kan zijzelf ook niks aan doen. Evenmin kan Kee het helpen dat de natuur haar met minder schoonheid heeft bedeeld. Jaloezie van Kee mag niet afgereageerd worden op Tonnie, maar het woord jaloezie wil zij nog niet in de mond nemen.

„Is er nog geen koffie?" vraagt de boer als hij, samen met Barend en Koos, binnenkomt. Als hij dan de stuurse gezichten van zijn dochter en van Tonnie ziet en bovendien zijn vrouw in haar nachthemd, wil hij wel weten wat eraan schort.

„Er is een misverstand tussen Kee en Tonnie, Kees. Ik leg het je straks wel uit."

Terwijl de anderen blijven zitten haast Tonnie zich om de koffie, die zij al wel klaar had, in te schenken. Zelf drinkt ze geen koffie maar gaat ze meteen naar het boenhok. Ze wil even alleen zijn om na te denken over de onzinnige beschuldiging van Kee. 'Het lag eerder aan Gijs dan aan Tonnie, zei de boerin en daar heeft het goeie mens natuurlijk gelijk in. Dat Kee dat zelf niet gezien heeft. Gijs moet ze onder handen nemen en niet haar. Zelf vond ze het ook vervelend dat Gijs zoveel notitie van haar nam. Terwijl ze zo staat te piekeren voelt ze een hand op haar schouder. Het is de boerin die nog op haar pantoffels loopt en die ze dus niet heeft horen komen.

„Toen de mannen weg waren heb ik even met Kee gepraat, Tonnie. Ik geloof dat zij nu wel inziet dat zij zich vergist heeft. Ze is jaloers, maar dat woord heb ik niet in mijn mond genomen en dat moet jij ook maar niet doen. Jij bent met meer schoonheid gezegend dan Kee, meissie, en daar heb je nu meer last dan gemak van. Trek het je niet aan en probeer normaal tegen Kee te doen. Zij is gek op Gijs en ze is nu teleurgesteld dat hij meer oog heeft voor jou dan voor haar."

„Ik zal mijn best doen, vrouw Vlieland. Behalve een kleine onenigheid over Truus Borst in het begin, heb ik verder fijn met Kee kunnen werken. Ik zou het jammer vinden als daar verandering in zou komen."

Als Tonnie die avond naar naailes in het dorpshuis is en het boerengezin in de Sweykerhoeve aan de koffie zit, komt de boer terug op de herrie van die ochtend. „Jij hebt me in grote lijnen verteld wat er aan de hand was, Ada, maar nu wil ik van Kee wel eens weten wat haar bezielt om met Tonnie ruzie te maken."

„Kee ziet spoken, Kees, dat heb ik je vanmorgen al verteld, maar volgens mij ziet ze dat nu zelf ook wel in, nietwaar, Kee?"

„Zolang Tonnie hier is moet ik proberen met haar te werken, moe, maar volgens mij kijkt ze niet zomaar naar Gijs. Dat twee vrouwen in één huis het op dezelfde man voorzien hebben, kan niet. Dan moet er één wijken en jullie weten wel wie dat zal moeten zijn."

„Hoe kun je dat nou zeggen, Kee? Je mag het Tonnie toch niet aanrekenen dat Gijs wat meer dan normale belangstelling voor haar heeft. Tonnie is een knap meisje waar mannen graag naar kijken."

„Liever dan naar zo'n lelijkerd als ik ben," zegt Kee zuur, maar dan grijpt de boer in. Hij heeft zijn best gedaan om Gijs Koren voor zijn dochter te strikken. Het is een beste partij en Gijs is bovendien een flinke kerel. Hij ziet ook wel dat zijn dochter minder knap is dan de meid, maar wat maakt dat nou uit! Van een mooi bord kun je niet eten en dat weet Gijs ook wel. De boer is minder voorzichtig dan zijn vrouw en hij noemt dan ook het beesje bij de naam.

„Jij bent jaloers en dat past jou niet als boerendochter, Kee," zegt-ie. „Gijs is een flinke vent en een goeie partij. Lelijk of mooi speelt bij ons boeren geen rol. Als de centen goed zitten moeten we de rest maar vergeten. Je gedraagt je en daarmee uit!" Kees Vlieland is een man van weinig woorden en hij hecht aan de traditie van zijn geslacht van welvarende boeren, die door verstandshuwelijken het kapitaal alleen maar zagen groeien.

„Maar wie moet er dan wijken, pa?" Kee geeft zich nog niet gewonnen.

„Klets niet over wijken. Niemand moet er wijken, jij niet en Tonnie niet, tenzij moeder daar anders over denkt, want zij gaat over het vrouwelijke personeel."

„Tonnie wil de beschuldigingen van Kee vergeten en doen of er niets gebeurd is," reageert de boerin, „dus is er geen sprake van dat de een voor de ander moet wijken."

Als het tijd wordt om pap te eten en te bidden is Tonnie weer terug van de naaimes. Ze heeft een frisse blos op haar wangen en ze ziet eruit als een plaatje. Ada Vlieland ziet het en weet dat juist dat haar probleem is. Ze begroet haar hartelijk en wil haar daardoor laten merken dat ze het beste met haar voor heeft. Het kind heeft al zoveel meegemaakt en dan wil Kee haar nog lozen.

Tijdens het pap eten wordt er niet gesproken en na het bidden verdwijnt Kee met een kort 'truste' naar haar slaapkamer. De anderen volgen kort daarna en dan keert de rust weer in de machtige Sweykerhoeve, waarvan elke bewoner dan met haar of zijn eigen gedachten bezig is.

Kee schikt zich in het onvermijdelijke en ze weet dat haar moeder wel gelijk heeft en dat ze Tonnie niet rechtvaardig behandeld heeft. Maar niets mag het geluk tussen haar en Gijs in de weg staan, dus heeft ze liever dat Tonnie verdwijnt. Barend bemoeit zich liever niet met de ruzie tussen zijn zuster en de meid, maar Koos heeft het er moeilijk mee. Hij had partij willen kiezen voor zijn zuster, maar na alle nare dingen die hij tegen Tonnie gezegd heeft, zou dat wel erg onrechtvaardig zijn. Met argusogen heeft hij de blikken van zijn aanstaande zwager gevolgd en hij is nijdig op hem. De lummel heeft verkering met zijn zuster, maar hij lonkt voortdurend naar Tonnie. Kee kan dat niet hebben en dat begrijpt-ie wel, maar Tonnie daarvoor de bons geven is wel erg onrechtvaardig. Toch zou zijn leven daardoor wat rustiger worden, want pa had het wel over jaloezie van Kee, maar hij is ook jaloers. Ja, hij is jaloers op de Gijs Koren die openlijk zijn bewondering toont voor de knappe Tonnie, terwijl hij, Koos, naar tegen haar moet doen om zijn ware gevoelens te camoufleren. Als Tonnie uit zijn onmiddellijke nabijheid verdwijnt, hoeft hij niet langer elke dag tegen zijn gevoelens te vechten en haar tegen zich in het harnas te jagen.

En dan Tonnie, ook zij ligt nog wat na te denken in bed. Een vreemde dag met tegenstrijdige reacties van de verschillende gezinsleden. Terwijl zij in het dorpshuis was, zal er zeker nog over de ruzie tussen haar en Kee nagepraat zijn, want de boerin was opvallend hartelijk toen zij thuiskwam. Dat deed haar goed. Een lief mens vindt ze de boerin van de Sweykerhoeve. Dat die waardering wederzijds is zal Tonnie nog vele malen ondervinden.

„Jij zorgt ervoor dat ik me weer nuttig ga voelen, Tonnie," zegt Ada Vlieland op een dag. De boerin van de Sweykerhoeve voelt dat haar krachten afnemen en ze had zich er al bij neergelegd dat ze haar dagen in bed of in haar makkelijke stoel achter het raam zou moeten slijten, maar dat gebeurt niet. Tonnie hecht zich gauw aan mensen en zeker aan mensen die goed voor haar zijn. De boerin is goed voor haar en daarom wil Tonnie wel alles doen om het de vrouw naar de zin te maken. Ze weet dat de boerin graag kookt en dus sleept ze een stoel naar het fornuis, geeft haar bazin een arm en brengt haar naar de keuken.

„Dat smaakt," zegt Kees Vlieland tevreden als hij die middag het vet van zijn kin veegt. Kruimige aardappelen met spruitjes en zacht vlees, dat hij gewoontegetrouw zelf vanuit de grote zwarte vleespan verdeeld heeft.

„Ik heb er mijn best op gedaan, Kees," zegt de boerin trots en dan fronst de boer zijn wenkbrauwen.

„Heb jij zelf gekookt, Ada?"

„Ja, Tonnie betrekt me erbij en zij zorgt ervoor dat ik me weer nuttig kan voelen en dat doet me goed, Kees. Zeker als jij het eten lekker vindt."

„Ik vind het heerlijk," beaamt de boer en hoewel het een man van weinig woorden is, heeft hij wel zijn hart op de goede plaats. „Je doet er goed aan de boerin zo veel mogelijk bij alles wat ze nog kan te betrekken, Tonnie," zegt hij hartelijk en die woorden van de boer doen Tonnie erg goed. Waardering heeft zij ondervonden van haar opa en af en toe van opoe, maar verder waren loftuitingen in haar richting dun gezaaid. Daarom doen de lovende woorden van de boerin en de boer haar zo goed. Ze voelt zich echt thuis op de Sweykerhoeve en ze hoopt maar dat ook Koos zijn kritische uitlatingen voor zich zal houden, maar ze betwijfelt of die hoop gerechtvaardigd is.

„Ik kom eens kijken hoe het met u gaat, mevrouw Vlieland," zegt dokter Van Laarhoven als hij die middag op de Sweykerhoeve komt. Dokter van Laarhoven is afkomstig uit de grote stad en hij noemt al zijn getrouwde patiënten mevrouw, terwijl bijna iedereen juffrouw zegt. Daarbij maakt hij geen onderscheid tussen de vrouw van een daggelder, de vrouw van een rijke boer of van de notaris. Voor hem zijn alle getrouwde vrouwen gelijk en hij heeft vaak nog meer waardering voor de hardwerkende arbeidersvrouwen dan voor de rijke boerinnen. Maar voor de boerin van de Sweykerhoeve heeft hij een zwak. Het mens mankeert van alles, maar er komt zelden een klacht over haar lippen. Zij is begaan met het lot van anderen, maar over haar eigen problemen rept ze nauwelijks.

„Het gaat wel, hoor dokter!" zegt de boerin.

„Dat geloof ik graag, mevrouw Vlieland, want u ziet er opgewekt uit."

„Dat komt door Tonnie, dokter. Zij betrekt mij bij veel dingen die ik nog kan doen en dat vind ik heel plezierig."

„Het is u aan te zien, mevrouw."

„Ik ben blij dat te horen, dokter. Tonnie zorgt ervoor dat ik me weer nuttig voel en dat is lang niet zo geweest."

„Wilt u een kopje thee, dokter?" vraagt Tonnie nadat ze de dokter bij de boerin heeft gebracht.

„Graag, Tonnie," reageert de arts. „Jij bent voor mij al even zorgzaam als voor je bazin."

„Hoe bedoelt u, dokter?" Tonnie krijgt een kleur als ze de vraag aan de grijze arts stelt.

„Precies zoals ik het zeg, Tonnie. Ik hoor van mevrouw dat jij ervoor zorgt dat zij zich weer nuttig voelt en je moet van mij aannemen dat dat het beste medicijn is."

„Dank u, dokter. Ik wil de boerin ook zo veel mogelijk naar buiten hebben, maar zij weet niet of dat zo goed voor haar is. Wat denkt u?"

„Ik denk het niet alleen, maar ik weet wel zeker dat jij gelijk hebt, Tonnie." En tot de boerin: „Naast je nuttig voelen is buitenlucht ook erg heilzaam, mevrouw, dus u moet maar doen wat Tonnie zegt."

„Niet alleen ik, maar ook de dokter heeft veel waardering voor jou, lieve Tonnie," zegt de boerin als de dokter weg is. „Waar kan ik jou nou eens een plezier mee doen? Je krijgt je loon en je vrije dagen, maar ik wil iets extra's voor je doen. Weet jij iets?"

„Ik weet wel iets, maar ik durf het niet te zeggen, vrouw Vlieland." Tonnie is een beetje overdonderd door eerst de loftuitingen van de dokter en nu de vraag van de boerin. Natuurlijk weet ze wel waar de boerin haar een plezier mee zou kunnen doen, maar ze vreest dat datgene wat zij wil hebben, veel te duur is. Ze wil graag een nieuwe jurk en het liefst een uit een winkel in de stad. De strakke jakken van de boerenmeiden in het dorp zijn goed voor een doorde-weekse dag, maar voor de zondag en als er iets te vieren is, zou ze wel een mooie jurk willen hebben, maar die dingen zijn vreselijk duur.

„Zeg het maar, Tonnie!" dringt de boerin aan.

„Wat ik echt graag wil hebben is veel te duur, vrouw Vlieland," zegt Tonnie met een spijtig gezicht. „Ik moet even nadenken of er iets anders is wat ik graag wil hebben."

„Nee, jij denkt niet verder na, maar je zegt me wat je het liefste wilt. Ik wil je een plezier doen en als dat wat kost is dat geen probleem, Tonnie. Jij bent goed voor me en ik wil je graag mijn waardering tonen. Zeg het maar!"

„Ik zou graag een jurk uit een winkel in de stad hebben, vrouw Vlieland, maar die zijn wel duur, hoor!"

„Maak je daar maar geen zorgen om, Tonnie. Als jij graag een jurk uit een winkel in de stad wilt hebben, dan ga je maar een keer met de boer mee naar de markt. Terwijl hij op de markt is, heb jij voldoende tijd om te winkelen. Ik zou best met je mee willen gaan, maar daar voel ik me helaas niet toe in staat. Als het vrijdag goed weer is, moet je het meteen maar doen. Ik zal er wel met mijn man over praten."

Die vrijdag is het uitzonderlijk mooi weer dus belet niets Tonnie om met de boer mee te rijden naar de stad. Van de boerin heeft ze voldoende geld mee gekregen om een mooie jurk te kopen.

„Jij kunt wel een potje breken bij de boerin, hè?" lacht de boer als hij Tonnie zijn hand aanreikt om haar op de bok van de brik te helpen. „Ze heeft mij verteld waarom ze je mee laat rijden naar de stad en ik ben het met haar eens, hoor! Mijn vrouw waardeert het erg in je dat je haar bij veel dingen betrekt en ze heeft me gezegd dat ze jou daarom een pleziertje wil doen."

„Ik vind het fijn dat ik gewaardeerd word en dat ik boven-dien een jurk mag kopen vind ik extra fijn." Tonnie heeft de boer van de Sweykerhoeve nog nooit zoveel woorden ach-ter elkaar horen zeggen en zij is er eigenlijk een beetje door overdonderd. Naast de grote boer op de bok van de brik voelt ze zich een soort boerin. Niet alleen omdat zij zelfstandig inkopen voor zichzelf mag doen, maar de boerin heeft haar bovendien een lijstje meegegeven van dingen die zij zelf nodig heeft.

De boer en Tonnie hebben al enkele uren werken achter de rug en dus is het heerlijk in het warme zonnetje op de bok van de brik met een rustig gangetje naar de stad te rijden. Er staat een zacht windje dat het lange gras van de weilanden, waar binnenkort gehooid zal worden, doet golven als het meer. Het fascineert haar die golvende weilanden en ze blijft er zo naar turen dat de boer vraagt of ze iets bijzonders ziet. „Nee, bijzonder is het niet, maar ik vind die golvende hooilanden wel apart," zegt ze en dan is ze toch een beetje bang dat de boer haar een dromer vindt, maar dat is niet zo. „Ja, ik vind het ook een mooi gezicht, Tonnie. Volgende week gaan bij ons ook de maaiers het land op en als het gras droog is kunnen we er weer tegenaan. Ik hoop maar dat we dit weer nog even houden, want regen tijdens de hooibouw is niks gedaan."

Tonnie knikt en zwaait, evenals de boer, naar de bewoners van een langs de weg liggende hoeve. De kern van het dorp is klein, maar als je de rondom het dorp liggende polders erbij telt, is het een groot gebied. De hoeven liggen verspreid en vaak kilometers uit elkaar. Toch kennen praktisch alle bewoners elkaar bij naam en toenaam, want allen zaten of zitten op dezelfde school en gaan naar dezelfde kerk. Er zijn twee protestantse boeren op het dorp en de kinderen daarvan gaan naar een andere school en naar een andere kerk buiten het dorp. Daardoor zijn het buitenbeentjes.

Al pratend en genietend van de mooie ochtend zijn ze in de stad aangekomen en daar scheiden hun wegen. In het centrum waar de meeste winkels zijn, stopt de boer.

„Hier kun je je hart ophalen, want er zijn voldoende kledingzaken. Zoek maar iets leuks uit, Tonnie. Om halftwaalf wacht ik je op in De vergulde Vink. Weet je dat restaurant te vinden?"

„Ja, dat wel, maar…" Ze schrikt zich een ongeluk. Na haar vertrek daar is ze er nooit terug geweest. De kans is groot dat ze in het bijzijn van de boer vragen gaan stellen en wat dan?

„Maar wat?" reageert de boer verbaasd. „Ik ga er wel vaker een kop koffie drinken na de markt, want in het marktcafé is het altijd zo razend druk."

„Ik wil hier, waar u me nu afzet, ook wel wachten, hoor!" probeert ze nog, maar de boer schudt zijn hoofd.

„Het restaurant is hier vlakbij, dus loop daar maar even heen. Tot straks en succes met je inkopen." Hij klakt met zijn tong en dan vervolgt de bruine merrie in rustige draf haar weg, Tonnie met een angstig gevoel op de stoep achterlatend. Zij heeft zich al dagen verheugd op het ochtendje winkelen, maar de lol is er voor haar helemaal af. Sterker, ze zou willen er nooit aan begonnen te zijn. Lusteloos loopt ze langs de winkels en ze besluit eerst maar de dingen voor de boerin te kopen. Die inkopen nemen niet veel tijd in beslag, dus gaat ze op zoek naar een jurk. Ze past er een paar en de winkeljuffrouw geeft haar adviezen.

„Deze staat u erg goed, mevrouw," zegt de juffrouw bij de derde jurk die Tonnie past.

„Dan neem ik die, als-ie tenminste niet te duur is," besluit ze en vervolgens schrikt ze toch wel een beetje van de prijs.

„De jurk staat u beeldig en hij is bovendien nog wat afgeprijsd, dus u hebt er zeker geen miskoop aan, mevrouw."

„Dan neem ik hem," zegt Tonnie en nadat ze afgerekend heeft gaat de klok al richting halftwaalf, dus besluit ze naar De vergulde Vink te gaan. Ze doet het met knikkende knieën en haar enige hoop is dan nog dat ze er geen bekenden tegenkomt, maar als ze het restaurant binnengaat, blijkt dat ijdele hoop te zijn.

„Wie we daar hebben! Tonnie, wat een verrassing!" Thea Donkers komt met open armen op haar af. „Dat is een poos geleden; leuk dat je ons eens komt opzoeken. Hoe is het met de kleine en wat is het geworden? Een jongetje of een meisje."

„Een meisje, maar ik kom niet op bezoek, hoor! Mijn baas wacht hier op me," zegt ze gehaast en zenuwachtig. Tot haar schrik ziet ze de boer vlakbij zitten. Thea Donkers verbaast zich over de gespannen reactie van haar vroegere hulpje en ze volgt haar blik.

„Oh, is boer Vlieland uit de Sweykerpolder nu jouw baas?"

„Kent u hem dan?" vraagt Tonnie fluisterend en als Thea knikt weet Tonnie dat er minstens één geheim al op straat ligt.

„Zullen we gaan, Tonnie, of wil je ook eerst nog een kop koffie drinken?" vraagt de boer, opstaand.

„Nee, laten we maar gaan dan zijn we met etenstijd thuis." Ze stikt van de zenuwen, maar ze probeert haar stem zo gewoon mogelijk te laten klinken. Er is nog een kleine kans dat de boer de vragen van mevrouw Donkers niet gehoord heeft.

„Nou, dat was dan kort maar krachtig," lacht de waardin. „Als je wat meer tijd hebt moet je maar eens terugkomen; dan kunnen we praten, want ik ben wel benieuwd hoe het je vergaan is sedert je vertrek hier."

„Je hoort nog eens wat als je zo samen in de stad bent," zegt de boer als ze weer op de bok van de brik zitten. „De waardin had het over een kindje en je vertrek. Je moet me toch eens uit de droom helpen, Tonnie."

In plaats van de boer uit de droom te helpen laat Tonnie haar hoofd op haar borst zakken en snikt ze het uit. „Brengt mijn vraag jou zo van streek, meissie?" vraagt de boer een beetje geschrokken van haar reactie. „Is er iets voorgevallen waar wij geen weet van hebben? Toen de waardin vroeg wat het geworden is antwoordde jij: een meisje. Heb jij een kind?"

De vraag van de boer overrompelt haar, maar ze weet dat ze hem kon verwachten. Met een zakdoekje probeert ze haar tranen te drogen, maar het snikken belet haar de boer antwoord te geven. Op de bok van de brik aan de rand van de stad moet zij tegenover de boer haar grootste geheim prijsgeven. Het paard draaft lustig voort en de zon schijnt precies zo als deze morgen, maar ze geniet er niet meer van. Ze weet niet meer wat ze moet zeggen, maar dan hakt ze de knoop door en besluit ze eerlijk te zijn. Het komt nu toch uit, dus eromheen draaien heeft geen enkele zin.

„Ik heb een poos terug een miskraam gehad; het kindje was niet levensvatbaar." Ze kijkt de boer met betraande ogen aan en ze krijgt een kleur tot in haar hals.

„Daar hoor ik van op, meissie. Maar ik zie dat je helemaal van streek bent door mijn gevraag. Ik ben geen nieuwsgierig Aagje, Tonnie, dus voor mij hoef je niet in details te treden. Je moet thuis het ware verhaal maar aan de boerin vertellen. Zij is erg op jou gesteld, dat weet je, en ik laat het aan haar over wat zij ten aanzien van jou beslist. Ik zal me er niet verder mee bemoeien. Niemand, behalve de boerin, hoeft er ook maar iets van te weten."

Hoewel de reactie van de boer haar enigszins kalmeert, komt ze toch met rode ogen thuis.

„Ben je niet geslaagd, Tonnie?" vraagt de boerin als zij haar ziet. „Je kijkt zo somber en je ogen zijn helemaal rood; wat is er aan de hand?"

„Laten we eerst maar eten, moeder," stelt de boer voor. „Tonnie is een beetje van streek; misschien dat ze tijdens het eten wat tot rust komt. Daarna kunnen jullie praten."

„Ik heb geen zin in eten, vrouw Vlieland. Mag ik even naar mijn kamertje?" Tonnie weet dat ze in het bijzijn van de anderen, die zich ook zullen afvragen waarom ze zulke rode ogen heeft, geen hap door haar keel zal kunnen krijgen. Daarom gaat ze maar liever even naar haar kamertje om te overdenken wat ze de boerin allemaal gaat vertellen.

„Doe dat maar, Tonnie," zegt de boerin met een zorgelijk gezicht. Ze heeft er geen flauw idee van wat er met het meisje aan de hand is, maar dat ze danig van streek is, is haar wel duidelijk. „Kom na het eten maar naar de grote kamer in de woning, daar kunnen we ongestoord praten."

In haar kamertje gaat Tonnie op haar rug op het bed liggen en ze staart dan met nietsziende ogen naar het plafond.

Betekent dit weer het einde van haar dienst op de Sweyker-hoeve? Zal ze, net als bij de meelhandelaar, de bons krijgen? En waar moet ze dan weer heen? Allemaal vragen waarop ze geen antwoord weet. Misschien had ze er beter aan gedaan meteen bij het eerste gesprek open kaart te spelen. Maar ze was toen te laf. Of laf is misschien niet het juiste woord; ze was bang dat ze afgewezen zou worden als ze alles had verteld. Maar niemand vroeg iets en dus zei ze maar niets en dat breekt haar nu op.

„Wat er met je aan de hand is weet ik niet, Tonnie, maar dat je erg van streek bent zie ik wel. Gaat het nu een beetje en kunnen we praten?" De liefdevolle blik van de boerin stelt Tonnie wat op haar gemak en ze knikt dan ook. De rust van de grote kamer in de woning heeft ook een kalmerende invloed op haar.

„Ja, het gaat wel weer, vrouw Vlieland."

„Goed, vertel me dan eerst eens wat er vanmorgen gebeurd is waardoor je zo van streek geraakt bent. Je vertrok vanmorgen vrolijk en monter en je kwam terug als een ziek vogeltje. Er moet dus wel iets heel naars voorgevallen zijn."

„Ik weet niet waar ik moet beginnen, vrouw Vlieland."

„Wat zou je ervan denken bij het begin te beginnen?" De boerin kijkt het meisje waar ze in de afgelopen maanden van is gaan houden, met een twinkeling in haar ogen aan.

„Maar ik ben zo bang dat ik weg moet als u precies weet wat er gebeurd is."

„Dan moet het wel heel erg zijn, kindje, vertel het me nou maar." En dan vertelt Tonnie hoe ze geschrokken is van het voorstel van de boer af te spreken in De vergulde Vink, het hotel-restaurant waar ze gewerkt heeft en waar ze alles van haar weten.

„Ik moest daar weg omdat ik in verwachting was. De zoon van de bazin die ik daarvoor had, was verliefd op mij en ik op hem. We hielden dus van elkaar en we zijn onvoorzichtig geweest. Doordat ik daarna bij mijn grootouders, die mij liefdevol opvingen, met een zwaar ledikant ging sjouwen, kreeg ik een miskraam. Het kindje, een meisje, had na een zwangerschap van bijna zes maanden geen levenskansen."

„Och kind, wat verschrikkelijk, en verder?" De boerin slaat haar handen voor haar gezicht van pure ontzetting.

„Door veel bloedverlies heb ik dagenlang gebalanceerd op het randje van de dood, maar ik kwam erdoorheen."

„En die jongen, de vader van het kindje, wat deed die?"

„Die kon niks doen. Ik heb hem steeds alles geschreven, maar zonder afzendadres. Hij wist niet waar ik woonde en nog niet, maar daar komt misschien nu verandering in." En dan vertelt Tonnie waarom ze dat denkt en ook over de onnadenkende uitlatingen van meneer pastoor en de gevolgen voor haar.

„De vrouw van de meelhandelaar heeft dan wel weinig mensenkennis, Tonnie," constateert de boerin.

„Ja, dat zei mijn opa ook. Maar wat gaat u nou met mij doen, vrouw Vlieland?" Tonnie kijkt de vrouw van wie zij de laatste tijd steeds meer gaat houden, met een blik waarin vrees en hoop besloten liggen, aan.

„Jij denkt toch niet dat ik even harteloos ben als de vrouw van de meelhandelaar, kindje? Jij hebt in je korte leventje al voldoende ellende meegemaakt. Mijn man zal ik vertellen wat er gebeurd is, maar verder komt niemand hier iets van te weten. Jij blijft hier en we praten nergens meer over, goed?"

„U bent zo lief voor mij!" Snikkend valt Tonnie de boerin om de hals en al haar opgekropte spanning ontlaadt zich in een gierende huilbui. „Ik was zo bang dat ik ook u weer zou moeten missen," snikt ze.

„Stil nou maar en droog je tranen. Ga straks maar weer een poosje naar je kamertje. Anderen hoeven niet te zien dat je gehuild hebt en als ze iets vragen zeg ik wel dat je wat hoofdpijn hebt." De boerin klopt haar op haar rug en streelt haar donkere krullen.

Voor de tweede keer die dag ligt Tonnie op haar bed en heeft ze wat tijd om na te denken. Opgelucht is ze door de liefdevolle houding van de boerin. Ze houdt nu nog meer van de vrouw die als een moeder voor haar is en ze heeft maar één hoop en die is dat de boerin nog lang zal leven. Ze kwakkelt met haar gezondheid, maar zij, Tonnie, zal er alles aan doen om haar te helpen, want dat verdient ze.

Wat een dag! Het begon allemaal zo mooi. Een fijne rit op de brik naar de stad, een gezellig praatje met de boer en toen was het uit met de pret. Na het voorstel van de boer in De vergulde Vink af te spreken deed ze het winkelen als in een roes. De mooie jurk heeft ze nog niet eens uitgepakt en dus ook nog niet getoond aan de boerin van wie ze hem nota bene cadeau gekregen heeft.

In De vergulde Vink liep ze mevrouw Donkers letterlijk en figuurlijk in de armen, terwijl ze gehoopt had er geen bekenden tegen te komen. Wat is ze geschrokken! En toch, weer in de oude omgeving, dacht ze ondanks dat terug aan haar ontmoetingen daar met Albert van Nisperden. Zij merkt dat zij nog steeds van hem houdt. Zij probeert de gedachten aan hem wel te verdringen, maar als zij in het nauw zit, zoals vandaag, dan gaan haar gedachten toch weer naar hem uit en zou ze hem dicht bij zich willen hebben. Aan zijn borst zou ze haar verdriet willen uithuilen. Nu deed ze dat aan de borst van de boerin, ook iemand waar ze van houdt, maar anders dan van Albert. Eigenlijk moet ze teruggaan naar De vergulde Vink om mevrouw Donkers te vragen niets tegen Albert te zeggen, want nu die weet bij welke boer hij haar kan vinden, vertelt ze hem dat misschien wel. Hoewel ze nog zo vaak aan hem denkt, wil ze hem liever vergeten. Hernieuwd contact kan alleen maar tot teleurstellingen leiden. Maar als ze er even over doordenkt, lijkt het haar onwaarschijnlijk dat mevrouw Donkers tegen Albert gaat vertellen waar zij werkt. Waarom zou ze dat doen? Tegen haar heeft ze nooit verteld dat Albert de vader van haar doodgeboren kindje is.

Wat Tonnie niet weet is dat Albert, zeker in de eerste maanden na haar vertrek, meermalen aan de waardin van De vergulde Vink gevraagd heeft of zij nou echt niet weet waar

Tonnie gebleven is. Maar Thea Donkers wist niet meer dan dat haar hulp naar haar grootouders vertrokken was.

„Weet u dan niet waar die mensen wonen?" vroeg hij dan, maar daar kon Thea geen antwoord op geven. Ze begreep ook eigenlijk niet waarom Albert van Nisperden zo benieuwd was naar de verblijfplaats van de vroegere dienstbode van zijn moeder.

HOOFDSTUK 7

Veel tijd om na te denken of te piekeren over alles wat er gebeurd is op die fatale dag waarop zij een jurk ging kopen in de stad, heeft Tonnie niet. De hooibouw is aangebroken en dat geeft in en om de Sweykerhoeve een drukte van belang. Nu ondervindt zij aan den lijve wat het betekent meid te zijn op een boerderij, want alle krachten worden gemobiliseerd om het hooi droog binnen te krijgen. Het ziet ernaar uit dat dat gaat lukken, want de zon staat aan een strakblauwe hemel en het is heet. Toch weten de boeren dat aan het eind van zo'n warme dag een daverende onweersbui veel van de gedane arbeid teniet kan doen, dus is opschieten geboden.

Zowel Kee als Tonnie worden naar het hooiland gestuurd om de twee zoons Vlieland te helpen. De boer zelf moet het zware werk aan zijn zoons overlaten, want dat kan hij niet meer aan. Hij beperkt zich dus tot het 'herken', een licht werkje dat hij, evenals het melken, nog zonder moeite verricht.

„Als jij het voer bouwt zal ik opsteken," stelt Barend aan Tonnie voor, maar dat is niet naar de zin van Koos.

„Waarom wil jij zonodig met Tonnie aan de slag?" vraagt hij zijn broer met een argwanende blik aankijkend. „Doe jij het maar met Kee, dan nemen Tonnie en ik wel de andere disselwagen."

„Wat maakt het nou uit wie met wie een voer bouwt?" vraagt Barend zich hardop af, maar die vraag zou hij zelf wel kunnen beantwoorden. Puffend van de hitte heeft Tonnie de bovenste knoopjes van haar jakje losgemaakt en Barend, die de zachte rondingen van haar borsten ziet, kan dat beeld niet van zich af zetten. Hij weet dat hij met zijn dikke lijf niet veel kans bij de meisjes maakt, maar een avontuurtje met Tonnie zou hij niet uit de weg gaan. Als oudste zoon van de rijke boer Kees Vlieland kan hij niet serieus werk maken van de dochter van een eenvoudige arbeider, maar Tonnie is mooi en eens lekker met haar vrijen in het hooi, zou hij maar al te graag doen. Desnoods belooft hij haar eeuwig trouw. Dat zij vanzelf zal merken dat daar niets van kan komen, is van later zorg.

„Het maakt niks uit wie met wie een voer bouwt," antwoordt Koos, maar hij trekt Tonnie mee naar zijn disselwagen en pestend steekt hij zijn tong uit naar zijn broer.

„Waarom doe je nou zo raar tegen Barend?" vraagt Tonnie.

„Hij heeft toch gelijk dat het niks uitmaakt wie met wie een voer bouwt!" Liever zou ze zeggen dat het haar wel degelijk iets uit zou maken, want van Koos kan ze alleen maar pesterijen verwachten. In de ogen van Barend ziet zij soms wel wat meer dan gewone belangstelling, maar dat is zij gewend. Jongemannen kijken nou eenmaal naar haar. Als ze voor de spiegel staat ziet ze wel dat ze voor mannen aantrekkelijk is; daar moet ze maar mee leren leven en als het haar niet bevalt gewoon de andere kant uit kijken.

„Nee, het maakt niks uit," reageert Koos, „maar als ik met mijn zuster aan de slag ga, dan weet ik zeker dat er ruzie van komt. Bij haar kan ik nooit iets goed doen."

„Bij mij ook niet zoveel, hoor!" zegt Tonnie. Zijn pesterijen is zij meer dan zat, dus waar zij zijn voorkeur aan te danken heeft, is haar een raadsel. „Veel ervaring met het bouwen van een voer hooi heb ik niet, dus is het maar de vraag of ik het in jouw ogen goed zal doen." Zij waarschuwt hem maar bij voorbaat, want anders zijn de nare opmerkingen weer niet van de lucht.

„Aanpakken!" roept Koos als hij de eerste plukken hooi op de disselwagen gooit. „Maak er gelijkmatige rollen van dan zal het best lukken," adviseert hij haar. En het lukt ook wel. Als kind is zij vaak in het hooiland geweest en ze is niet vergeten hoe de meiden het hooi netjes in grote rollen op de disselwagen verdeelden.

„Niet te vlug, Koos!" roept ze als de jonge boer haar de ene pluk na de andere aanreikt. „Ik moet even de slag te pakken zien te krijgen, hoor!"

„Die heb je al te pakken," roept Koos haar, lachend aankijkend, toe. Hij wil haar wel een complimentje geven, want de aanblik van de mooie Tonnie met haar geopende jakje doet zijn bloed sneller stromen.

„Hoog genoeg, Tonnie!" roept Koos als hij vindt dat het voer de vereiste hoogte heeft bereikt. „Doe het touw maar om de ponderboom en laat je maar naar beneden zakken, maar houd het touw vast, want we moeten het voer nog strak spannen."

„Ik kom naar beneden, hoor!" roept Tonnie als ze zich van het voer laat zakken.

„Ja, kom maar en houd het touw vast!" Koos staat beneden om haar op te vangen. Dat doet hij vervolgens ook letterlijk, want, als ze de ponderboom strak op het voer getrokken hebben, houdt hij haar even tegen zich aan en dan ziet Tonnie in de ogen van de jonge boer geen pesterige uit-drukking, maar een blik vol genegenheid. Ze schrikt er een beetje van. Hoe kan dat nou? Ze moet zich vergissen. Waar blijven de nare opmerkingen? Ze komen niet! In plaats daar-van zegt Koos: „Je hebt een prachtig voer gebouwd, Tonnie. Voor een meisje dat dat niet gewend is, heb je jezelf over-troffen."

„Bedankt voor je compliment, Koos," zegt ze, maar ze ver-wacht toch een sneer. Als die uitblijft voelt ze zich wat onwezenlijk op de bok van de disselwagen op de terugweg naar de hoeve. Koos zegt niets en kijkt strak voor zich uit. Wat mankeert die Koos Vlieland plotseling? Ze kan geen hoogte van hem krijgen. Complimenten en een positieve houding is ze van hem niet gewend. Welk addertje zit er onder het gras? Wil Koos in plaats van haar nu zijn broer alleen maar pesten? Barend wilde met haar een voer laden, maar Koos stak daar een stokje voor. Waarom? Ze komt er niet uit.

Wie er ook niet helemaal uit komt is Koos Vlieland zelf. Hij kan zich wel voor zijn kop slaan, want hij is veel te ver gegaan. De aanblik van de mooie Tonnie met haar open jakje heeft zijn hoofd op hol gebracht. Tot nu toe heeft hij zich kunnen beheersen, maar vandaag kon hij niet anders dan lief en aardig voor haar zijn. Wat een prachtig meisje en wat een lief karakter! Hoe moet dat nou verder? Zichzelf panseren tegen haar lieve persoontje door onverschillig en hatelijk te doen, houdt hij niet zo lang meer vol. Hij heeft zijn best gedaan, maar die houding druist in tegen zijn natuur. Tegen zo'n mooi en lief meisje kan hij niet langer doen of hij een hekel aan haar heeft, maar hij mag ook niet laten blijken dat hij van haar houdt. En dat hij van haar houdt voelt hij in al zijn sterke botten. Maar het mag niet. Hij moet zich ertegen wapenen. De zoon van de rijkste boer van het dorp wordt nou eenmaal niet verliefd op een gewoon arbeiderskind, hoe mooi en lief die ook is.

Zwoele zomeravonden zorgen ervoor dat de opgeschoten jongeren van het dorp niet achter moeders pappot blijven zitten, maar elkaar opzoeken bij het dorpshuis. Als er ergens iets te beleven valt in het saaie dorpje is het wel bij het dorpshuis, want daar zijn de repetities van het zangkoor, de toneelvereniging en de naailessen van juffrouw Dielens. Ze vervelen zich en willen weleens wat beleven. Nu wil het geval dat de toneelvereniging een stuk instudeert over de geweldadige verovering van een burcht. Er zijn ridders en jonkvrouwen en hun voorman is ridder Borondin. Deze rol wordt gespeeld door de knok oftewel Harm van Uitgeest. Harm dankt zijn bijnaam aan zijn krachtpatserij en die van zijn vader Nelis van Uitgeest. Maar één keer in zijn jonge jaren heeft Harm een vernederende nederlaag moeten incasseren en dat was toen hij de vermeende stadse vrijer van hun dorpsgenote Tonnie Pasman trachtte te overmeesteren. Hij kwam van een kouwe kermis thuis, want hij had zich verkeken op de kracht en behendigheid van Cor Loos, die, naar achteraf bleek, bokskampioen van het gewest was. Toch heeft deze afgang Harm niet belet de rol van de machtige ridder te accepteren.

„We moeten in de pauze van de repetitie het harnas van Harm uit de kleedkamer halen," stelt Ger Duiker voor.

„Dat mag jij dan zelf doen," lacht Piet de Roo. „Ik heb geen zin om door Harm in elkaar geramd te worden als-ie het in de gaten krijgt. Ik weet wel wat beters."

„Wat dan, Piet?" dringen de anderen aan. Ze zijn het wel met Piet eens dat Harm in de maling nemen behoorlijk riskant is.

„We pakken een cape en een hoge punthoed van een van de jonkvrouwen, een van ons verkleedt zich en dan maken wij de meiden van de naaiclub aan het schrikken."

„Die schrikken toch niet van een jonkvrouw," meent Ger.

„Nee, van jou schrikken ze al als je je niet verkleedt," zegt een van de jongens en om die mop wordt hartelijk gelachen. Maar Piet wil zijn idee van die jonkvrouw nog niet loslaten. „We maken van karton een grote neus, halen een bezem en dan is de jonkvrouw plotseling een heks," zegt-ie. „Ik haal de kleren uit het kleedhok en halen jullie dan een bezem en een stuk karton."

Het lukt allemaal wonderwel en als de naailes afgelopen is heeft een van de jongens zich als heks uitgedost en zich verdekt opgesteld.

Nietsvermoedend komen de meisjes druk pratend naar buiten en dan springt de heks, rauwe kreten slakend, naar voren. Gillend en bijna over elkaar struikelend stuiven ze alle kanten op, maar ze worden dan opgevangen door de andere jongens. Tot zijn vreugde heeft Piet de Roo Tonnie te pakken gekregen en hij wil haar maar al te graag beschermen tegen de uitvallen van de boze heks. De bezem tussen haar knieën houdend komt ze ook op Tonnie en Piet af en zij eist van Piet dat hij haar loslaat, want zij, de heks, wil haar als haar buit ontvoeren. Haar eis krast zij in haar heksentaal zo luid en dreigend dat bij Tonnie de rillingen over de rug lopen.

„Ga weg, griezel!" roept ze en ze klampt zich vast aan Piet, die daar niet het minste bezwaar tegen heeft. Maar dan gaat de deur van het dorpshuis weer open en verschijnen leden van de toneelclub in het deurgat. Ze zijn op het rumoer van de krijsende heks en het gegil van de meiden af gekomen.

„Daar gaan de cape en de hoed die we missen," zegt een van

de meisjes, ze roept Harm van Uitgeest alias de knok en wijst op de heks. Met grote stappen beent Harm erheen en voordat de heks er erg in heeft, is ze al opgetild en wordt ze door Harm naar het dorpshuis gesleept.

„We zullen eens kijken wie er zich achter die grote neus verstopt heeft," zegt Harm met een brede grijns op zijn gezicht. En als hij dan in de angstige ogen van de heks kijkt, schiet hij in de lach. „Hé Corretje! Je hoeft niet zo benauwd te kijken, ik zal je niet opvreten, hoor!" En tot de meiden: „De heks is Cor Bensdorp maar. Wat zullen we met hem doen? Hij heeft wel straf verdiend, hè?"

„Ja!" roepen de meiden van de toneelvereniging en de meiden van de naaiclub sluiten zich daarbij aan.

„Goed," zegt Harm. „Hij mag zijn neus weer opzetten en dan laten we de heks op haar bezem twee rondjes om de kerk zweven en dan moeten jullie haar aanmoedigen." De straf valt Cor alles mee en aangemoedigd door de menigte doet hij wat er van hem verlangd wordt. Als hij hijgend van het zweven stilstaat krijgt hij een luid applaus. „Jij moet bij de toneelclub komen," zegt Harm de boeteling op de schouders slaand. „Zo'n acteur kunnen we nog wel gebruiken."

Met een arm om Tonnie heen geslagen heeft Piet de Roo alles staan te bekijken. Hij is Cor Bensdorp dankbaar voor zijn zotte streken, want nu heeft hij Tonnie Pasman weer even in zijn armen mogen houden.

„Wat doe jij volgende maand, Tonnie?" vraagt-ie dan.

„Hoe bedoel je volgende maand?" Tonnie kijkt hem vragend aan en kruipt onder zijn arm uit.

„Als het kermis is, bedoel ik. Gaan we dan weer samen?

„Oh, dat is nog zo ver weg, dat weet ik nog niet, hoor!"

„Maar ik ben niet graag te laat, Tonnie."

„Ben je bang dat een ander je voor is?" vraagt Tonnie lachend. „Ik denk dat ik weer samen met Rietje Derkse ga, tenminste als die dan nog geen kermisvrijer heeft."

„Maar als Rietje wel een kermisvrijer heeft, dan ga je met mij mee, hè?"

„Ja joh, zeurpiet!" En dan schiet ze in de lach. „Dat is een toepasselijke bijnaam voor jou: Zeurpiet de Roo." Piet lacht als een boer die kiespijn heeft en hij hoopt maar dat Rietje Derkse tegen het einde van volgende maand een kermisvrijer heeft gevonden. Zonodig zal hij haar wel een handje helpen. Er zijn jongens genoeg die met haar kermis willen houden.

Als de koningin haar verjaardag viert is er feest en kermis op het dorp. De voorzitter van het Oranjecomité houdt een feestrede en feliciteert namens de dorpelingen de jarige vorstin. En dan gaan de mensen naar het kermisterrein. De schoolkinderen doen spelletjes waar prijzen mee te winnen zijn en de opgeschoten jongens vergapen zich aan de uitgestalde heerlijkheden in de snoepkramen. De wat rijpere jeugd lonkt naar de meisjes.
Een van hen is Piet de Roo, maar hij hoeft niet meer te lonken, want hij is al voorzien. Hij heeft er zijn best voor gedaan en het is gelukt Rietje Derkse een kermisvrijer te laten kiezen. Keuze genoeg voor haar en voor hem ook wel, want er zijn genoeg meisjes die met de knappe Piet de Roo kermis willen vieren, maar voor Piet is er maar één en dat is Tonnie Pasman. En Tonnie heeft woord gehouden. Het is voor haar ook geen opgave, want met geen van de dorpsjongens houdt ze liever kermis dan met Piet. Het vervelende is echter dat ze niets om hem geeft. Hij is aardig, knap en verliefd, maar het zegt haar allemaal niets. Denkt ze nog steeds aan Albert van Nisperden? Vroeger dacht ze dagelijks aan hem, maar ze moet zichzelf bekennen dat het nu minder wordt. Uit het oog uit het hart, luidt het gezegde en dat klopt ook wel. Toch kan ze nog niet spontaan verliefd worden op een andere jongen. Ze lijdt er niet onder, want ze is nog jong genoeg.
Evenals vorig jaar wordt het weer een gezellige en vrolijke dag. Als melkestijd voorbij en de avondboterham verorberd is, trekt het jonge volk weer naar de kermis, maar al gauw wordt het kermisterrein verruild voor het café van Mans Grootveld. Mans weet hoe hij de jongelui vast kan houden,

want naast de vele soorten drank is er ook muziek. Een accordeonist uit de stad zorgt ervoor dat de beentjes veelvuldig van de vloer gaan. Dat Piet de Roo een goed danser is weet Tonnie nog van de vorige kermis. Ze danst dan ook graag met hem. Maar er zijn meer kapers op de kust. Een van hen is Koos Vlieland. Hij weet dat hij Tonnie op een afstand moet houden, maar haar lachend in de armen van Piet de Roo zien, doet hem pijn. Een keertje met haar dansen wil hij toch wel, maar hij weet van zichzelf dat hij er niet veel van bakt, veel minder dan die rietdekker en dus drinkt hij zich maar wat moed in.

Als de accordeonist weer een nieuwe wals inzet, ziet hij zijn kans schoon en vraagt Tonnie. „Ik weet zeker dat jij wel een keertje echt wilt walsen," bluft hij en dan trekt hij Tonnie op de dansvloer.

„Ben jij dan zo'n perfecte danser?" vraagt ze lachend. Koos is een pestkop, maar een keertje met hem dansen wil ze wel. Van walsen komt vervolgens niet veel, want Koos bakt er niks van en bovendien staat hij al wat onvast op zijn benen. Hij voelt zich vreselijk opgelaten om zo te stuntelen en het zweet breekt hem uit. Als de wals afgelopen is, haalt hij opgelucht adem en brengt Tonnie gauw naar haar plaats.

„Zal ik wat te drinken voor je halen?" vraagt-ie, maar Tonnie schudt haar hoofd.

„Piet heeft al wat gehaald. Kijk maar, het volle glas staat op mijn tafeltje." Piet de Roo zit ernaast en hij kijkt de rijke boerenzoon met gemengde gevoelens na.

„Wat een pocher is dat, zeg!" vertrouwt hij Tonnie fluisterend toe. „Een keertje echt walsen? Met hem zeker! Hij liep te stuntelen als een beginneling."

„Misschien is hij dat ook wel," meent Tonnie.

„Maar waarom wilde hij dan zonodig met jou walsen?"

„Niet jaloers worden, Pietje!" lacht Tonnie. „De zoon van de baas mag toch wel een keertje met de meid dansen?"

„Noem jij dat dansen?" Piet mokt nog een tijdje door, want hij vertrouwt die Koos Vlieland niet.

Terwijl zij zo napraten over zijn gestuntel zit Koos met een nijdig gezicht aan de bar en laat zich het ene na het andere biertje inschenken. Tonnie nog eens op de dansvloer vragen durft hij niet meer. Hoewel hij al aardig beneveld raakt, is hij er zich wel van bewust dat hij een modderfiguur geslagen heeft en dat herhalen wil hij zeker niet. Maar Tonnie in zijn armen houden zou hij wel weer willen. Als hij haar vergelijkt met de boerendochters van zijn leeftijd, dan komen die er maar bekaaid vanaf. Mooi en lief is ze, maar geen spekkie voor zijn bekkie. Hij krijgt er tranen van in zijn ogen en vraagt Mans nog maar eens in te schenken.

„Zou je het wel doen, Koos?" vraagt Mans. De geroutineerde caféhouder weet dat tranen de voorboden zijn van totale laveloosheid.

„Niet zeuren, maar tappen, Mans!" zegt Koos met een zuur gezicht en dus schenkt Mans nog maar eens in. Koos blijft aan de bar zitten tot de bezoekers aanstalten maken om op te stappen. „Ik wil dat Tonnie niks overkomt," lalt hij opstaand en in de richting van Tonnie waggelend. „Kom mee, Tonnie, dan zal ik ervoor zorgen dat je veilig thuiskomt."

„Jij zeker met je dronken kop," zegt zijn broer Barend, die minder gedronken heeft en zich met zijn dikke lijf ook niet op de dansvloer waagde.

„Maar jij ook niet!" briest Koos en hij wil zijn broer te lijf gaan, maar daar steekt Mans een stokje voor. De broers mogen elkaar wat hem betreft de huid vol schelden, maar hij tolereert geen geknok in zijn café. Met een zoet lijntje loodst hij Koos naar de schuur, waar hij voor alle zekerheid wat balen stro uitgespreid heeft.

„Ga daar maar lekker slapen, jongen," zegt hij en hij moet glimlachen als de jonge boer zich als een kind laat gezeggen.

„Dan zal ik maar met je mee naar huis gaan, Tonnie," oppert Barend, maar Tonnie schudt haar hoofd. Ze vindt het wel een beetje vreemd dat Piet er zich niet mee bemoeit, maar ze houdt kermis met hem en dus mag hij haar naar huis brengen.

„Met wie ga je dan?"

„Piet de Roo brengt me thuis, Barend."

„Oh, nou mij best, hoor!" Barend Vlieland doet wel onver-schillig, maar hij vindt het toch jammer dat hij niet met de mooie Tonnie mee kan lopen naar huis. Een zoentje en wat knuffelen zouden dan wel het minste zijn, misschien meer. Maar nu zit die rottige rietdekker hem dwars. Als hij een-maal boer is op de Sweykerhoeve en het dak moet ver-nieuwd worden, dan wil hij die Piet de Roo zeker niet op zijn erf hebben. Zo'n onderkruiper als een Piet de Roo moet hem, Barend Vlieland, niet voor de voeten lopen.

„Je verzette je helemaal niet tegen de gebroeders Vlieland, Piet, ben ik je dat niet waard?" Tonnie voelt zich wel aange-trokken tot de jonge rietdekkersknecht, maar ze verbaast er zich toch over dat hij niks ondernomen heeft tegen Koos en Barend Vlieland.

„Als ik me tegen die jongens verzet kan ik de baan bij de rietdekker wel op mijn buik schrijven, Tonnie. Van de boe-ren moet mijn baas het hebben en dus moet ik voorzichtig zijn.

„Ik begrijp het, Piet." Zij heeft niet zo ver doorgedacht, maar natuurlijk heeft Piet gelijk.

„Koos was laveloos en Barend heb jij het juiste antwoord gegeven. Eerlijk gezegd had ik geen andere reactie van jou verwacht, want Rietje Derkse houdt kermis met Johan de Goei en ik met jou, dus brengt Johan Rietje thuis en ik jou. Afspraak is afspraak! En, onthoud één ding, Tonnie: jij bent mij alles waard!"

„Vergeet maar wat ik gezegd heb, Piet." Tonnie heeft er spijt van dat ze deze jongen, die ze erg sympathiek vindt, min of meer van een laffe houding beschuldigde. Bij het afscheid beantwoordt zij zijn kussen met wat meer vuur dan Piet van haar gewend is. Hij put er hoop uit voor de toekomst, want een meisje als Tonnie Pasman hebben en houden is iets waar hij elke nacht van droomt.

Kee Vlieland heeft zich weliswaar mokkend neergelegd bij de beslissing van haar ouders Tonnie Pasman te handhaven

143

en ze probeert zo gewoon mogelijk met haar om te gaan, maar haar jaloezie blijft. Haar vrijer Gijs Koren heeft nog altijd meer oog voor de meid dan voor haar en dat stoort haar verschrikkelijk. Haar de bons geven kan ze niet, maar ze kan er wel voor zorgen dat Tonnie uit de buurt van Gijs blijft. Moeilijk is dat wel, want Gijs komt steeds op zondagmorgen en dan is Tonnie er ook altijd, want die vindt de zondagochtend op de hoeve gezellig. Zij ook, maar liever zonder die wulpse Tonnie.

Op het plein voor de kerk ziet Kee haar kans schoon. Ze wacht Tonnie op en zonder dat haar moeder erbij is, stevent ze recht op haar doel af. Al eerder heeft ze Tonnie gevraagd op zondagochtend haar vertier elders te zoeken, maar dat lukte niet omdat moeder daar een stokje voor stak. Nu moet het lukken, want ze wil Gijs helemaal voor zichzelf hebben en hem niet delen met Tonnie Pasman.

„Ik zorg wel voor de koffie, hoor Tonnie! Jij hebt volgens mij best zin om naar het dorpshuis te gaan." Hoewel Tonnie helemaal geen zin heeft naar het dorpshuis te gaan, is de boodschap van Kee haar wel duidelijk. Eigenlijk heeft ze wel te doen met de lelijke boerendochter. Kee is geen nare meid, maar ze is vreselijk jaloers. Gijs kijkt meer naar haar dan naar Kee. Ze weet dat Kee van Gijs houdt, maar dat Gijs niks om haar geeft. Ja, Gijs geeft om haar centen.

„Het is goed, hoor Kee! Ik zie je dan wel weer met etenstijd." Tonnie gunt de rijke boerendochter haar geluk, maar of dat ooit werkelijkheid zal worden betwijfelt zij toch sterk.

„Waar blijft Tonnie toch?" vraagt de boerin zich hardop af als iedereen binnen is behalve de meid.

„Oh, Tonnie sprak ik op het kerkplein en ze zei dat ze naar het dorpshuis zou gaan." Kee vertelt er niet bij dat zij Tonnie er min of meer toe gedwongen heeft.

„Niks voor Tonnie," kan de boerin niet nalaten te zeggen. Zij voelt precies aan wat er op het kerkplein gebeurd is en ze neemt het haar dochter hoogst kwalijk. Tegelijkertijd heeft ze waardering voor Tonnie die kennelijk aanvoelt dat zij Kee op zondagochtend danig in de weg zit. Eigenlijk zou ze Gijs Koren eens onder handen moeten nemen, hem vragen waarom hij naar andere meisjes kijkt, want van Kee heeft ze begrepen dat hij het niet alleen op Tonnie voorzien heeft. Maar wat haalt het uit om dat te doen? Ze voelt wel aan dat Gijs niks om haar dochter zelf geeft, maar meer om haar centen. De liefde komt niet van twee kanten en dat vindt ze erg jammer, maar in hun kring van rijke boeren is dat niets bijzonders.

Tonnie heeft er intussen geen spijt van naar het dorpshuis te zijn gegaan, want het is daar minstens zo gezellig als op de hoeve en door Gijs uit de weg te gaan doet ze Kee ook nog een plezier. Ze ontmoet daar niet alleen haar vriendin Rietje Derkse, maar ook Piet de Roo. Ook Johan de Goei, de kermisvrijer van Rietje, is er.
„Johan en ik zijn het eens geworden," fluistert Rietje haar in het oor. „Hoe staat het tussen jou en Piet?"
„Hé, wat staan jullie daar te smoezen?" Piet de Roo is aangenaam verrast door de komst van Tonnie. Ze komt vaak op de zondagmiddag, maar op zondagochtend ziet hij haar hier nooit.
„Gaat je niks aan," lacht Tonnie.
„Gelijk heb je, maar ik ben wel blij dat je er bent." Het klinkt spontaan en hartelijk en het geeft Tonnie een fijn gevoel. Aardige knul die Piet. „Ik heb nog een nieuwtje, Tonnie."
„Een nieuwtje? Nou, vertel op!"
„Ik heb een fiets gekocht. Hij is prachtig, rijdt heerlijk en er zit een stevige lastdrager op."
„Dat is handig, want nu kun je aardappelen halen voor je moeder." Tonnie voelt wel aan waarom Piet speciaal die stevige lastdrager noemt, maar ze plaagt hem graag een beetje. Rietje heeft nu verkering met Johan en natuurlijk wil die weten hoe het tussen haar en Piet gesteld is. Als Albert van Nisperden niet nog steeds door haar hoofd speelde, zou ze het best met Piet willen proberen. Ze zeggen wel dat liefde moet groeien en misschien is dat ook wel zo.

„Ik weet wel wat ik er liever op heb dan een zak aardappelen," reageert Piet.

„Een zak meel."

„Jij plaagt me," en dan zachter: „als ik je vanavond bij de Sweykerhoeve ophaal, wil je dan een ritje met me maken? Hoe laat ben je vrij?"

„Om zeven uur hebben we gegeten."

„Mag ik je dan komen halen, Tonnie?"

„Nou, vooruit maar." Het klinkt niet al te overtuigend, maar Piet is toch blij met haar reactie. Het is begin september en het weer is nog zacht, dus een ritje op de fiets kan best onderbroken worden op een bankje bij het meer.

Als er die avond 'Volk!' geroepen wordt aan de deur van de Sweykerhoeve, wil Kee naar de deur gaan, maar Tonnie houdt haar tegen. „Blijf maar, Kee," zegt ze, „het is iemand voor mij." Maar Kee heeft al gezien wie er is en dat geeft haar een fijn gevoel. Tonnie vierde laatst ook al kermis met Piet de Roo en nu komt hij haar kennelijk afhalen.

„Ik ga een ritje met Piet de Roo op zijn nieuwe fiets maken, hoor!" roept ze naar Kee en ze moet dan een beetje glimlachen om de reactie van de boerendochter.

„Als je met pap eten niet thuis bent, bewaar ik wel wat voor je, hoor!" zegt Kee. Ja, Kee is blij dat Tonnie nu ook kennis aan een jongen heeft. Zij heeft Gijs Koren en Tonnie heeft Piet de Roo en zo hebben ze beiden iemand om van te houden.

Tonnie voelt wel zo'n beetje aan wat er in Kee omgaat, maar ze vreest toch dat ze de dochter van haar bazin teleur moet stellen. Een keertje kermis houden met Piet of met hem gaan fietsen betekent nog niets. Toch vindt ze het wel lief van Piet dat hij haar komt halen. Erg happig toonde zij zich niet, maar Piet geeft het niet op. Jammer dat zij niet voor hem kan voelen wat hij kennelijk voor haar voelt. Ze wil hem op deze mooie nazomeravond niet teleurstellen en ze vindt het goed als hij voorstelt onderweg bij het meer even op een bankje te rusten.

„Ben je moe van het trappen, Piet?" vraagt ze, maar Piet wil daar niet van weten en zegt dat zijn fiets heerlijk licht rijdt. „Met jou zou ik zo wel de hele wereld rond willen fietsen," zegt hij, maar hij moet zelf om zijn uitspraak lachen. „De hele wereld is misschien wat veel gezegd en toch ben jij een lieve last op mijn lastdrager, maar nog liever op een bankje, dus laten we maar even gaan zitten."

En dan zitten ze even later aan de rand van het meer op het bankje en kijken uit over het spiegelgladde wateroppervlak, want er is geen wind. De zon zakt aan de kim in een rand van wolken en dat herinnert Tonnie aan een gezegde.

„Als de zon zakt in een nest, krijg je regen op je test," zegt ze. „Dat zei mijn opa altijd en misschien krijgt hij wel weer gelijk en zitten we morgen met buien."

„Maar vanavond is het rustig en droog en wat belangrijker is, jij bent bij me, lieve Tonnie." Piet heeft een arm om haar schouders geslagen en hij drukt haar zacht tegen zich aan. En als hij haar dan diep in de ogen kijkt, kan hij zich niet langer beheersen en drukt zijn mond op de hare. Tonnie gunt hem zijn kus en ze vindt het zelf ook plezierig door de knappe Piet de Roo zo vurig gekust te worden. Als hij haar mond even loslaat zucht ze en Piet vraagt dan waar die zucht naartoe gaat.

„Naar de overkant van het meer; ik zou, net als een vogel, er wel eens heen willen zweven."

„Een vogel zweeft niet, maar een vogel vliegt, Tonnie. Weet jij wie kan zweven?"

„Nou?"

„Een heks op een bezemsteel."

„Cor Bensdorp," lacht Tonnie. „Wie kwam er in 's hemelsnaam op het idee om een cape en een hoed uit de kleedkamer te halen en ons aan het schrikken te maken."

„Ik."

„Jij? Maar jij wilde mij juist beschermen tegen die griezelige heks."

„Ik had het idee, maar Cor verkleedde zich als heks en daar ben ik hem nu nog dankbaar voor, want zonder zijn zotte streken had ik jou nooit in mijn armen gehouden. En dat doe ik toch zo graag, Tonnie. Wil jij nu mijn meisje zijn? Rietje Derkse en Johan de Goei hebben ook verkering."

„Niet te hard van stapel lopen, Piet. Ik vind je aardig, maar aan verkering ben ik echt nog niet toe." Ze vindt het vervelend om het te zeggen, maar ze meent het echt. Ze vindt Piet de aardigste jongen van het dorp, maar ze houdt niet van hem. 'Neem een jongen waar je van houdt, Tonnie,' zei de boerin en aan die goede raad moet ze nu denken.

„Heb je fijn met Piet gefietst, Tonnie?" vraagt Kee de volgende morgen en als Tonnie knikt prijst ze de jonge rietdekker de hemel in. Tonnie moet glimlachen om de vraag en de loftuitingen van Kee aan het adres van Piet de Roo. Het is allemaal nogal doorzichtig.

„Ja hoor, het was best leuk. Mijn vriendin Rietje Derkse kan zich niet meer zo met mij bemoeien, want zij heeft verkering gekregen met Johan de Goei." Ze zou willen zeggen dat Kee gelijk heeft en dat Piet een aardige en knappe jongen is, maar dat ze aan verkering nog niet denkt. Ze doet het niet. Kee heeft met haar gevoelens niets te maken. Piet is een aardige jongen, maar het gevoel dat zij in de armen van Albert had, kan Piet niet evenaren. Maar Kee heeft kennelijk haar eigen conclusies al getrokken, want als ze die ochtend aan de koffie zitten komt zij erop terug.

„De vriendin van Tonnie, Rietje Derkse, heeft verkering gekregen met Johan de Goei en nu trekt Tonnie zelf met Piet de Roo op, hè Tonnie?"

Na de uitspraak van zijn zuster zit Barend met een rood hoofd zo driftig in zijn koffie te blazen, dat het vocht over de rand op tafel loopt.

„Zit niet zo te knoeien, Barend!" vermaant zijn moeder hem, maar Barend bromt iets over hete koffie en loenst met zijn kleine varkensoogjes naar Tonnie. Tijdens de kermis ergerde hij zich al zo aan dat onderkruipsel van een rietdekkersknecht en nu helemaal. Met het mooiste meisje van het dorp gaat die armoedzaaier ervandoor en hij? Waar zal hij genoegen mee moeten nemen?

„Een keertje fietsen met Piet de Roo betekent nog niet dat ik met hem optrek, Kee," zwakt Tonnie de woorden van de boerendochter wat af. „Rietje heeft verkering, maar ik niet, hoor!" Als haar blik toevallig die van Koos ontmoet kan ze zich niet aan de indruk onttrekken dat ze daarin een soort opluchting ziet. Vreemd is dat. Hoewel het de laatste tijd wel meevalt, zit hij meestentijds op haar te vitten en dan nu die blik. Ze weet niet wat ze ervan denken moet.

Afscheid van de zomer, herfststormen, vergeeld blad aan de bomen. Niks nieuws onder de zon, maar diezelfde zon laat zich steeds minder vaak zien. Het is somber en druilerig weer. Toch is er nog voldoende werk op en rondom de hoeve. Er zal binnenkort schouw gedreven worden en dan moeten de boeren ervoor zorgen dat de sloten van vuil ontdaan zijn. Koos en Barend Vlieland gaan met de graaf, de sloothaak en de zen de polder in om de sloten aan te pakken, want een aantekening van het polderbestuur kunnen en willen zij niet riskeren. Als de jongens in de polder bezig zijn, gunnen zij zich niet de tijd om naar de hoeve terug te keren om koffie of thee te drinken, dus gaat Tonnie met een mand waarin kroezen, koffie en enkele sneden krentenbrood onder een geblokte theedoek verstopt zijn, het land in.

„Even pauzeren, jongens!" roept ze en dan laten de twee boerenzoons het werk even rusten en kijken nieuwsgierig onder de geblokte doek wat Tonnie meegebracht heeft.

„Drie krentensneden?" vraagt Barend. „We zijn maar samen, hoor!"

„Maar ik ben er ook nog," lacht Tonnie en gretig zet zij haar mooie witte tanden in de dikke krentensnee die ze voor zichzelf afgesneden heeft.

„Oh, neem me niet kwalijk, ik dacht dat jij thuis al gehad had," probeert Barend zich te verontschuldigen voor zijn lompe opmerking, maar Koos lacht hem uit.

„Eerst zo'n zuinige opmerking en nu zoete broodjes bakken, nee jongetje, je bent bang dat je zelf niet genoeg krijgt. Nou, een beetje minder kan ook wel, want je eet er meer pondjes aan dan dat je er met werken vanaf krijgt." Het is van Koos niet echt kwaad bedoeld, maar Barend kijkt hem toch met een vuile blik aan.

„Zoete broodjes bakken hoef ik bij Tonnie niet, want als ik het goed begrepen heb heeft zij genoeg aan de knecht van de rietdekker."

„Je lult uit je nek, Barend," zegt Koos nijdig, „Tonnie zei toch dat er tussen haar en Piet de Roo niks is."

„Ze kan wel zoveel zeggen, maar als je met een jongen kermis houdt en je gaat vervolgens met hem fietsen, dan is er toch wel meer dan niks aan de hand, dunkt me."

„Waar maken jullie je nou toch druk om, jongens," lacht Tonnie. „Met wie ik omga zal jullie toch een zorg zijn! Nou, jullie zoeken het verder maar uit, ik heb op de hoeve nog meer te doen. Tot straks, hoor!" Ze doet de lege kommen en de koffiepot in de mand en met een korte groet gaat ze terug naar de Sweykerhoeve.

Onderweg moet ze toch nadenken over de rare opmerkingen van de twee boerenzoons. Ze krijgt geen hoogte van ze. Het lijkt wel of zij aan hen verantwoording af moet leggen voor haar doen en laten. Nou, dat is ze zeker niet van plan. 'Zij heeft genoeg aan de knecht van de rietdekker,' zei Barend. Heeft ze daar echt genoeg aan? Piet wil steeds afspraakjes maken, maar zij probeert de boot zo veel mogelijk af te houden. Natuurlijk is Piet een aardige jongen, sterker nog, ze kent op het dorp geen jongen die aardiger is dan Piet, maar ze geeft niks om hem en daar komt in de loop van de eerstkomende maanden weinig verandering in.

„Morgenavond hebben we vergadering van de ijsclub," zegt Kees Vlieland als hij met zijn gezinsleden die ochtend in de tweede helft van januari zijn koffie drinkt. „Het ziet ernaar uit dat de vorst aanhoudt, dus moeten wij onze maatregelen nemen." Kees Vlieland is niet de eerste de beste die deze uitspraak doet, want hij is voorzitter van de ijsclub in het dorp. „Zijn er veel wakken, Kees?" vraagt de boerin angstig. Vanaf het moment dat zij een vriendinnetje voor haar ogen zag verdrinken in een wak, is Ada Vlieland als de dood voor wakken in het ijs. Haar eigen kinderen heeft zij er steeds voor gewaarschuwd en gelukkig is er nooit iets gebeurd, maar die angst heeft zij altijd gehouden.

„Het is de laatste dagen windstil weer geweest, Ada, dus daar hoef je je geen zorgen om te maken. Waar meerkoeten en eenden proberen te overleven is wel wat open water, maar die plekken zijn goed afgeschermd."

„Zijn jouw schaatsen scherp genoeg, Tonnie?" vraagt Koos. IJs geeft hem de kans eens met Tonnie te zwieren en dus wil hij wel weten of haar blokschaatsen scherp zijn.

„Ze hangen in de schuur, Koos, dus je moet zelf maar even kijken. Als het nodig is zal ik ze wel laten slijpen."

„Als het nodig is zal ik ze wel laten slijpen, Tonnie," zegt Koos en hij kijkt haar daarbij met een blik vol genegenheid aan.

„Dat is aardig van je, Koos," kan Tonnie niet nalaten te zeggen. Ze meent het ook, want Koos is de laatste tijd aardig voor haar. Eerst geloofde zij niet in zijn goede bedoelingen en dacht ze steeds dat er weer een addertje onder het gras zat, maar Koos blijft aardig en voorkomend. Ook nu weer.

„Ik breng ze wel even naar de timmerman," zegt Koos. Hij weet dat hij op de verkeerde weg is, maar de uitspraak van Tonnie dat hij aardig voor haar is, is als zalf op zijn gewonde ziel. Ja, hij heeft zichzelf de laatste maanden verwond door zo lelijk tegen Tonnie te doen. Hij zal haar nooit tot zijn vrouw kunnen maken, maar naar tegen haar doen wil hij absoluut niet meer.

De vorst houdt aan en de angst van de boerin van de Sweykerhoeve dat wakken weer voor ongelukken zullen zorgen, is niet terecht. Het blijft windstil en streng vriezend weer en zowel de vaarten als het meer zijn met een dikke ijslaag bedekt. De ijsclub heeft het druk, maar met dit vriezende weer ligt het werk op de hoeven nagenoeg stil, dus hebben de boeren alle tijd. Koos heeft zich ingeschreven voor de koppelwedstrijd op het meer en, zoals hij in alles haantje de voorste is, wint hij en mag tien pond spek onder de armen van het dorp verdelen.

„Gefeliciteerd met je eerste prijs, Koos," zegt Tonnie als hij zich weer onder het belangstellende publiek begeeft. „Heb je al een bestemming voor je prijs?"

„Voor het geval dat ik een prijs win heeft pa me alvast een lijstje met namen gegeven. Kijk, hier heb je het." Koos toont Tonnie de lijst met namen van behoeftige dorpelingen die verguld zullen zijn met een pondje spek. Een vluchtige blik op het lijstje leert Tonnie dat de boer van de Sweykerhoeve zijn hart op de goede plaats heeft, want op het lijstje prijkt ook de naam van de goddeloze Geert Wanrooy, die door iedereen altijd vergeten wordt, omdat hij niet beantwoordt aan de normen van de dorpelingen.

„Jij hebt een goede en wijze vader, Koos," zegt Tonnie uit de grond van haar hart.

„Dan gaan we hem de uitslag van de wedstrijd maar gauw laten weten," lacht Koos. „Het is melkestijd en dus moeten we opschieten."

Koos zoekt ergens een stok en sleept Tonnie dan in vliegensvlugge vaart naar de Sweykerhoeve. Hij is gewoon behulpzaam zonder uitleg en dat zint Tonnie wel. Koos Vlieland stijgt erdoor in haar achting.

De vorst houdt aan en de boerin van de Sweykerhoeve vindt dat Tonnie haar scherpe schaatsen niet in de schuur moet laten hangen. „Als je zin hebt om te schaatsen ga je maar, hoor Tonnie!" zegt ze. „Als je 's avonds een uurtje doorwerkt en 's morgens wat vroeger opstaat, komt het werk ook wel klaar. Maar de keuze is uiteraard aan jou."

„Ik ga graag schaatsen, vrouw Vlieland," zegt Tonnie dankbaar. Met strenge vorst is er voor de rietdekker niets te doen en dus is Piet de Roo ook op het ijs. Hij heeft al naar Tonnie uitgekeken en als hij haar ziet stuift hij enthousiast op haar af.

„Heb je zin in een ritje, Tonnie?" vraagt-ie zodra hij bij haar is. „Mijn zuster Gonnie is twee dagen geleden bevallen en ik wil graag bij haar op kraamvisite. We zijn er in twintig minuten, ga je mee?"

„Wat is het geworden, Piet?"

„Een meisje. Het weegt zes pond en vier ons en het is kerngezond."

„Dan kan het alleen maar een vrolijke kraamvisite worden, Piet," lacht Tonnie. „Heb je al een cadeautje voor de kraamvrouw of het kindje?"

„Nee, daar heb ik helemaal niet aan gedacht," moet Piet tot zijn schande bekennen.

„Niks aan de hand, dan gaan we bij Bet Schrier even wat kopen. Heb je geld bij je?"

„Ja, maar niet veel."

„Geeft niet, een truitje of een rammelaartje kan de kop niet kosten. Het gaat om het gebaar, Piet."

„Jij hebt zo'n lief karakter dat je aan alles denkt, Tonnie," zegt Piet bewonderend. Vlug binden ze hun schaatsen af en gaan naar het winkeltje van Bet. Een roze truitje voor de baby is gauw gevonden en Bet maakt er een mooi pakje met linten en strikken van.

„Feliciteer Gonnie maar van me, Piet," zegt Bet en Piet belooft het en dan gaan ze samen weer vlug het ijs op.

„Zoek een tak of een stok," raadt Tonnie Piet aan. „Als we een eind moeten rijden is dat handig."

Piet moet vervolgens even zoeken, maar bij een van de hoeven aan de vaart vindt hij een grote tak, die hij met enige moeite van zijtakken ontdoet zodat er een lange stok ontstaat. Piet rijdt voorop en Tonnie volgt hem. De stok houdt ze goed vast en dat is wel nodig ook, want Piet zet er stevig de vaart in. Nog binnen de voorspelde twintig minuten zijn ze op de plaats van bestemming en worden ze hartelijk verwelkomd door Gonnie en de baker.

„Wat 'n schatje!" zegt Tonnie uit de grond van haar hart als ze het kleine meisje ziet. Ze kent de kraamvrouw goed, want met haar heeft ze de hele schooltijd in dezelfde klassen gezeten. „Hoe heet ze, Gonnie?" vraag ze.

„Beppie. Ze is vernoemd naar de moeder van mijn man."

„Leuk," reageert, Tonnie. „Die naam doet me denken aan het dochtertje van de werkvrouw van mijn vorige bazin in de stad. Mag ik haar even vasthouden?"

„Eerst je handen warmen," verordonneert de baker. „Je komt regelrecht van het ijs en je hebt natuurlijk ijskouwe jatte. Stop ze maar even onder mijn oksels." Tonnie kan zich herinneren dat ze dat als kind ook bij haar moeder deed als ze koude handen had en het hielp altijd, ook nu.

„Alles is zo klein," zegt Tonnie de baby vertederd bekijkend. Het kleine neusje, de vingertjes zo dun als garnaaltjes en dan de voetjes. Ze passen beide in haar ene hand. De kraamvrouw ligt trots naar Tonnie met de kleine op haar schoot te kijken.

„Lief is ze, hè? Bertje is niet bij zijn zusje vandaan te slaan." Gonnie aait de kleine Bertje van drie over zijn blonde bolletje en zegt te vrezen dat hij de laatste dagen wat aandacht tekortkomt.

„Zo is het wel weer genoeg," zegt de baker de baby van Tonnie overnemend. „Als ze zo groot als Bertje wil worden dan moet ze veel slapen, hè Bert?" De peuter knikt ijverig en neemt dan vlug de plaats van zijn zusje op de schoot van Tonnie in. Hij stopt zijn duimpje in zijn mondje en vleit zijn koppie tegen haar borst.

„Of-ie me al jaren kent," zegt Tonnie het ventje knuffelend.

„Ik zou bijna jaloers worden," lacht Piet.

„Jij zult niks tekortkomen, jongetje," veronderstelt de baker, die er kennelijk vanuit gaat dat Tonnie en Piet een stelletje vormen. Niet zo vreemd dat de baker dat denkt, want zij houden samen kermis, gaan samen fietsen en komen nu ook al samen op kraamvisite.

Tonnie moet maar eens lachen om de uitspraak van de baker, maar ze gaat er niet op in. Nee, verkering heeft ze niet met Piet en zo zal het voorlopig wel blijven ook. Zij is nog veel met haar gedachten bij Albert, maar niet alleen bij hem, soms denkt ze ook aan Koos, hoe vreemd ze dat zelf ook vindt. Het lijkt wel of diens gevit een pose was. De laatste tijd is hij erg aardig en ziet ze een zachte, bijna verliefde blik in zijn ogen.

HOOFDSTUK 8

De voordeur van de Sweykerhoeve is door de buren versierd met een grote krans van voorjaarsbloemen en in het midden ervan staat in sierlijke letters een tekst die luidt: Welkom aan het Bruidspaar.

Als onder grote belangstelling Gijs Koren en Kee Vlieland elkaar in de dorpskerk het jawoord gegeven hebben, wordt de bruiloft op de hoeve gevierd. Kee zelf wilde de receptie en het feest wel laten plaatsvinden in de grote zaal achter het café van Mans Grootveld, maar vader Kees Vlieland wilde een eeuwenoude traditie in ere houden en een groot feest op de Sweykerhoeve geven. „Main twee zusters hebbe op uitdrukkelijk verzoek van main vader hun trouwfeest hier ok op de hoeve gegeve en dat mot main enige dochter ok maar doen. Zo houwe we nog een beetje vast an 't ouwe," was zijn mening.

„Geef pa zijn zin nou maar," reageerde moeder Ada op de protesten van haar dochter, en Tonnie die er getuige van was, kon niet anders dan de boerin gelijk geven. Nog geen stoel mocht ze destijds verzetten, omdat de boer een hang heeft naar het oude. 'Haj is van de ouwe stempel, maar verrekte degelijk,' is de mening van de dorpelingen en Tonnie is het daar volmondig mee eens. Ze heeft veel waardering voor de oude boer. Toen hem bekend werd dat zij een miskraam gehad had, bedekte hij dat, evenals de boerin, met de mantel der liefde en toen Koos deze winter op het ijs tien pond spek gewonnen had, was de door iedereen verguisde Geert Wanrooy een van de namen op het verdeellijstje dat de boer had opgesteld. Nee, Kees Vlieland kan bij Tonnie geen kwaad doen. Wel weet zij dat zijn beslissing haar een drukke dag zal bezorgen. Meer dan vijftig gasten worden er verwacht en die moeten allemaal eten en drinken. Daarom is zij er zelf ook geen getuige van als Kee en Gijs elkaar het jawoord geven.

Drie vrouwen uit het dorp helpen haar al vanaf de vroege ochtend met koken en bakken. Barend en Koos hebben het brede middenpad van de schoongeboende stal omgetoverd tot feestzaal met een lange schragentafel en banken ervoor. Als ook de koffie gekookt is en de lange tafel er gedekt feestelijk uitziet, kunnen de gasten komen. Voor het bruidspaar zijn in het midden van de tafel twee versierde stoelen neergezet met ernaast een makkelijke stoel voor de zwakke boerin.

De gasten slaan de handen ineen van verbazing. Waar tot voor kort de koeien stonden staat nu een feestelijk gedekte tafel, waaraan ze zich graag te goed doen aan alles wat Tonnie en haar hulpen aanreiken.

Een van de vrouwelijke gasten is Trees van Buinen, de dochter van de rijke boer Nelis van Buinen. Stijf gearmd met Barend is zij gekomen en nu zit zij naast hem aan de schragentafel. Een kermismeid die hou je niet en een bruiloftsmeid die trouw je niet,' luidt het gezegde in de streek, maar Tonnie is er niet zo zeker van dat dat gezegde bewaarheid wordt. Een ander gezegde is dat op elk potje een dekseltje past en daar lijkt het meer op, want Trees is net zo'n gezette boerin als Barend een gezette boer is.

Koos zit er in zijn eentje wat verloren bij en dus komt hij kijken of hij zich ergens nuttig mee kan maken. „Ja, door ons niet in de weg te lopen," sneert een van de hulpen, Gree Duval, beter bekend als de flap. Gree dankt haar bijnaam aan een mengeling van spontaniteit en brutaliteit. Zij denkt nooit na voordat ze iets zegt, maar ze flapt het er zomaar uit. „Nee hoor, Koos, je kunt ons wel met iets helpen. Als je uit de kelder wat weckpotten wilt halen ben je de bovenste beste." Tonnie zegt hem vervolgens wat ze nodig heeft en even later komt Koos met het gevraagde naar boven. „Waar wil je ze hebben, Tonnie?"

„Zet ze maar op de tafel met die schalen, want daarin moeten ze geleegd worden."

„Zal ik ze open maken en over de schalen verdelen?"

„Jij had kok moeten worden in plaats van boer," sneert Gree weer, maar Koos trekt er zich niks van aan. Hij heeft slechts oog voor Tonnie, die hij graag wil helpen. Nu hij de aanstaande van zijn broer heeft gezien, slaat de schrik hem om het hart.

„Wacht, Koos, we doen het samen," zegt Tonnie en ze stuurt Gree naar de stal om de vuile vaat op te halen. Op de een of andere manier stoort het haar dat de flap Koos op de hak neemt. Als Gree weg is wijst ze Koos wat hij moet doen en daarbij raken ze elkaar even aan. Koos verontschuldigt zich daar wat verlegen voor en dat ontroert haar. De brutale Koos Vlieland staat zich daar als een verlegen jongen te verontschuldigen. Ze weet niet wat haar overkomt. Toch vindt ze dat Koos niet in de keuken, maar bij de gasten in de stal hoort en ze zegt het ook.

„Kijk maar een beetje uit voor die wildebras, Tonnie!" zegt Gree als ze met de vuile vaat terug is. „Jij bent een mooi meisje en daar lusten die rijke boerenkinkels wel pap van. Wees voorzichtig, meissie!"

„Koos dringt zich helemaal niet op als je dat soms bedoelt, hoor Gree! In het begin kon ik ook niet aan hem wennen, maar als je hem wat beter leert kennen is het een aardige knul."

„Nou, ieder zijn meug," bromt Gree en ze kijkt Tonnie daarbij met een argwanende blik aan, zodanig dat Tonnie zich zorgen maakt. Straks gaat de flap nog rondbazuinen dat Tonnie Pasman het zwaar te pakken heeft van de rijke boerenzoon Koos Vlieland. Ze heeft er spijt van de flap ingehuurd te hebben. Maar veel tijd om daarover na te denken heeft ze niet, want het feest gaat door. Na de koffie en het lekkere eten komen de flessen op tafel. Kees Vlieland hoeft niet op een paar centen te kijken, dus is er drank in overvloed. Later op de dag komt de muzikant uit de stad die laatst ook de kermis opgevrolijkt heeft, zijn aandeel aan de feestvreugde verlenen. Koos heeft niet zulke beste herinneringen aan hem, want hij sloeg een modderfiguur toen hij op de wals van de accordeonist met Tonnie probeerde te dansen.

„Laat de vrouwen nou verder maar bedienen, Tonnie, en kom jij ook feestvieren met ons," zegt de boerin als de dag al ver gevorderd is. „Jij hebt vandaag al genoeg je best gedaan. Kom even bij me zitten."

„Maar ik moet er wel voor zorgen dat het de gasten aan niets ontbreekt, vrouw Vlieland," zegt Tonnie, maar de oude boerin schudt haar hoofd. „Ze hebben al meer dan genoeg gehad, Tonnie. Neem jij nou zelf ook maar eens iets lekkers. Wacht, ik roep Koos wel even." En tot Koos: „Haal jij even een zoetslokkie voor Tonnie, Koos."

„Ik ben al weg," zegt Koos. Het is hem aan te zien dat hij de opdracht van zijn moeder maar al te graag vervult. Maar als hij even later met het glaasje terugkomt, is de helft er al uit gemorst. „Ik ben tegen iemand op gebotst," verontschuldigt Koos zich, maar Tonnie ziet aan zijn lopen en hoort aan zijn spraak dat hij al wat te diep in het glaasje gekeken heeft. „Drink het even uit, Tonnie, dan zal ik een nieuw glaasje voor je halen," zegt hij, maar Tonnie schudt lachend haar hoofd.

„Het is wel goed, hoor Koos! Ik moet zo weer naar de keuken." Daar wacht Koos dan kennelijk op, want als zij weer naar de keuken gaat, is hij er ook. In de stal houdt hij het niet uit, want als hij naar die dikke Trees van Buinen, waar zijn broer bruiloft mee viert, kijkt, dan krijgt hij het Spaans benauwd. Hij weet dat zijn vader Barend aangemoedigd heeft Trees voor de bruiloft uit te nodigen. Wat zal de goeie man voor hem in petto hebben? Weer vergelijkt hij Tonnie met de aanwezige jonge meiden en weer ziet hij dat zij de mooiste en liefste is.

„Wat zit je daar nou te kniezen, Koos," zegt Tonnie als ze ziet dat de jonge boer in een hoek van de grote keuken op een kruk is gaan zitten. „Er is feest, je moet je vermaken."

„Ik vermaak me alleen maar als ik bij jou in de buurt ben, Tonnie. Jammer dat je het zo druk hebt."

„Als ik klaar ben kom ik wel naar de stal, ga nu maar." Tonnie heeft in de gaten dat Koos meer borreltjes gedronken heeft dan goed voor hem is, want hij praat met een dubbele tong.

„Ik wacht wel op je, Tonnie. Heb je die dikke Trees van

Buinen gezien? Daar moet Barend mee trouwen. Misschien kiest pa voor mij ook wel zo'n dikke boerentrien, maar ik doe het niet, hoor Tonnie!" Het laatste heeft hij met een huilerige stem gezegd en als Tonnie goed naar hem kijkt, ziet ze dat er tranen over zijn wangen lopen.

„Je vader heeft toch nog niemand voor jou gekozen, jongen," zegt ze zacht. „Waarom ben je nou zo van streek?"

„Heb jij al gekozen voor Piet de Roo, Tonnie?" Koos grijpt haar hand, maar laat die dan beschaamd weer los. Hij heeft te veel gedronken en nu voelt hij aan dat hij te ver gaat. „Ik ga wel naar de stal, zoals je zegt, Tonnie," zegt hij en gehaast verlaat hij de keuken, Tonnie met een verward gevoel achterlatend. De branie, haantje de voorste, de brutale Koos Vlieland vlucht verlegen als een schooljongen uit de keuken. Ze weet niet wat ze ervan denken moet. Hij heeft meer gedronken dan goed voor hem is, maar ze weet dat kinderen en dronken mensen de waarheid spreken. Koos wil door zijn vader niet gekoppeld worden aan een boerentrien waar hij niets om geeft en hij hoopt dat zij, Tonnie, zich nog niet aan Piet de Roo gebonden heeft. Wat wil hij nou eigenlijk? Ze kan tot geen andere conclusie komen dan dat de rijke boerenzoon Koos Vlieland het zwaar van haar te pakken heeft en die wetenschap bezorgt haar kriebels in haar buik. Koos is niet de pestkop die hij eerst was. Koos is de zoon waarop de boerin van de Sweykerhoeve het meest gesteld is. 'Het is een jongen met karakter,' zei ze en zij begint te geloven dat de oude boerin daarin gelijk heeft.

„Bent u moe van het feest, vrouw Vlieland?" vraagt Tonnie de volgende dag aan de boerin als ze ziet dat die in haar stoel zit te suffen. „U bent toch wel blij dat uw dochter nu getrouwd is."

„Blij is een groot woord, Tonnie," zucht de boerin. „Ik vind het fijn dat Kee een man getrouwd heeft waar ze van houdt, maar, zoals ik al eerder zei, is het probleem dat de liefde van één kant komt. Bij ons boeren wordt nooit over liefde gesproken, want centen en status spelen de belangrijkste

160

rol. Dat vindt mijn man, maar ik denk daar anders over. Als jij trouwt, trouw dan met iemand waar je van houdt en die ook van jou houdt. Ik meen je dat al eerder gezegd te hebben."

„Maar geld en status kunnen ook een wig drijven tussen twee geliefden, vrouw Vlieland," zegt Tonnie en de boerin knikt.

„Jij doelt zeker op jouw ervaring met de rijke jongen waar je van in verwachting raakte?"

„Ja, dat ook, maar… eh…" verder komt ze niet. Het ligt op haar tong om te zeggen dat het tussen Koos en haar ook nooit iets zou kunnen worden, maar ze slikt haar woorden in. Ze praat vaak heel vertrouwelijk met de oude boerin, maar wat de gevoelens van Koos voor haar en haar gevoelens voor Koos betreft, is het nog veel te vroeg om daarover de mening van de boerin te vragen. Om Piet de Roo geeft ze niets en haar gevoelens voor Albert van Nisperden worden verdrongen door haar gedachten aan Koos. Koos houdt van haar, maar hij durft het niet uit te spreken. Ze moet erg aan het idee wennen, maar het geeft haar toch een warm gevoel.

„Ik wil me verontschuldigen voor mijn gedrag van gisteren, Tonnie," zegt Koos. „Net als tijdens de kermis heb ik weer te veel gedronken. Het spijt me dat ik je lastiggevallen heb."

„Dat valt nogal mee, hoor! Je hebt me juist geholpen."

„Ben je helemaal niet boos?"

„Waarom zou ik boos zijn? Ik begrijp niet wat jij onder lastigvallen verstaat."

„Och, als ik te veel gedronken heb word ik altijd zo melig en dan ga ik gekke dingen zeggen."

„Maar kinderen en dronken mensen spreken de waarheid, Koos. Ik meen opgevangen te hebben dat jij niet staat te springen om de verkering met Trees van je broer over te nemen." Tonnie kan het niet zeggen zonder te lachen.

„Ik met Trees van Buinen? Bewaar me! Dat ik het daarover gehad heb, herinner ik me nog wel, maar ik stelde me gisteren ook aan meen ik. Trouwens, ik heb er ook spijt van dat ik een hele poos zo akelig tegen jou gedaan heb, want dat heb je niet verdiend, Tonnie."

„Zand erover, Koos. Nu doe je toch niet akelig meer."

„Ben je echt niet boos en heb je ook geen gloeiende hekel aan me?"

„Ik ben niet boos en ik heb geen gloeiende hekel aan je, maar nu moet ik aan de slag, want er is nog een boel op te ruimen en ik mis Kee nu al." Tonnie loopt weg, want ze wil Koos niet laten merken dat ze een kleur krijgt.

„Zal ik je even helpen?"

„Nee joh, ik red me wel; je vader en Barend zullen niet weten waar je blijft."

„Dan zeg ik wel dat ik een kater heb en dan lieg ik nog niet ook."

„De buitenlucht is goed voor je, daar knap je van op. Tot straks, hoor!"

Als Koos weg is moet Tonnie even gaan zitten. Gisteren was hij aangeschoten, maar vandaag niet. Koos Vlieland die zijn verontschuldigingen aanbiedt. Als iemand dat een jaar geleden voorspeld had, zou ze het nooit geloofd hebben. Nu brengt het haar in verwarring. Lief van hem dat te doen.

Door het vertrek van Kee is het nodig een nieuwe hulp aan te trekken. Hoewel Tonnie de boerin nog steeds zo veel mogelijk bij het werk betrekt, heeft ze toch niet veel steun aan haar. Ze doet het voornamelijk opdat de boerin zich nuttig blijft voelen.

Voor de jonge meisjes, dochters van daggelders en knechten, is een plaats als meid op de grote Sweykerhoeve erg aantrekkelijk en dus zal het niet moeilijk zijn er een te vinden.

„Jij moet maar een keuze maken, Tonnie," zegt de boerin als ze het erover hebben."

„Ik?" Tonnie kijkt de boerin verbaasd aan. Boerinnen bepalen altijd zelf welke meiden ze aantrekken, maar hier worden de rollen omgedraaid.

„Ja jij, want jij moet met haar werken. Kies wel een flinke

meid uit, want anders komt er nog te veel op jouw nek terecht. En kies er ook eentje waar je goed mee overweg kunt."

„Ik ken wel een flinke meid waar ik heel goed mee overweg kan. Het is Ka Bredeveld en ze is de dochter van een knecht van de smid. Ik ken de familie omdat vader Bredeveld jarenlang een collega van mijn opa was. Maar Ka heeft één probleem."

„En dat is?"

„Ka is niet honderd procent, maar ze is zo sterk als een paard en ze kan werken voor twee. Bovendien heeft ze een lief karakter."

„Valt het erg op dat ze niet helemaal normaal is?"

„Als je het niet weet, zie je het niet en ze praat ook gewoon. Alleen moet je haar geen ingewikkelde dingen laten doen. Ze is trouwens pas achttien."

„Laat ze dan maar komen, Tonnie, ik heb het volste vertrouwen in jouw keuze en bovendien moet zo'n meisje ook een kans krijgen." De boerin laat weer eens merken dat zij haar hart op de juiste plaats heeft.

Ka Bredeveld is dolblij met haar plaats op de grote Sweykerhoeve en ze is Tonnie dan ook uiterst dankbaar dat die voor haar gekozen heeft. Tonnie kent haar al jaren, maar de huisgenoten moeten eerst een beetje wennen aan Kaatje, zoals Koos haar meteen wat plagerig noemt. Ze is toch anders dan andere meisjes van haar leeftijd, maar ze heeft een hart van goud.

Als Ka haar draai een beetje gevonden heeft, gaat ze zingend door het huis en ze hecht zich aan zowel Tonnie als aan de boerin. De laatste bemoedert haar een beetje. Met de boer en Barend heeft Ka geen moeite, maar Koos neemt haar nogal eens in de maling en daar kan ze niet goed tegen.

„Je moet Ka niet meer in de maling nemen, Koos," zegt Tonnie op een dag. „Je weet hoe Ka is en zij kan er niet tegen. Beloof me dat je het niet meer zult doen."

„En wat krijg ik ervoor als ik het je beloof?"

„Doe niet zo mal!" Terwijl Tonnie het zegt krijgt ze een kleur en Koos ziet het.

„Wat staat die blos jou lief, Tonnie. Het is ook lief van je dat je het voor Ka opneemt. Jou wil ik niet in de maling nemen, hoor!"

„Als jij Ka niet meer plaagt, ben jij ook lief." Tonnie draait zich maar gauw om, want ze wil haar gevoelens voor Koos niet te openlijk tonen.

„Ik ben morgen jarig en dan is het een beetje feest thuis. Kom jij dan ook, Tonnie?" vraagt Ka en dat wil Tonnie haar niet weigeren. Dus gaat ze de volgende avond bij de familie Bredeveld op de koffie.

„Fijn dat je gekomen bent, Tonnie," zegt de moeder van Ka. „Ik ben zo blij voor haar dat ze op de Sweykerhoeve kon komen werken en ik heb wel begrepen dat jij een groot aandeel had in de beslissing haar aan te nemen. Ka is gek op jou en op de oude boerin."

„En wij zijn gek op Ka, juffrouw Bredeveld."

„Het is een zorgenkindje met een heel lief karakter, maar dat weet jij want je kent haar al jaren. Ze heeft het op de hoeve heel best naar haar zin, maar ze klaagt weleens over Koos. Die plaagt haar en dat vindt ze niet leuk. Een beetje 'n nare jongen die Koos, hè?"

„Ik heb Koos gevraagd Ka niet meer in de maling te nemen en hij heeft het me beloofd. Nee, Koos is geen nare jongen, maar hij plaagt wel graag eens en niet alleen Ka, hoor!" Terwijl ze het zegt realiseert zij zich dat ze Koos weer zit te verdedigen. Een jaar geleden zou ze de vrouw groot gelijk gegeven hebben, maar nu... Ze kan het geen naam geven, maar de laatste tijd en vooral sinds de trouwerij van Kee voelt ze zich steeds meer tot hem aangetrokken. De gedachte aan Albert raakt meer en meer op de achtergrond.

Het wordt een gezellige avond en het gesprek komt onder andere op opa Pasman, de oud-collega van vader Bredeveld. Hoewel ze weet dat opa altijd zijn mannetje stond als stoere smidsgezel, hoort ze nu toch verhalen over zijn krachtpatserij die ze nooit eerder gehoord heeft. Ze moet denken aan de confrontatie tussen Cor Loos en de dorpsjongens en ze vertelt haar ervaringen.

„Die Cor mag best een sterke kerel zijn en Harm van Uitgeest kennen we ook, maar je opa had ze in zijn jonge jaren waarschijnlijk in het stof laten bijten," weet pa Bredeveld. „Een sterke kerel, maar met een hart van goud," zegtie en met dat laatste is Tonnie het roerend eens.

„Ga jij nog steeds om met Rietje Derkse, Tonnie?" vraagt Chris, de broer van Ka.

„De laatste tijd wat minder, want Rietje gaat met Johan de Goei, zoals je waarschijnlijk wel weet."

„Ja, helaas wel," zegt Chris met een bedenkelijk gezicht. „Als je haar ziet moet je haar mijn groeten maar doen, Tonnie. Doe je het?"

„Ik zal het niet vergeten, Chris," lacht ze. Of Chris het een beetje te pakken heeft van Rietje hoeft ze hem al niet meer te vragen, want dat blijkt wel.

Als vanouds is het ook die zondagmiddag gezellig in het dorpshuis. Rietje Derkse is er en Johan de Goei is aan het biljarten met Piet de Roo.

„Ken jij Chris Bredeveld, Rietje?" valt Tonnie met de deur in huis en het verbaast haar dat Rietje zo enthousiast reageert.

„Ja, ik ken Chris wel. Hij doet de tuin bij de notaris en dan krijgt hij van mij vaak koffie of thee. Een aardige jongen en, om eerlijk te zijn, ik vind hem ook erg knap."

„Knapper dan Johan?" vraagt Tonnie lachend en dan betrekt het gezicht van Rietje en ze zucht.

„Het wordt een beetje een sleur met Johan, Tonnie."

„Geef jij veel om Piet?"

„Nee."

„Ik ook niet om Johan, maar ik vind het zo moeilijk om hem teleur te stellen."

„Ik was deze week op een verjaarsfeestje bij de familie Bredeveld en daar ontmoette ik ook Chris. Hij vroeg me jou de groeten te doen."

„Eerlijk waar? Wat leuk! Als je hem weer ziet doe hem dan ook maar de groeten van mij." Rietje straalt en dan weet Tonnie wel genoeg. Ze geeft Ka de volgende dag de boodschap mee.

„Zal ik jou eens een nieuwtje vertellen, Tonnie?" vraagt Ka enkele dagen later. „Chris en Rietje Derkse hebben verkering en Chris zegt dat hij dat aan jou te danken heeft. Vind je dat niet leuk, Tonnie?" Ka is zo kinderlijk enthousiast dat ze er de hele dag niet over uitgepraat raakt. Ze houdt veel van haar broer, zoals ze van iedereen houdt, maar of er ooit een man komt die ook van haar houdt, valt sterk te betwijfelen. Tonnie vindt het zielig voor haar en ze vraagt zich af wat voor een toekomst zo'n kind heeft. Zolang haar ouders leven zal alles wel goed gaan, maar daarna? Kaatje verdient het om niet in de steek gelaten te worden.

Op de Sweykerhoeve is het een beetje feest, want Tonnie Pasman is jarig en ze wordt eenentwintig jaar. Dat moet dus gevierd worden. Ka heeft, met de hulp van Koos, de stoel van Tonnie met bloemen uit de tuin versierd en ze is erg trots op het reslutaat. Koos heeft woord gehouden en hij plaagt haar niet meer. In plaats daarvan prijst hij haar werk en voorspelt dat Tonnie wel erg verrast zal zijn. En dat is ook zo. Ze krijgt van Tonnie op elke wang een zoen, maar dan wijst Ka op Koos en zegt dat hij goed geholpen heeft en dus ook wel een zoentje verdiend heeft. „Nou, dan Koos ook maar een zoentje," besluit Tonnie en ze voegt de daad bij het woord.
Koos houdt haar even bij haar schouders vast en zegt zacht: „Gefeliciteerd met je verjaardag, Tonnie, en nog vele jaren." „Ik hoop dat je er nog lang getuige van zult zijn, Koos," antwoordt ze en ze ziet dan weer die zachte blik in zijn ogen. Het is een gemeenplaats, maar ze meent wat ze zegt. Ze heeft hem op aandringen van Ka op zijn wangen gekust, maar liever had zij haar mond op de zijne gedrukt en hem lang en innig willen kussen, maar in aanwezigheid van de anderen kan dat natuurlijk niet.

Ze hebben allemaal een cadeautje voor haar en de boerin helpt die dag bij de bereiding van een extra lekker middagmaal. Ze smullen ervan en Tonnie zit feestelijk op haar versierde stoel.

's Avonds is er volk aan de deur en als de boer gaat kijken wie er is, blijkt het Piet de Roo te zijn en die vraagt of hij zijn meisje even mag feliciteren.

„Kom maar verder," zegt de boer hartelijk en eenmaal binnen tot Tonnie: „Je vrijer komt je even feliciteren." Tonnie schrikt een beetje en zowel Barend als Koos werpen kritische blikken op de jonge rietdekker.

„Gefeliciteerd met je verjaardag, Tonnie," zegt-ie en hij staat dan een beetje te twijfelen of hij haar al dan niet kussen zal, want terwijl iedereen naar hem zit te kijken durft hij het niet zo goed.

De boer ziet hem twijfelen en vraagt lachend: „Gaat dat zo droog?" En dan kust Piet Tonnie en Tonnie krijgt een kleur, want als ze naar Koos kijkt ziet zij aan zijn gespannen kaken dat hij de pest in heeft.

Aan de kritische blikken van de boerenzoons heeft Piet wel gezien dat hij niet welkom is en dus duurt zijn bezoek niet lang. Binnen een half uurtje verdwijnt hij weer en Tonnie loopt even met hem mee naar de deur. Ze beantwoordt zijn afscheidskus en zegt dan vlug weer naar binnen te gaan. Het gaat allemaal wat koeltjes en dat heeft een reden. Tonnie vindt het maar niks dat Piet bij de hoeve aangeklopt heeft om zijn meisje te feliciteren, want dat heeft ze van de boer begrepen. Ze gaat wel met Piet om, maar zijn meisje is zij niet. Het afscheid heeft dan ook geen twee minuten geduurd en dat is, zo te zien, wel naar de zin van Koos. Hij kijkt haar met een zachte blik aan als ze terug in de kamer komt.

Die woensdagavond wacht Piet Tonnie op bij het dorpshuis, waar zij op naailes is. „Ik moet je nog even zien, want op je verjaardag had je wel erg weinig tijd voor me."

„Dat klopt, Piet, want ik had je daar ook helemaal niet verwacht en zeker niet als mijn vrijer, zoals de boer het deed voorkomen."

„Ik heb het woord vrijer niet in de mond gehad, Tonnie. Dat heeft de boer ervan gemaakt. Ik zei dat ik mijn meisje even wilde feliciteren."

„Dat komt op hetzelfde neer, Piet. Ik mag je graag, maar ik heb nooit gezegd dat ik je meisje ben. Je weet dat ik nog geen verkering wil en nu wil ik ook van verdere omgang afzien." Tonnie zegt maar precies waar het op staat.

„Maak je het uit?"

„Hoe bedoel je dat? Ik zeg je toch net dat het nooit aan geweest is."

„Ik zag die twee boerenzoons wel naar je kijken, Tonnie. En weet je, mij keken ze de deur uit. Heb jij iets met een van die jaloerse knapen?" Het laatste heeft Piet met een nijdig gezicht gevraagd.

„Hoe kom je erbij? Maar als het al zo was, dan nog is dat mijn zaak."

„En ik dan?" Piet wordt nijdig en hij is duidelijk teleurgesteld. „Wil je niks meer met me te maken hebben?"

„Ik geef niet genoeg om je, Piet, en daar moet je niet kwaad om worden."

„Wie zegt nou dat ik kwaad ben. We hebben toch een fijne tijd gehad. Wat denk je van samen kermis houden, schaatsen, op kraamvisite gaan. Iedereen denkt dat we verkering hebben. Wat moet ik nou thuis zeggen?"

„Je slaat door, Piet!" zegt Tonnie, maar Piet blijft tot aan de deur van de Sweykerhoeve proberen haar op andere gedachten te brengen, maar Tonnie houdt voet bij stuk en ze is blij als Piet zich uiteindelijk gewonnen geeft en afdruipt. Ze vindt het vervelend voor hem, maar deze keer kan ze niet anders doen.

In het achterhuis loopt ze vervolgens Koos tegen het lijf.

„Hoorde ik de stem van Piet de Roo?" vraagt hij en Tonnie knikt. Ze kan zich niet aan de indruk onttrekken dat Koos haar opgewacht heeft.

„Ja het was Piet," zegt ze. „Hij was een beetje opgewonden

want ik heb een punt achter onze omgang gezet."

„Is dat echt waar, Tonnie?" De vraag van Koos klinkt als een soort opluchting.

„Ja, het is waar, Koos, maar dat zal jou toch een zorg zijn of heb je iets tegen Piet?"

„Nou nee, maar... eh..." Het is wel duidelijk dat Koos met zijn gevoelens in de knoop zit en niet zo gauw weet hoe hij op de pertinente vraag van Tonnie moet reageren.

„Ik ben weer helemaal vrij, hoor Koos! Slaap lekker, tot morgen." Tonnie legt een hand op zijn arm en kijkt hem glimlachend aan. En dan doet Koos iets, wat zij niet verwacht had. Hij pakt haar hand, houdt die tegen zijn mond en geeft er een kusje op.

„Welterusten, Tonnie. Ik heb niks tegen Piet, maar ik ben toch blij dat je weer vrij bent." Hij draait zich om en loopt dan vlug het achterhuis uit als was hij bang zich niet langer te kunnen beheersen.

In haar bed moet Tonnie nadenken over de vreemde avond. Ze heeft Piet de bons gegeven, maar Koos staat al klaar haar zijn liefde te verklaren. Ze merkt aan zijn hele houding dat hij verliefd op haar is. En hoe staat het met haar? Als zij eerlijk tegenover zichzelf is moet zij bekennen dat Koos nu een veel grotere plaats in haar denken inneemt dan Albert ooit gehad heeft. Tegenover Albert probeerde ze zich in te houden, omdat ze het hopeloze van hun verhouding wel inzag, maar zij bezweek uiteindelijk voor zijn liefde voor haar. Is, wat zij nu meemaakt met Koos, niet precies hetzelfde? Zij is nog steeds het arme arbeiderskind en hij, Koos, de rijke jongen. Misschien iets minder rijk dan Albert, maar wat is het verschil? Het dilemma waar zij destijds voor stond is er weer. Veel verdriet heeft het haar gebracht. Zij wil die ellende niet weer doormaken, dus moet zij afstand tot Koos bewaren. Hij houdt van haar en zij van hem, maar hun verhouding is hopeloos. Het is beter dat nu in te zien dan, tegen beter weten in, er nog langer mee door te gaan. Ze kan maar beter een andere betrekking zoeken, want uit het oog uit het hart blijkt te werken. Albert is ze al bijna vergeten en haar gevoel voor Koos zal ook wel slijten als ze hem niet meer ziet. Albert, ja Albert. Hoe zal het met hem gaan? Aanstaande donderdag wordt hij eenentwintig. De datum zal ze nooit vergeten, want zij herinnert zich zijn uitspraak dat hij haar zou komen halen als hij meerderjarig zou zijn. Lieve jongen, maar voor haar een afgesloten hoofdstuk.

„Er staat een prachtig gerij voor de deur," zegt de oude boerin die donderdagmiddag als zij in haar makkelijke stoel voor het raam zit. „Wie kan dat nou zijn?"
Tonnie kijkt en ziet een deftig rijtuig met een prachtig zwart paard ervoor. Op de bok zit een fraai uitgedoste koetsier. „Ik heb geen idee," reageert Tonnie, maar als het deurtje van de koets open gaat krijgt ze bijna een hartverlamming van schrik. Het is Albert van Nisperden die uit het rijtuig stapt. De boer is met Koos en Barend ergens in de polder aan het werk en ook zij is in haar doordeweekse plunje. Toch loopt ze vlug naar de deur en dan zijn de armen van Albert om haar heen. Hij kust haar en zij kust hem terug. Even houdt hij haar op armlengte van zich af en zegt: „Je bent nog niks veranderd, Tonnie, hoe gaat het ermee?"
„Je overdondert me met je komst, Albert, ik ben met stomheid geslagen, maar kom binnen."
„Ik heb liever dat je bij me in de koets komt, Tonnie, dan kunnen we samen rustig praten. De koetsier geef ik dan opdracht een ritje in de omgeving te maken."
„Goed, maar ik ben in mijn dagelijkse plunje."
„Ik heb jou ooit gezegd dat jij er in een jutezak nog lief uitziet, Tonnie, dus houd het maar aan, hoor!"
„Dan wil ik de boerin wel even informeren, Albert." Vlug gaat Tonnie de hoeve weer in en stelt de boerin met enkele woorden van de komst van Albert op de hoogte en ook van zijn bedoelingen.
„Neem je tijd er maar voor, Tonnie," zegt de boerin en hoofdschuddend kijkt ze het span na als de koetsier het paard de vrije teugel laat.

„Eindelijk heb ik je dan gevonden, Tonnie. Waarom heb je je toch zo voor me verstopt?" zegt Albert als ze naast elkaar in het geriefelijke koetsje zitten.

„Je hebt toch wel gelezen dat ik een miskraam kreeg, Albert," omzeilt Tonnie de vraag van haar vroegere geliefde enigszins.

„Natuurlijk. Je hebt het me zelf geschreven en ik was er helemaal van ondersteboven, maar reageren of jou troosten kon ik niet, want ik had geen adres."

„Hoe ben je dan nu aan mijn adres gekomen, Albert?"

„Ik weet niet of jij het je herinnert, maar ik ben vandaag een-entwintig jaar geworden."

„Oh, neem me niet kwalijk, jongen. Natuurlijk weet ik dat. Deze week heb ik er nog aan gedacht. Gefeliciteerd, hoor!" Ze kust hem innig, maar dan merkt ze dat die kus niet meer de tinteling van weleer in haar bloed teweegbrengt. „Maar ik vroeg je hoe je aan mijn adres gekomen bent."

„Gisteravond heb ik met mijn ouders, familie en vrienden in 'De Vergulde vink' mijn verjaardag gevierd. Voordien was ik er vaker geweest en toen jij net weg was heb ik steeds gevraagd of ze wisten waar je heen was. Het enige wat de waardin mij kon vertellen was dat je naar je grootouders vertrokken was, maar ze wisten niet waar die woonden. Toen ik er gisteravond was wist mevrouw Donkers mij te vertellen dat jij er met boer Vlieland geweest was en ze heeft me het adres gegeven. Dat was gisteren en nu ben ik hier, lieve Tonnie, om mijn belofte gestand te doen. Ik kom je halen, want ik ben nu meerderjarig."

„Maar hoe denken je ouders er dan over, Albert?"

„Die weten helemaal niet dat ik hier ben en ze hebben er ook niks meer mee te maken, want ik neem nu mijn eigen beslissingen."

„En als je vader je onterft, wat hij vroeger zei?"

„Een man een man, een woord een woord, Tonnie."

„Zie je het als een verplichting, Albert? Er is veel gebeurd na ons afscheid enkele jaren geleden." Tonnie waardeert het in Albert dat hij zich aan zijn belofte wil houden, maar er is een

171

totaal nieuwe situatie ontstaan. Albert is nu een deftige heer met een hoed op geworden en de gevoelens die ze destijds voor hem koesterde, zijn er niet meer.

„Voel ik het als een verplichting?" herhaalt Albert haar vraag. „Ik heb het je beloofd en als ons kindje nog geleefd had, dan viel er over die belofte niet te discussiëren."

„Nu wel?"

„Dat ligt ook aan jou, Tonnie. Jij zei dat er tussen ons afscheid van toen en nu veel gebeurd is, heb jij kennis gekregen aan een andere jongen?"

„Als je verkering bedoelt, niet, Albert, maar er is een jongen waar ik warme gevoelens voor heb."

„Ik heb ook geen verkering, Tonnie, en er is ook niemand, behalve jij, waar ik warme gevoelens voor koester. Laten we er samen eens goed over nadenken. Over enkele weken kom ik terug en dan wil ik weten hoe je erover denkt, goed?"

„Laten we dat maar doen, Albert." En voordat Albert van Nisperden Tonnie weer bij de Sweykerhoeve afzet, sluit hij haar nog eens in zijn armen en kust hij haar innig. Zij was bij hem uit het oog, maar nog niet uit het hart. Buiten de koets geeft hij haar nog een hand en wuift hij haar na als ze in het achterhuis verdwijnt. Het is theetijd en de bewoners van de Sweykerhoeve zijn er getuige van.

„Was dat de vader van je doodgeboren kindje, Tonnie?" vraagt de boerin als de mannen weer aan het werk zijn. „Voordat je met hem ging rijden zei je me dat het de zoon van je vroegere bazin was en een poos geleden heb je me verteld dat je van die jongen in verwachting raakte."

„Ja, het was Albert van Nisperden; hij is vandaag eenentwintig jaar geworden."

„Heeft dat iets met zijn bezoek te maken? Ik meen me trouwens te herinneren dat jij hem nooit je adres gegeven hebt."

„Dat klopt, maar hij is er nu achter gekomen." Daarop vertelt Tonnie hoe dat gegaan is en met welke bedoelingen Albert kwam.

„Houdt hij nog van jou, Tonnie?"

„Ik geloof het wel, maar mijn gevoelens zijn wel veranderd."

„Trouw met iemand waar je van houdt, kindje. Ik herhaal het nog maar eens. Je weet dat ik me erger aan de gewoonte in onze kringen geld met geld te laten trouwen."

„In rijke kringen in de stad is dat niet veel anders, vrouw Vlieland."

„Komt Albert uit een rijke familie?"

„Ja, schatrijk; ik denk rijker dan alle boeren van het dorp bij elkaar. Daar pas ik niet tussen."

„Die jonge rietdekker was hier met jouw verjaardag. Hoe staat het tussen jou en die jongen?"

„Piet de Roo is gek op mij, maar ik niet op hem. Jammer, want het is een aardige knul en in zijn kringen voel ik me goed thuis."

„Als je van elkaar houdt is geld bijzaak, of je nou veel of weinig hebt maakt niet uit, Tonnie. Helaas zijn voor een boer geld en bezit erg belangrijk."

„Voor een boerin niet?"

„Het is makkelijk als je geld hebt, maar voor een vrouw is dat niet genoeg, Tonnie."

„Maar u hebt geld, een lieve man en fijne kinderen. Geld en geluk kunnen toch wel samengaan?"

„Daar heb je gelijk in, maar geluk is ook als je goed gezond bent en dat schort er bij mij aan. Als ik naar het gezicht van de dokter kijk, dan weet ik wel zo'n beetje hoe laat het is."

„Niet zo somber, vrouw Vlieland. We kunnen u nog lang niet missen, hoor!" Tonnie draait zich om en gaat naar de keuken. Ze krijgt een brok in haar keel en de tranen springen haar in de ogen. Ze wil het de boerin niet laten merken, maar de woorden van de oude vrouw brengen haar van haar stuk. Nee, ze kan de boerin, die als een moeder voor haar is, zeker niet missen. De rest van de middag is ze er stil van en na het eten gaat ze naar haar kamertje. Ze wil uitrusten, want het was een dag vol emoties. Eerst al de komst van Albert en later het gesprek met de boerin. Lang ligt ze nog wakker en als de volgende morgen de wekker afloopt, is ze niet echt uitgerust.

Het is vrijdagmorgen. De boerin voelt zich niet fit genoeg om op te staan, de boer en Barend zijn naar de markt in de stad en Ka gaat na de koffie naar het boenhok.
„Moet jij niet aan de slag?" vraagt Tonnie verwonderd als Koos blijft zitten.
„Ik had je gisteravond al iets willen vragen, maar jij bent meteen na het eten naar boven gegaan."
„Wat wil je weten, Koos?"
„Wie die vreemde snuiter in dat mooie gerij gisteren was."
„Oh, dat was de zoon van mijn vroegere bazin. Een aardige knul; hij kwam me eens opzoeken."
„Meer niet?"
„Waarom wil je dat weten, Koos?"
„Merk jij niks aan me, Tonnie?"
„Wat moet ik aan je merken?" Tonnie begrijpt niet goed waar Koos heen wil.
„Nou, mijn houding ten opzichte van jou bijvoorbeeld."
„Oh, bedoel je dat? Ja, ik merk wel dat je de laatste tijd heel wat aardiger voor me bent dan in het begin, maar daar hebben we het al eerder over gehad."
„Ik zou nog veel aardiger voor je willen zijn, Tonnie. Toen je jarig was en je me op aandringen van Ka een zoentje op mijn wang gaf, had ik je in mijn armen willen sluiten en je echt willen kussen. Mag ik dat nu doen?"
„Dat kan toch niet, Koos, straks komt er iemand binnen."
„Ze zijn weg, Tonnie. Er komt niemand binnen." Hij spreidt zijn armen en zegt dat hij haar zo ontzettend lief vindt.
„Mallerd," zegt ze zacht, maar dan tuit ze toch haar lippen en Koos geeft er een voorzichtig zoentje op en drukt haar zacht en teder tegen zich aan. „Hou jij ook een beetje van mij, Tonnie? Zeg eens iets liefs tegen me."
„Ik vind je lief, Koos, maar wij kunnen niet van elkaar houden, omdat het voor ons beiden op een teleurstelling zal uitdraaien."

„Maar als ik nou een burgerjongen was als Piet de Roo, zou je dan van me willen weten?"

„Ik geef niks om Piet de Roo."

„Wel om mij?" Koos kijkt haar zo smachtend aan, dat ze moet glimlachen en knikt. „Oh, lieveling, wat ben ik daar blij om." Het gevoel van twijfel verdwijnt en hij durft haar nu vol in zijn armen te nemen en te kussen. En telkens als ze iets wil zeggen, smoort hij haar woorden in een nieuwe kus. „Hier heb ik al zo lang naar gesmacht, schatje. Je hebt toch wel gemerkt dat ik al een hele poos, ja al vanaf je komst hier gek op je ben."

„Je moet er niet aan toe geven, jongen. Je kent toch de gewoonte in de streek? Rijk en arm gaan niet samen. Maar er is meer."

„Wat dan?"

„Als jij alles over mij zou weten, dan moest je me niet meer." Ze krijgt een kleur en haar ogen worden vochtig. Nu ze in de armen van Koos weer hetzelfde gevoel krijgt als destijds in de armen van Albert, vindt ze het plotseling verschrikkelijk dat ook dit geluk haar niet beschoren zal zijn. Ze voelt dat ze van de sterke, sportieve en knappe boerenzoon houdt met alle vezels van haar lichaam.

„Onmogelijk!" reageert Koos. „Ik kan me bij jou niks afschrikwekkends voorstellen."

„Jouw moeder weet alles, Koos. Nu je zegt dat je van me houdt, wil ik geen geheimen voor je hebben. Ga maar eens met je moeder praten."

„Maar jij kunt het me toch zelf wel vertellen, lieveling?"

„Het is erg moeilijk voor me, Koos; ik heb liever dat je het van je moeder hoort."

„Ik hou veel van mijn moeder, schatje, en ik merk dat zij erg op jou gesteld is. Als zij voor jou kiest dan zou ik niet weten wat mij kan beletten van jou te houden, maar ik ga wel met haar praten." Na dat gezegd te hebben sluit hij haar weer in zijn armen en laat haar mond pas los als hij gestommel in het achterhuis hoort. De boer en Barend komen thuis van de markt en dus moeten ze weer doen of er niets gebeurd is.

Koos Vlieland hoeft normaliter zijn bed maar te zien of hij valt al bijna in slaap, maar op deze vrijdagavond ligt hij wakker. Tonnie houdt van hem. Het mooiste meisje van het hele dorp houdt van hem. Een siddering van geluk gaat door hem heen. Dom van hem om van een arm meisje te gaan houden, maar het is nou eenmaal zo en hij voelt er zich zielsgelukkig bij. Natuurlijk zijn er grote obstakels, maar die zijn er om overwonnen te worden. Het eerste obstakel is zijn vader. Hij staat bekend als iemand van de ouwe stempel en dus staat er voor hem wel een ander potje op het vuur dan ene Tonnie Pasman. Hij kent alle uitspraken van zijn vader als hij het over gegadigden voor zijn kinderen heeft. Van een mooi bord kun je niet eten en let op een hoeve met veel stalramen en weinig klompen voor de deur en de keuze tussen een boterham met spek en een boterham met reuzel is niet zo moeilijk. Als hij wil doorzetten met Tonnie, dan krijgt hij al die gemeenplaatsen naar zijn hoofd geslingerd. Hij weet het van tevoren, maar hij zal doorzetten, want de keuze tussen een arm mooi meisje waar je van houdt en een rijke lelijke boerentrien waar je niks om geeft, vindt hij niet zo moeilijk. Maar welk ander beletsel heeft Tonnie nou in haar hoofd? Ze vindt het moeilijk er met hem over te praten en stuurt hem naar moeder, die er alles vanaf schijnt te weten. Maar als hij met moe gaat praten, dan moet hij er ook de reden bij vertellen. Ze zal schrikken en hem waarschuwen er niet aan te beginnen, maar ze zal hem wel begrijpen. Zal zij het geheim dat Tonnie haar kennelijk heeft toevertrouwd, aandikken om hem af te schrikken? Nee, zo is moe niet. Ze zal hem de waarheid vertellen en dat kan nooit iets naars of gemeens zijn. Hij was in het begin naar en gemeen voor Tonnie en daar heeft-ie spijt genoeg van, maar Tonnie is altijd lief gebleven. Nee, dat lieve kind kan bijna geen kwaad doen. Hij houdt van haar en zij houdt van hem. Haar kussen branden hem nog op de lippen. Met een glimlach om zijn mond valt hij eindelijk in slaap.

HOOFDSTUK 9

„Wat loop je toch te draaien, Koos, is er iets? Moet je niet naar je kameraden?" Ada Vlieland is het niet gewend dat haar zoon loopt te draaien als een kip die haar ei niet kwijt kan.

„Ik heb even gewacht tot de anderen weg zijn, moe, want ik wil je wat vragen."

„Wat wil je weten, Koos?"

„Ik... eh... wil je wat vragen over Tonnie, over iets wat ze jou verteld heeft."

„Over Tonnie?" Moeder Ada is het niet van Koos gewend dat hij staat te hakkelen en dan die vraag.

„Waarom wil jij dat dan weten, jongen?"

„Tonnie zegt dat ik anders over haar zal denken als ik weet wat zij jou verteld heeft. Daarom heeft ze mij naar jou toe gestuurd."

„Ik begin er steeds minder van te begrijpen, Koos. Waarom wil Tonnie dan dat ik jou inlicht over die nare geschiedenis? Zij heeft mij dat een poos geleden in goed vertrouwen verteld en ik heb haar beloofd er met niemand, behalve je vader, over te zullen praten."

„Maar Tonnie wil niet dat er een geheim blijft bestaan tussen haar en mij. Zij kent nu mijn gevoelens voor haar."

„Waarom heeft ze je het dan zelf niet verteld?"

„Ze vindt dat erg moeilijk en ze heeft liever dat jij het doet."

„Je hebt het over jouw gevoelens voor Tonnie. Houd jij van dat meisje, Koos?"

„Ja moe, ik hou zielsveel van Tonnie en zij houdt ook van mij en daarom wil ze dat ik alles van haar weet."

„Maar jij mag helemaal niet van dat meisje houden, jongen. Je vader zal jou de omgang met haar zeker verbieden."

„Daar zijn we het wel over eens, moe. Pa denkt alleen maar aan geld en status. Net als voor Barend, zal hij voor mij ook wel een rijke boerentrien uitzoeken waar ik niks om geef."

„Jouw vader heeft het beste met zijn kinderen voor, jongen. Wacht niet tot je vader met iemand komt, maar zoek zelf een meisje in onze eigen kring waar je van houdt en die ook van jou zal gaan houden."

„En als ik in onze kring, zoals jij dat noemt, geen meisje kan vinden waar ik van hou, moet ik dan genoegen nemen met de keuze van pa? Moet ik dan trouwen met iemand waar ik niks om geef? Wilt u dat?"

„Maak het me niet zo moeilijk, jongen. Als jij je zin doorzet zal dat voor zowel jou als Tonnie grote consequenties hebben."

„Daar moet ik me dan alvast maar op voorbereiden. Maar vertel me nu eens welk geheim Tonnie met zich meedraagt, moe. Zij wil zelf dat ik het weet, maar mijn gevoelens voor haar zullen er zeker niet door veranderen. Een lief meisje als Tonnie kan geen kwaad doen."

„Omdat Tonnie er zelf uitdrukkelijk om gevraagd heeft, zal ik het je vertellen, Koos, maar veel zin heeft het niet." Daarop vertelt de boerin wat Tonnie allemaal meegemaakt heeft en aan de reactie van haar zoon ziet ze, dat hij ervan schrikt.

„Dus is het de schuld van de knul die hier laatst met dat deftige rijtuig kwam voorrijden," concludeert Koos, maar Ada Vlieland schudt haar hoofd.

„Dan heb ik het niet juist verteld of jij hebt het verkeerd begrepen, Koos. Tonnie en die jongen hielden erg veel van elkaar, maar ze zijn onvoorzichtig geweest. Als er al van schuld sprake is, dan hebben ze daar beiden een even groot aandeel in."

„Ik ben van het verhaal geschrokken, maar mijn gevoelens voor Tonnie zijn er niet door veranderd, moe."

„Dus je zet door? Weet wat de consequenties zijn, jongen."

„Voorlopig zullen pa en Barend er niks van merken."

„Ik maak me er ernstig zorgen om, Koos. Het gesprek heeft me vermoeid en dus wil ik wat rusten. Ik hou wel van je, hoor jongen!"

„Weet ik wel, moe, ik hou ook van jou. Steun me een beetje, want dat zal ik nodig hebben."

„Ga nou maar!" Moeder Ada moet een brok in haar keel

wegslikken. Ze wil rusten, maar dat komt er niet van. Te veel is ze in gedachte nog bezig met Koos. Natuurlijk is haar knappe, sportieve en gevoelige jongen verliefd geworden op Tonnie Pasman. Een mooier en liever meisje kent ze op het hele dorp niet. Als ze de tijd van leven had, zou ze Tonnie graag als schoondochter hebben. Van Trees van Buinen, de aanstaande van Barend, ontvangt ze geen greintje hartelijkheid. Het is een dikke hosklos en zo dom als het achtereind van een varken, maar de centen zitten goed en daar is het haar man vooral om te doen. Koos heeft gelijk! Zij begrijpt zo goed dat hij zich niet ook zo'n lelijke boerentrien, zoals hij het noemt, wil laten opdringen als Tonnie Pasman zijn liefde beantwoordt. Eigenlijk wil ze niets liever dan dat Koos en Tonnie samen een gezinnetje gaan vormen, maar of zij daar nog getuige van zal zijn, betwijfelt ze sterk.

„Ik heb met mijn moeder gesproken, Tonnie," zegt Koos als hij die dag even alleen is met het meisje dat zijn hele denken en doen beheerst.
„Dus nu weet je alles," concludeert Tonnie met een zorgelijk gezicht. Ze is eraan gewend alles wat haar lief is vroegtijdig te verliezen. Zo zal het met Koos ook wel gaan, veronderstelt zij. Zwanger worden van een man waar je niet mee getrouwd bent, is onvergeeflijk. Dat ze uiteindelijk een miskraam kreeg, doet daar niets aan af.
„Ik weet alles, lieve schat. In de woorden waarmee mijn moeder mij het droevige gebeuren vertelde, school zoveel liefde voor jou, dat ik er alleen maar warme gevoelens aan overgehouden heb."
„Verguis je mij dan niet, Koos?"
„Ik jou verguizen? Hoe kom je daarbij, schatje. Kom eens even bij me." Koos spreidt zijn armen en als Tonnie schoorvoetend naderbij komt, drukt hij haar tegen zijn sterke borst en overlaadt haar gezicht met innige kusjes.
„Jij en jouw moeder hebben hetzelfde karakter, Koos. Ik ben erg gelukkig dat je niet boos bent, maar jouw moeder heeft jouw omgang met mij natuurlijk afgeraden."

„Mijn moeder wil dat ik trouw met een meisje waar ik van hou en dat ook van mij houdt."

„Keurt ze onze omgang goed?" Tonnie kijkt de jongen van wie ze steeds meer gaat houden, met ongelovige ogen aan.

„Nee, moe wil dat ik in onze eigen kring een meisje zoek waar ik van hou en die ook van mij zal gaan houden, maar zo'n meisje is er niet, lieve schat."

„Heb je dat tegen je moeder gezegd?"

„Ja, natuurlijk! Eigenlijk komt het erop neer dat ik zo'n meisje gevonden moet hebben voordat mijn vader er met een op de proppen komt. Nou, mijn vader kennende, zal zijn keuze alleen maar gebaseerd zijn op geld en status. Het woord liefde komt in zijn woordenboek niet voor, Tonnie."

„En wat denkt jouw moeder van de handelswijze van jouw vader?"

„Als ik daar iets over vraag zegt mijn moeder dat ik het haar niet zo moeilijk moet maken. Weet je welke indruk ik van mijn moeder heb?"

„Nou?"

„Dat ze zielsgelukkig zou zijn als wij samen zouden trouwen."

„Maar dat maakt die schat waarschijnlijk niet meer mee, Koos." Tonnie pinkt een traan weg als ze eraan denkt. In gedachte ziet ze het lieve gezicht van de boerin en ze weet dat Koos gelijk heeft.

„Jij houdt veel van moe, hè lieveling?" Terwijl Tonnie knikt drukt Koos haar stevig tegen zich aan en kust hij innig haar rode lippen.

„Ik hou van jouw moeder, maar meer nog van jou, lieverd," zegt ze zacht, maar dan houdt Koos haar op armlengte van zich af en kijkt haar diep in de ogen.

„Moe zei dat jij ook veel hield van de jongen die jou zwanger maakte, schatje. Hij was hier laatst. Hoe sta jij nu tegenover hem?"

„Jouw moeder heeft gelijk dat ik veel van Albert gehouden heb, Koos, maar toen hij hier laatst was realiseerde ik me dat mijn liefde voor jou sterker is dan mijn liefde voor hem ooit geweest is."

„Moe wilde niet vertellen wat die jongen hier kwam doen. Ze zei dat jij me dat maar zou moeten vertellen. Wil je dat?"

„Albert heeft tot voor kort nooit geweten waar ik woonde. Zelf schreef ik hem wel, maar een adres vermeldde ik niet. Toen hij hoorde dat ik van hem in verwachting was heeft hij mij bezworen met me te zullen trouwen, maar zijn rijke vader stak daar een stokje voor. Toen beloofde hij me te zullen trouwen als hij meerderjarig zou zijn. Nou, zijn woord heeft hij gehouden, want toen hij achter mijn adres kwam, is hij onmiddellijk gekomen."

„Wil hij met je trouwen?" Er komt een angstige blik in de ogen van Koos Vlieland.

„Laten wij er niet te veel over uitweiden, lieverd. Met Albert heb ik de afspraak dat hij mijn antwoord binnenkort krijgt."

„En wat is dat antwoord?" Koos drukt zijn lieve meisje tegen zich aan en eens te meer beseft hij dat er vele kapers op de kust zijn om haar van hem af te nemen.

„Dat weet jij toch wel, jongen. Sedert jij me jouw liefde betuigd hebt, denk ik aan niemand anders."

„Gelukkig, lieve schat. Jou laat ik nooit meer los, wat mijn vader ook voor voorstellen heeft."

„Ik hoop dat je tegen je vader opgewassen zult zijn, lieverd."

„Mijn moeder heb ik beloofd dat wij onze liefde voor elkaar voorlopig geheim houden. De confrontatie met mijn vader komt natuurlijk vroeg of laat, maar nu nog niet. Ik ben, evenals die Albert, meerderjarig en ik neem mijn eigen beslissingen. Wanneer komt die Albert eigenlijk om jouw antwoord te vernemen?"

„Ik zal hem een brief schrijven, Koos. Hij zei me terug te zullen komen, maar achteraf gezien is me dat te riskant."

„Hoezo riskant? Ben je bang dat ik hem in de haren vlieg?"

„Nee natuurlijk niet! Ik ben bang dat de dorpsjongens hem iets aandoen. Daar heb ik enige ervaring mee."

„Welke ervaring dan?"

„Och, dat verhaal heb ik jou nooit verteld. Toen het gebeurde ben ik geschrokken, maar achteraf moet ik er nog om lachen." En dan vertelt Tonnie over de confrontatie tussen de jongens van het dorp en Cor Loos. „Het gezicht van Harm knok zal ik nooit vergeten," lacht ze.

„Net goed voor die blaaskaak," vindt Koos, maar hij beseft eens temeer dat er zowel in het dorp als in de stad jongens zijn die er veel voor over hebben het hart van Tonnie te veroveren.

Het schrijven van de brief aan Albert stelt Tonnie van dag tot dag uit. Ze is er al eens aan begonnen, maar het lukt gewoon niet haar gedachten goed onder woorden te brengen. Uiteindelijk duurt het meer dan twee weken voordat de brief klaar is. Met kloppend hart doet ze hem op de bus, want tot het laatste moment heeft ze aan de tekst gesleuteld en nog is ze niet helemaal tevreden.

Albert kan kennelijk wat beter met de pen overweg, want binnen een week heeft zij antwoord. Het is een hartelijke brief met woorden van spijt en begrip. Hij schrijft haar nooit te zullen vergeten en hij hoopt haar nog vaak te zullen ontmoeten. Ook wil hij wel kennismaken met Koos. De brief eindigt met een oproep: Als jij ooit in moeilijkheden komt, lieve Tonnie, kom dan naar me toe, want ik heb aan jou nog veel goed te maken.

Met een zucht bergt Tonnie de brief op in haar kastje. Een lieve brief van een lieve jongen. Nee, zij zal Albert ook nooit vergeten, maar of zij elkaar nog zo vaak zullen ontmoeten betwijfelt zij toch sterk. Wel zal er altijd een warm plekje voor Albert in haar hart blijven. Een ontmoeting met Koos wil ze maar liever niet aanmoedigen. Of zal ze Koos de brief laten lezen en het aan hemzelf overlaten? Ze kan geen beslissing nemen.

Er volgen wonderlijke maanden. Waar anderen bij zijn moeten Koos en Tonnie doen alsof ze niets met elkaar hebben, maar zodra ze zich even onbespied weten, kussen zij elkaar hartstochtelijk en fluisteren ze elkaar lieve woordjes toe.

„Hoe lang ik dit geheimzinnige gedoe nog volhoud weet ik niet, schatje," zegt Koos tussen twee kussen door. „Het wordt voor mij steeds moeilijker overdag net te doen of ik niks om je geef. Kennelijk kan ik mijn gevoelens niet helemaal onderdrukken, want als ik af en toe de ogen van Barend zie, dan denk ik dat hij iets in de gaten heeft."

„Je moet het niet overhaasten, jongen," vindt Tonnie. „Besef wel dat ik onmiddellijk mijn biezen zal kunnen pakken als je vader iets merkt."

„Je hebt gelijk, lieveling, we moeten voorzichtig zijn," erkent Koos met een zucht. Wel is het voor hem zo langzamerhand kiezen tussen twee kwaden: niets laten merken of Tonnie de bons laten krijgen. Hij schuift de beslissing maar weer voor zich uit.

Wie niet gewend is beslissingen voor zich uit te schuiven is Kees Vlieland. Hij ziet zijn vrouw steeds verder achteruit gaan en zelf voelt hij zich ook niet meer zo fit. Hoewel de jongens het zware werk doen, blijft het boerenleven vermoeiend. Elke morgen moet hij voor dag en voor dauw uit de veren en dat gaat je ook niet in je kouwe kleren zitten. Nee, Barend moet zijn trouwerij maar niet te lang meer uitstellen en gaan boeren op de Sweykerhoeve. Als Barend getrouwd is kan Koos niet langer op de hoeve blijven. Ze liggen nu al vaak met elkaar overhoop en een rol als knecht van Barend accepteert Koos nooit. Dus moet Koos ook omzien naar een goeie partij en als de jongen dat niet vlug genoeg doet, dan moet hij hem als zijn vader en raadgever maar een handje helpen. Bij Klaas Volbers heeft hij al eens een visje uitgegooid en hij is er wel zeker van dat Klaas zijn dochter Aagd graag aan Koos zal afstaan.

„We moeten eens praten, Koos," zegt vader Vlieland op een dag. „Moeder is zwak en moet voldoende rust krijgen en ik voel me ook niet meer zo fit. Barend zal binnen afzienbare tijd trouwen en hier gaan boeren. Jou moet ik dan elders onder de pannen zien te krijgen, want als knecht van je broer zie ik jou hier nog niet blijven."

183

„Nee, bewaar me, pa!" schrikt Koos.

„Heb jij al een meisje op het oog, Koos?"

„Heb ik al een meisje op het oog," herhaalt Koos de woorden van zijn vader om tijd te winnen, want hij zit lelijk met de vraag van zijn vader in zijn maag. De consequenties van een eerlijk antwoord kent hij en die wil hij juist voor zich uit schuiven. Nee zeggen betekent dat vader zelf op zoek gaat. Dat gebeurde bij Kee en bij Barend ook. Kee was erg tevreden met de keuze van pa, maar Barend geeft niets om zijn Trees en dat is andersom ook zo. In beide gevallen zitten de centen goed, dus zal pa voor hem ook wel een rijke boerendochter op het oog hebben. En dat blijkt ook wel, want als hij zijn hoofd schudt komt vader Vlieland er al mee.

„Ga dan eens buurten bij Klaas Volbers, jongen. Jij kent zijn dochter Aagd goed genoeg en ik heb er al met Klaas over gesproken."

„Hoe kan dat nou? Je wist toch niet of ik al een meisje op het oog had!" Koos schrikt niet alleen van de naam, maar ook van de onverantwoorde voortvarendheid van zijn vader.

„Ik heb Klaas niks toegezegd, maar alleen een visje uitgegooid en ik ben er wel zeker van dat het goed is."

„Dat Klaas en zijn dochter zullen toehappen bedoel je. Dat verbaast me trouwens niks, want jij kent de inhoud van je eigen portemonnee en bij benadering die van Klaas Volbers. Een soort koehandel!"

„Zeg niet zulke rare dingen, jongen. Jij kent de gewoonte in onze kringen toch net zo goed als ik die ken?"

„Helaas wel, pa. Het is nogal wat moois die Aagd!"

„Wat heeft dat er nou mee te maken. Doe nou maar wat ik zeg en ga er eens buurten. Klaas heeft alleen maar dochters en drie van de vier zijn al de deur uit en zitten op grote hoeven. Jij kunt over enkele jaren gaan boeren op de hoeve van Klaas en dan is je kostje gekocht, beste jongen."

„Een lange stal met veel ramen en weinig klompen voor de deur, neem ik aan."

„Jij moet me niet voor de gek houden, Koos. Ga nu maar!"

Kees Vlieland is duidelijk in zijn wiek geschoten doordat Koos hem gekscherend een van zijn uitspraken voorhoudt.

Die avond in bed houdt het gesprek met zijn vader Koos uit de slaap. Natuurlijk had hij verwacht dat zijn vader vroeg of laat met een gegadigde voor hem op de proppen zou komen, maar nu overvalt het hem toch. Aagd Volbers. Hoe haalt die man het in zijn hoofd hem aan zo iemand te koppelen. 'Je kent Aagd goed genoeg,' zei zijn vader en daar heeft hij gelijk in. Aagd is ongeveer drie jaar ouder dan hij en het is nu al een gezette boerin. Bij haar vergeleken is Tonnie nog een meisje met haar ranke figuurtje, maar er is meer. In de wetenschap dat Tonnie van hem houdt, zou hij nooit met Aagd kunnen trouwen. Alleen om het geld met iemand trouwen waar je niks om geeft is eigenlijk belachelijk. Hij kent alle argumenten en gemeenplaatsen van zijn vader op zijn duimpje. Het was niet netjes van hem pa met een van die gemeenplaatsen te confronteren, maar is het netjes van een vader zijn zoon te koppelen aan een lelijke dikke boerendochter uitsluitend en alleen omdat ze geld en een hoeve erft? Dat laatste is natuurlijk niet niks en hij weet ook wel dat hun eigen welstand alles te maken heeft met de eeuwenoude gewoonte in de streek geld met geld te laten trouwen om het bezit in stand te houden en zo mogelijk te vergroten. Toch is hem al het geld en bezit minder waard dan de liefde van Tonnie. Nee, Tonnie ruilt hij niet voor Aagd Volbers, daar is hij wel zeker van.

Met de gedachte aan een leven met de lieve en mooie Tonnie Pasman aan zijn zijde slaapt hij ten slotte in.

„Pa wil dat ik ga buurten bij Klaas Volbers, Tonnie," zegt Koos als hij weer even alleen is met zijn lieve meisje. „Hij wil dat ik werk maak van Aagd."

„Van Aagd Volbers?" Tonnie schrikt van de boodschap van haar geliefde. „Maar Aagd is toch een stuk ouder dan jij."

„Niet zo veel, schatje. Aagd is drie jaar ouder dan ik."

„Oh, ik schatte haar veel ouder." Zoals alle dorpsbewoners

elkaar kennen, kent Tonnie ook de dikke dochter van Klaas Volbers, de boer die qua geld en aanzien niet onderdoet voor Kees Vlieland.

„Ik ben er altijd al bang voor geweest dat mijn vader me vroeg of laat aan een dikke boerentrien zou willen koppelen, maar ik pas ervoor, lieveling."

„Heeft jouw vader je gezegd wanneer je erheen moet, Koos?"

„Nee, dat niet, maar als ik te lang wacht, dan komt-ie er wel op terug. Hij heeft er met Klaas Volbers al over gesproken."

„Dus is er geen weg terug." Tonnie kijkt haar lieve jongen met een medelijdende blik aan. Moet ze hem afstaan aan die onooglijke Aagd Volbers?

„Pa vroeg me eerst of ik al een meisje op het oog had. Het lag op mijn tong om te zeggen dat wij het samen eens geworden zijn, maar moe waarschuwde me al voor de consequenties als ik dat doe, dus houd ik mijn mond nog maar even."

„Ga je dan niet naar Volbers?"

„Nee natuurlijk niet, lieve schat. Je denkt toch niet dat ik met die dikke Aagd ga verkeren in de wetenschap dat jij van mij houdt."

„Maar ik bezit geen cent, lieve jongen. Als je met mij verder wilt gaan, dan zal je vader je zeker onterven."

„Hij doet maar wat-ie niet laten kan, Tonnie."

„Weet wat je zegt, Koos. Ik ben armoe gewend, maar jij niet. De geschiedenis herhaalt zich, want ook Albert van Nisperden is schatrijk en zijn vader heeft ook gedreigd hem te zullen onterven als hij met mij verder zou gaan."

„En hij is voor de wil van zijn vader gezwicht."

„Nee, ik heb hem, zoals ik je verteld heb, nooit mijn adres laten weten en dus kon hij niet doen wat hij wilde."

„Ik weet wel waar jij woont, lieveling, sterker, ik kan je bijna elke dag in mijn armen sluiten. Denk niet dat ik zal zwichten voor de wil van mijn vader. Al komt hij met tien rijke boerentrienen aanzetten, dan nog kies ik voor jou. Voor jou, zonder geld en bezittingen. Je bent me er eigenlijk nog liever door."

„Je moet misschien ergens knecht worden als je met mij trouwt, Koos. Kun je dat opbrengen?"

„Mijn vader heeft allemaal uitspraken die daarmee te maken hebben, lieveling. 'De keuze tussen een boterham met spek en een boterham met reuzel is niet moeilijk,' zegt hij bijvoorbeeld. Nou, geloof me maar dat ik met jou liever een boterham met reuzel eet dan met Aagd Volbers een boterham met spek." Hierop neemt Koos zijn lieve meisje weer vol in zijn armen en kust haar innig, maar Tonnie maakt zich los uit zijn armen en vraagt of hij zich wel realiseert wat armoe is.

„Ik ken geen armoe, schatje, maar jou laat ik nooit meer los. Mijn vader mag zeggen wat hij wilt. Van een mooi bord kun je niet eten is ook al zo'n uitspraak van hem. Ik zou niet weten waarom niet. Toen hij over Aagd begon heb ik hem met een van zijn gemeenplaatsen een beetje gepest en daar werd hij nijdig om."

„Wat zei je dan?"

„Toen hij het over de hoeve van Klaas Volbers had, de hoeve dus waarop ik met Aagd zou moeten gaan boeren, veronderstelde ik dat die hoeve wel een stal zal hebben met veel ramen en weinig klompen voor de deur."

„Verklaar je nader, Koos, ik vat het niet helemaal."

„Nogal eenvoudig, schatje. Een stal met veel ramen herbergt veel koeien, dus rijkdom, en weinig klompen voor de deur wil zeggen dat die rijkdom door weinig kinderen gedeeld zal moeten worden."

„Ingewikkeld hoor! Ik ben blij dat ik me dat allemaal niet hoef af te vragen. Geen bezit en geen geld maken het leven wel eenvoudiger."

„Zo'n eenvoudig leven wil ik graag met jou delen, lieveling."

„Maar jij moet je vader niet pesten, Koos. Jij en ik weten dat jouw vader een man is van de oude stempel. Hij doet niet anders dan datgene wat zijn voorvaders deden en hij meent oprecht dat hij het goed doet. Jouw vader heb ik leren kennen als een vriendelijke en aardige man met een hart van goud. Als wij samen doorgaan, wat ik natuurlijk graag wil,

187

probeer dan met de gevoelens en tradities van je vader rekening te houden. Je praat met liefde over je moeder, maar je vader is ook een ontzettend lieve man, Koos."

„De man of vrouw die jij een kwaad hart toedraagt, moet volgens mij nog geboren worden, lieve schat. Daarom hou ik ook zoveel van jou. Maar je hebt gelijk, mijn vader is een goeie vent en ik zal onthouden wat jij mij gezegd hebt."

„Hoe gaat het nou, moe?" vraagt Koos als hij weer eens samen met zijn moeder is. „Pa maakt zich zorgen om jou, maar zo te zien is dat toch niet helemaal terecht."

„Je vader is geen man die de dingen op hun beloop laat, jongen. Hij voelt zich niet helemaal fit en ik hoef maar naar de ogen van de dokter te kijken om te weten hoe ik er zelf aantoe ben. Je vader wil voor ons beiden iets bedenken waar we rust vinden."

„Heeft pa al tegen jou gezegd wat hij met mij besproken heeft?"

„Ja, dat heeft-ie en ik ben ervan geschrokken, lieve jongen. Jij moet doen wat je vader je gevraagd heeft."

„Naar Klaas Volbers gaan om de hand van zijn dochter Aagd te vragen?" Koos kijkt zijn moeder verbaasd aan en als hij dan tranen in haar ogen ziet weet hij wel genoeg. „Je weet toch dat ik van Tonnie hou, moe?"

„Ik weet het, jongen, maar ik ben zo bang voor ruzie. Je moet doen wat je hart je ingeeft, maar heb respect voor je vader en zeg hem niet dat ik van jouw liefde voor Tonnie op de hoogte was als hij erachter komt."

„Tonnie zei me ook al dat ik respect voor pa moet hebben."

„Tonnie is een schat, Koos."

„Daar zijn we het al een poos roerend over eens, moe."

„Goed, jongen, laat me dan nu maar alleen, want ik ben tegenwoordig gauw vermoeid."

Er gaan weken voorbij zonder dat er opzienbarende dingen gebeuren op de Sweykerhoeve. Wel maken de bewoners zich steeds meer zorgen om de boerin. Zij is lusteloos en ondanks de goede zorgen van Tonnie wordt zij steeds mager-der. Af en toe gaat Tonnie bij de bedstee zitten om over het werk te praten, want nog steeds wil zij de boerin bij alles betrekken.

Op een dag pakt de boerin haar hand en houdt die tegen haar wang. „Jij bent erg lief voor me, Tonnie en ik weet dat ik niet de enige ben die van jou houdt. Eigenlijk moet ook ik me verzetten tegen de wil van Koos, maar ik kan het niet, kindje. Houd jij veel van mijn jongen?"

„Meer dan ik kan zeggen, vrouw Vlieland, maar ik weet dat het een onmogelijke liefde is, want uw man zal Koos zeker onterven als hij diens plannen verneemt."

„Ben jij bang dat Koos zal zwichten voor de wil van mijn man?"

„Nee, eerlijk gezegd niet, maar Koos weet niet wat armoe is. Ik heb hem niets te bieden."

„Meer dan Aagd Volbers, lieve kind. Aagd biedt Koos geld en status en jij biedt hem je liefde. Dat laatste is veel waarde-voller."

„Koos zegt dat hij met mij liever een boterham met reuzel dan met Aagd een boterham met spek eet."

„Dan doelt Koos op een uitspraak van mijn man. Ik hou veel van de baas, Tonnie, maar het is een man van tradities. Dat heb je zelf al eens meegemaakt met de inrichting van het zomerhuis. Hij wil alles bij het oude houden en onze kinde-ren aan andere rijke boerenkinderen koppelen hoort daar ook bij."

„Ik hoop maar dat uw man de hand over zijn hart zal halen en de keuze aan Koos laat."

„Zonder hem te onterven bedoel je."

„Voor mij maakt dat niet zoveel verschil, want geld heb ik nooit bezeten, maar voor Koos lijkt het me erg om afstand te moeten doen van alles wat hij tot nu toe gewend geweest is."

„Wat mijn man doet kan ik niet voorspellen, Tonnie, maar Koos heeft een sterk karakter."

„Dat weet ik nu, maar niet toen u het mij voor de eerste keer zei."

„Hoe bedoel je dat, kindje?"

„Koos zei me dat hij al van me hield toen ik hier nog maar net was. Om zijn liefde voor mij te camoufleren deed hij in het begin erg naar tegen me. Hij wilde zelfs bereiken dat ik een hekel aan hem kreeg en dat lukte hem nog ook."

„Maar de lieverd hield dat natuurlijk niet vol," zegt de boerin hoofdschuddend. „Ik gun jullie het geluk, Tonnie, en ik hoop het nog mee te maken dat jullie openlijk voor je gevoelens uit durven komen. Geef me nu nog een kroes water dan probeer ik nog wat te slapen."

„Ben jij al bij Volbers geweest, Koos?" vraagt Barend op een dag aan zijn broer. Hij heeft een lang gesprek met zijn vader gehad en daarin stond de toekomst van hem en de hoeve centraal. Barend is het eens met zijn vader dat het nergens voor nodig is nog lang met trouwen te wachten. Zelfs meneer pastoor dringt altijd op vlug trouwen aan, omdat hij tegen een lange verkeringstijd is.

Tijdens het gesprek met zijn vader is ook de toekomst van Koos aan de orde geweest. Evenmin als zijn vader ziet Barend een plaats voor Koos als knecht op de Sweykerhoeve. Liever trekt hij zelf een knecht aan en dan nog liefst een die getrouwd is. Die kan dan dicht bij de hoeve komen wonen, want het daggeldershuisje waarin nu opoe Davelaar en haar vrijgezelle dochter Jans wonen, is van de Sweykerhoeve. Opoe Davelaar en Jans moeten dan maar wat anders zoeken. Als Koos dan ook niet te lang wacht met Aagd Volbers te trouwen, is iedereen tevreden. Hij gunt zijn vader en moeder ook hun rust na een leven van hard werken.

De zwakke gezondheid van moeder is een extra reden de beslissingen niet langer uit te stellen, maar Koos schijnt nog geen haast te maken heeft hij van vader begrepen. Het lijkt wel of Koos meer oog heeft voor Tonnie dan voor zijn eigen toekomst. Vreemd eigenlijk, want zo'n rokkenjager is Koos nooit geweest. Hij, Barend, vindt dat Koos maar eens moet doen wat pa gezegd heeft en werk gaan maken van Aagd

Volbers.

„Wat moet ik volgens jou bij Volbers gaan doen, Barend?" Koos schrikt een beetje van de vraag van zijn broer en bovendien begrijpt hij niet waar die knaap zich mee bemoeit.

„Doen wat pa gezegd heeft en werk maken van Aagd natuurlijk, wat anders?"

„Man, houd alsjeblieft op! Wat moet ik met die dikke tante. Ik geef niks om die meid."

„Je moet gewoon doen wat pa zegt, jongetje, dat heb ik ook gedaan."

„Geef jij dan zo veel om Trees?"

„Dat doet niet ter zake. Trees krijgt een dik pak geld mee en daar gaat het om."

„Jij praat al net eender als pa. Straks begin je ook nog over een lange stal met veel ramen en weinig klompen voor de deur."

„Nee, daar begin ik niet over. Jij moet aan je toekomst denken en niet zoveel notitie van Tonnie nemen. Aagd is jouw toekomst en niet onze meid. Ik zou ook liever de bedstee met Tonnie delen dan met Trees of Aagd, maar ik gebruik mijn verstand en dat moet jij ook doen."

„Ik moet niks en jij moet niet van die rare opmerkingen over Tonnie maken. Jij met je bedstee!" Koos windt zich op over de botte houding van zijn broer. „Tonnie is niet alleen mooi, maar ook erg lief en bescheiden."

„Ben jij soms verliefd op haar?"

„Mag dat niet van jou?"

„Jij mag van mij op iedereen verliefd worden als je maar doet wat pa zegt. Als jij soms van plan bent ons kapitaal te versnipperen, dan zul je niet alleen je vader maar ook mij op je weg vinden, broertje; knoop dat maar in je oren. Is de meid soms ook al verliefd op jou?"

„Tonnie houdt van mij en ik van haar. Zo, nou weet je meteen alles."

„Jij bent niet goed wijs, Koos. Je moet naar Klaas Volbers gaan voordat het te laat is."

„Ik doe het niet!" En schreeuwend: „Ik vertik het al gaat iedereen op zijn kop staan!"

„Wat vertik jij, Koos?" Het is de kalme stem van Kees Vlieland die op het tumult af komt.

„Hij vindt Aagd Volbers niet goed genoeg," antwoordt Barend in plaats van zijn broer. En dat schiet Koos in het verkeerde keelgat.

„Bemoei jij je er niet mee! Pa vraagt het toch aan mij."

„Ho, ho! Rustig nou een beetje," probeert de boer de gemoederen enigszins te kalmeren, want aan de rode koppen van zijn zoons ziet hij wel dat ze flink ruzie hebben.

„Pa, misschien antwoord ik voor mijn beurt, maar het is niet alleen dat Koos niet naar Volbers wil. Hij moet je ook vertellen hoe het staat tussen hem en Tonnie."

„Laat mij even met Koos alleen, Barend; met schreeuwen bereik je niks." Door zijn vele bestuurlijke functies is Kees Vlieland gewend met mensen om te gaan en als geen ander verstaat hij de kunst mensen op hun gemak te stellen.

„Ga nou maar rustig zitten en vertel me eens wat er aan de hand is, jongen," zegt de boer op zijn kalme manier als Barend mopperend het achterhuis verlaten heeft. „Wat vertik jij en wat bedoelt Barend als hij het over jou en Tonnie heeft?"

De rust van de boer heeft een kalmerende uitwerking op Koos, maar voordat hij antwoord op de vragen van zijn vader geeft, drinkt hij eerst een kroes water leeg. Zijn keel is droog en hij staat te trillen op zijn benen. „Ik weet dat je het beste met ons voor hebt, pa, maar wat je van me vraagt kan ik niet doen. Ik geef niks om Aagd Volbers en ik wil dus ook niet met haar trouwen."

„Dat is een antwoord op het eerste deel van mijn vraag. Hoe staat het tussen jou en Tonnie?"

„Ik hou van Tonnie en zij houdt van mij, pa. Dat is al een poos zo en het kost me moeite genoeg het voor jullie te verbergen."

„Dat is je ook niet helemaal gelukt, jongen, want ik heb mijn ogen niet in mijn zak. Je mag gerust weten dat ik me al een poos zorgen maak om de manier waarop jij naar dat meisje kijkt. Ik zie ook wel het verschil tussen Aagd en Tonnie, maar jij bent mijn zoon en lid van een oud en welvarend boerengeslacht. Tonnie is mooi en lief, maar zij bezit geen cent. Wat wil je nou?"

„Ik weet dat je nijdig wordt als ik uitspraken van je overneem, pa, maar om je duidelijk te maken hoe ik erover denk, moet ik het wel doen. Ik eet liever een boterham met reuzel bij Tonnie dan een boterham met spek bij Aagd."

„Je weet niet wat je zegt, jongen. Als jij met Tonnie verder zou willen gaan, wat God verhoede, dan ken je de consequenties. Jij bent geen armoede gewend en je gaat je ongeluk tegemoet."

„Met Tonnie?"

„Ja, met Tonnie, want na enkele jaren is het mooie ervanaf en dan blijft de armoe over. Knecht worden bij een boer in ons dorp wil jij toch niet en jij wilt ons die schande toch ook niet aandoen?"

„Dat heb jij zelf in de hand, pa. Je hoeft me toch niet te onterven."

„En denk jij dat Barend en Kee er genoegen mee nemen als ik dat niet doe?"

„Van Kee weet ik het niet, maar Barend begon me al te dreigen dat ik hem op mijn weg zou vinden als ik met Tonnie verder zou willen gaan."

„Zie je nou wel!"

„Doe wat je denkt dat goed is, pa, maar Aagd Volbers moet ik niet en Tonnie laat ik nooit in de steek!"

„Ik heb een nare boodschap voor je Ada," zegt de boer als hij na het gesprek met Koos bij de bedstee van zijn vrouw komt.

„Wat dan, Kees, je maakt me aan het schrikken."

„Het is ook niet niks, meissie. Koos vertikt het om werk te maken van Aagd Volbers en daarbij vertelt hij me doodleuk dat hij van Tonnie houdt en haar nooit meer in de steek zal laten."

„Dat laatste verbaast me niet, Kees."

„Wist jij ervan?"

„Jij hebt toch ook wel gezien hoe die twee naar elkaar kijken. Koos is mijn kind en zijn gevoelens kan hij niet voor mij verborgen houden."

„Eerlijk gezegd voor mij ook niet," moet de boer bekennen en dat is Ada een pak van het hart, want haar man vraagt niet verder en dus hoeft zij hem niet te vertellen dat zowel Koos als Tonnie haar hun liefde voor elkaar al toevertrouwd hebben.

„Jij kent Koos ook, hoor ik wel, Kees."

„Maar nu Koos zo'n star standpunt inneemt, kunnen wij Tonnie niet langer handhaven, Ada."

„Oh, wat erg! Moet het lieve kind weg?"

„Als zij een verhouding met Koos heeft, kan ze hier toch niet blijven, of vind jij van wel?"

„Je hebt natuurlijk gelijk, Kees, maar het gaat me zo aan het hart dat lieve kind weg te moeten sturen. Ze kan nergens heen en bovendien kan ik haar niet missen."

„Toch zal ze iets anders moeten zoeken, want hier kan ze niet blijven, Ada. Het is jouw taak het haar te zeggen."

„Dat zal ik ook wel doen, Kees, maar ik zet haar niet meteen op straat."

„Dat vraag ik ook niet van je, vrouwtje."

„Ik zal haar zeggen dat ze vlug een andere betrekking moet zien te vinden, maar tot zo lang blijft ze hier, goed?"

„Denk niet dat het mij niet spijt dat dat lieve meisje weg moet, Ada, maar het is nou eenmaal niet anders. Twee geliefden onder één dak kan niet door de beugel. Als Koos zijn zin doordrijft, staat ons bovendien nog een boel ellende te wachten. Mijn toestemming krijgt hij niet, hoor!"

„Stuur Tonnie maar even naar me toe, Kees, dan zal ik haar meteen op de hoogte stellen." Ada Vlieland is bang dat ze weer de hele nacht wakker zal liggen als ze de vervelende boodschap aan het adres van Tonnie uitstelt.

„Mijn vrouw vraagt of je even bij haar wilt komen," zegt de boer als hij Tonnie in de keuken aantreft.

„Is er iets met haar of heeft ze iets nodig?" Tonnie kijkt de boer met een bezorgd gezicht aan en daardoor krijgt Kees Vlieland een brok in zijn keel. Tonnie, die zijn zieke vrouw naloopt of het haar eigen vlees en bloed betreft, moet nu horen dat ze hier niet langer gewenst is. Hij moet even slikken om dat te verwerken, maar dan vermant hij zich, want zwakte in deze situatie tonen is niets voor hem.

„Ze moet je iets vertellen, Tonnie," zegt hij met een strak gezicht.

„Goed, ik ga al." Vlug gaat Tonnie naar de kamer met de bedstee waarin ze de boerin weet en ze vraagt zich af wat de boerin haar te vertellen heeft.

„Oh, ben je daar, Tonnie," zegt de boerin als ze het meisje dat zij een nare boodschap moet overbrengen, ziet komen.

„Hebt u iets nodig, vrouw Vlieland?"

„Nee kindje, ga even zitten, ik heb een nare boodschap voor je. Het gaat over jouw omgang met Koos en de consequenties daarvan."

„Wat bedoelt u?"

„De baas is ervan op de hoogte dat jullie van elkaar houden en dat Koos jou niet wil opgeven. Twee geliefden onder één dak druist in tegen de goede zeden van deze streek, lieve Tonnie, en dus moet je omzien naar een andere betrekking."

„Oh, wat erg! Is uw man erg boos op Koos en mij?"

„Heeft hij naar tegen je gedaan toen hij je vroeg naar mij toe te komen?" Ada Vlieland kan het zich niet voorstellen, maar de vraag van Tonnie brengt haar in verwarring.

„Nee, helemaal niet, integendeel, hij was heel vriendelijk en hij keek mij met een zachte blik aan."

„Gelukkig! Mijn man en ik vinden het heel erg dat je weg moet, Tonnie, maar het is niet anders."

„Ik begrijp het, maar ik weet niet waar ik zo gauw heen moet, vrouw Vlieland."

„Ik zet je niet meteen op straat, hoor! Je krijgt de tijd om iets anders te zoeken en als ik je daarbij behulpzaam kan zijn, dan moet je het maar zeggen."

„De betrekking hier heb ik aan meneer pastoor te danken.

Misschien kan hij me wel helpen. Als ik niet vlug wat anders vind ga ik wel met hem praten."

„Doe dat, kindje. Ik hoop toch zo dat je vlug iets goeds vindt, want ik heb het er zo ontzettend moeilijk mee. Jij verzorgt me als ware ik je eigen moeder. Als ik het nog mag meemaken dat jij mijn schoondochter wordt, dan zal ik je als mijn eigen kind beschouwen, Tonnie."

„Een lievere schoonmoeder kan ik me niet voorstellen, vrouw Vlieland. De dag waarop ik u moeder in plaats van vrouw Vlieland zal mogen noemen, zal een van de mooiste dagen in mijn leven zijn."

„Ik zocht je, lieveling," zegt Koos als Tonnie uit de kamer van de boerin komt. „Pa weet het van ons."

„Jouw moeder heeft me dat zojuist verteld, Koos."

„En, wat heeft ze verder gezegd?"

„Dat ik een andere betrekking moet zoeken. Twee geliefden onder één dak druist in tegen de zeden van de gemeenschap."

„Ik wist het van tevoren, lieveling, maar ik kon de liefde die ik voor jou voel niet langer geheim houden." En dan vertelt Koos wat er die middag tussen hem, Barend en zijn vader is voorgevallen. „Mijn vader trekt zijn handen van me af als ik mijn zin doordrijf, maar ik ben niet van plan om voor zijn dreigement te zwichten, schatje, dus moeten we maar afwachten wat ervan komt."

„Jouw moeder heeft me haar steun toegezegd bij het vinden van een andere betrekking en misschien ga ik ook met meneer pastoor praten."

„Met meneer pastoor?"

„Ja, want hij heeft me de betrekking hier bij jullie aan de hand gedaan. Zonder meneer pastoor waren wij nooit verliefd op elkaar geworden, jongen."

„Maar zonder meneer pastoor zat jij nu ook niet in de problemen, schatje."

„Ik heb voor hetere vuren gestaan, lieverd. Komt tijd, komt raad. Je moeder zet me niet zomaar op straat, hoor!"

HOOFDSTUK 10

„Moet je echt weg, Tonnie?" Ka Bredeveld kan er met haar verstand niet bij dat de eerste meid aan wie zij haar plaats op de Sweykerhoeve te danken heeft, plotseling weg moet. „Ja, er is niks aan te doen, Ka, maar ik ga pas weg als ik iets anders gevonden heb."

„Dan hoop ik dat je niet gauw wat vindt," reageert Ka in haar onschuld. Zij leeft bij het moment en ze vindt het verschrikkelijk dat ze straks weer met een nieuwe eerste meid zal moeten werken. Tonnie is zo vertrouwd. Van de boerin houdt zij ook wel, maar die ligt nu meestentijds in bed.

„Maar ik heb niet eindeloos de tijd om iets anders te vinden, hoor Ka!" Tonnie heeft medelijden met het wat simpele meisje, dat als een klit aan haar hangt.

„Je komt toch wel op de bruiloft van mijn broer en Rietje Derkse, hè?"

„Ja natuurlijk, Rietje is immers mijn vriendin." En dan gaat er bij Tonnie een lichtje branden. Dat ze daar niet eerder aan gedacht heeft. Rietje gaat trouwen en dan komt haar dienstje bij mevrouw Coenraeds, de vrouw van de notaris, vrij.

Nog diezelfde avond vertelt ze Rietje, die ze op de naailes ontmoet, wat er op de Sweykerhoeve is voorgevallen en dat ze moet omzien naar een andere betrekking. Dan blijkt dat mevrouw Coenraeds nog geen ander meisje op het oog heeft, sterker nog, ze heeft Rietje gevraagd of zij iemand weet die haar kan opvolgen. „Ik zal er meteen vanavond met mevrouw over praten. Als ze wil weten hoe jij bent, dan hoeft ze het alleen maar aan meneer Degenaar, jouw vroegere commensaal, te vragen."

„Dat is waar ook, Anton Degenaar is klerk bij de notaris. Hoe is het met hem?"

„Ik spreek hem niet zo vaak, maar als wij een praatje maken dan vraagt hij altijd naar jou en zegt me dat hij zulke goede herinneringen heeft aan de tijd die hij bij jou en je opa heeft doorgebracht. In zijn huidige kosthuis schijnt hij het veel minder naar zijn zin te hebben."

„Och, die goeie Anton. Als ik jouw plaats bij de notarisvrouw kan krijgen dan zie ik hem weer vaak en dat vind ik erg plezierig, want het is een hartelijke man."

„Volk!" Tonnie loopt naar de deur als ze de bekende roep hoort. Ze is benieuwd wie er zo vroeg in de morgen al aanklopt bij de Sweykerhoeve. Een bekende is het niet, want die zou gewoon doorlopen. Er staat een jongen van een jaar of vijftien op de stoep.
„Wat is er van je dienst, jongeman?" vraagt ze.
„Ik ben Henk Voortman en ik werk als loopjongen bij notaris Coenraeds. Mevrouw Coenraeds heeft me gestuurd om te vragen of juffrouw Pasman even bij haar langs kan komen."
„Dat ben ik. Zeg maar tegen mevrouw Coenraeds dat ik na het middageten zal komen en jij bedankt voor je boodschap, hoor!" In haar enthousiasme over de snelle reactie van de notarisvrouw wil ze meteen naar de boerin en naar Koos lopen om te vertellen dat ze deze middag naar het notarishuis gaat. Ze maakt al aanstalten om te gaan als ze bedenkt dat het eigenlijk beter is te wachten tot zij zekerheid heeft. Als mevrouw Coenraeds nog niemand op het oog heeft, zoals Rietje zei, dan maakt zij zeker een grote kans om aangenomen te worden. Zowel Rietje als Anton zal haar aanbevelen, maar je weet nooit zeker of mevrouw niet toevallig net iemand anders gevonden heeft. Och nee, natuurlijk niet, waarom zou ze anders moeten komen. Ze maakt zich weer nodeloos zorgen.

„Had je het op de Sweykerhoeve niet meer naar je zin, Tonnie?" vraagt mevrouw Coenraeds die middag als ze tegenover elkaar zitten. Dan vertelt Tonnie eerlijk waarom ze weg moet en mevrouw glimlacht begrijpend. Zelf komt ze niet uit de streek, maar ze woont er al vele jaren met haar man die nogal wat contacten met rijke boeren heeft. Daardoor kent ze ook wel de gewoonte van die boeren hun kinderen aan rijke soortgenoten te koppelen. In dit geval koos een jonge boer voor een arm meisje en als ze naar het mooie gezichtje en het ranke figuurtje van Tonnie kijkt, dan begrijpt ze wel waarom. Anton Degenaar heeft niet overdreven toen hij haar beschreef, maar dat ze goed kan werken, heerlijk kan koken en een lief karakter heeft vond ze toch nog wat belangrijker. Tonnie wordt aangenomen en ze kan meteen na de trouwerij van Rietje, en dat is over tien dagen, al beginnen. Ook over het loon en de vrije tijd worden ze het vlug eens en ten slotte vindt ze haar kamertje ook prima.

„Nog maar tien dagen," huilt de boerin als Tonnie haar het nieuws vertelt. „Ik zal je zo missen, kindje," snikt ze en Tonnie heeft met haar te doen. Ook heeft ze met Koos te doen, want als die het hoort gaat hij stil in een hoekje zitten en kijkt haar met bedroefde ogen aan.

„Ik ben de wereld niet uit, jongen," zegt ze om hem wat op te beuren. „Je weet dat ik op woensdagavond naailes heb. Na afloop daarvan kun je me toch afhalen."

„Nu zie ik je elke dag en dan maar één keer in de week."

„De lente is in aantocht en bij de notarisvrouw ben ik 's avonds vaak vrij. We kunnen dan toch wat bij het meer gaan wandelen."

„Dat doen we, schatje!" Koos fleurt er helemaal van op. Op een mooie avond in de lente samen met Tonnie op een bankje bij het meer. Hij ziet het al helemaal voor zich.

De tien dagen die Tonnie nog resten, besteedt zij deels om samen met de boer op zoek te gaan naar een nieuwe eerste meid. Het wordt Gree Danker, een forse meid van vierentwintig.

Het werk in het notarishuis lijkt op dat bij mevrouw Van Nisperden, maar er is wel een groot verschil. Tonnie heeft er niet te maken met een naarling als Coba Tuling, maar met mevrouw zelf en dat is een lief mens. Algauw kunnen ze het samen uitstekend vinden en met de notaris heeft ze ook geen enkele moeite. Als ze hem op zijn kantoor de koffie brengt is hij altijd erg vriendelijk en Anton Degenaar noemt ze nu meneer. Voor Anton hoeft dat niet, maar zij wil het zo. In haar eigen omgeving vond ze het niet bezwaarlijk hem Anton te noemen, maar hier in het deftige notariskantoor krijgt ze dat niet over haar lippen.

Hoewel Tonnie het in haar nieuwe betrekking goed getroffen heeft, mist ze toch de Sweykerhoeve en de beesten, maar vooral haar bewoners. Ze verlangt naar Koos en ze is blij als hij haar die woensdagavond bij het dorpshuis opwacht. De afstand van het dorpshuis naar het huis van de notaris is niet groot, maar ze hebben toch de gelegenheid wat te praten en in de poort naast het grote notarishuis kunnen ze ongezien wat knuffelen.

„Wat ben ik blij je weer in mijn armen te kunnen houden, lieveling," fluistert Koos tussen twee innige en lange kussen door. „Ik mis je ieder uur van de dag en Kaatje zie ik vaak met een droevig gezicht haar werk doen. Ook zij mist je."

„En hoe is het met je moeder?"

„Het gaat niet goed; ze wordt steeds magerder en de bedstee komt ze nu helemaal niet meer uit."

„Ik heb het getroffen bij de notaris, jongen, maar ik mis jullie ook zo erg. Jou zie ik nog, maar je moeder niet en dat doet me pijn."

Terwijl Koos en Tonnie naar het notarishuis onderweg zijn, klitten de dochters van rijke boeren samen voor het dorpshuis. Nieuwsgierig vragen ze elkaar of iemand weet of er iets is tussen Koos en Tonnie. Ze zijn ontstemd, want Koos Vlieland is een van hen en daar heeft een armoedzaaier als Tonnie Pasman niks mee nodig. Ze nemen zich voor Tonnie de volgende week ter verantwoording te roepen, maar als ze dat ook werkelijk doen haalt Tonnie haar schouders op en zegt niet te begrijpen waar ze het over hebben. De meiden geven zich mokkend gewonnen, maar als Koos er diezelfde avond weer staat, komen de tongen pas echt los.

„Wat kijken die meiden nijdig," zegt Koos als hij zijn lieve meisje afhaalt en weer haalt Tonnie haar schouders op. Ze vertelt Koos maar liever niet wat die meiden allemaal voor commentaar hebben, temeer niet omdat Koos nogal nerveus is.

„Je bent zo gespannen, Koos, is er iets?" vraagt ze bezorgd als ze samen in de poort van het notarishuis wat knuffelen en kussen.

„Moe gaat erg achteruit. De dokter is vandaag weer geweest en toen hij wegging adviseerde hij ons haar goed in de gaten te houden."

„Jullie moeten toch nog niet waken?" schrikt Tonnie.

„Dat heeft hij niet met zoveel woorden gezegd, maar wat is het verschil. Ik maak me zo ongerust, lieveling."

„Ga dan maar gauw naar huis, jongen, en doe haar de groeten van me. Jij veel sterkte, hoor!" Na een laatste kus neemt ze met angst in haar hart afscheid en die nacht kan ze de slaap nauwelijks vatten. Telkens moet ze denken aan de zieke boerin. Was ze nog maar op de hoeve dan kon ook zij haar in de gaten houden.

Als Koos thuiskomt is zijn eerste gang naar de bedstee en hij is blij dat zijn moeder wakker is. „Gaat het een beetje, moe?" vraagt hij bezorgd, maar in plaats van te antwoorden grijpt de boerin zijn hand.

„Waar was je vanavond, jongen? Bij Tonnie?"

„Ja moe, ik heb haar opgehaald bij het dorpshuis en ik ben even met haar meegegaan naar het notarishuis."

„Jij kunt haar niet opgeven, hè?"

„Nee moe, dat kan ik niet. Je moet de groeten van Tonnie hebben. Ga maar lekker slapen en maak je om mij niet te druk." Met een brok in zijn keel gaat Koos terug naar de kamer, waar de anderen ook met bezorgde gezichten zitten. De pap smaakt hun die avond niet en tijdens het gebed wordt er extra gebeden voor het herstel van moeder, maar veel hoop hebben ze er niet op.

Als de dokter de volgende dag komt kan ook hij niet veel hoop geven, integendeel, hij wil langs de pastorie gaan om meneer pastoor te waarschuwen.

„Moet moeder bediend worden, dokter?" vraagt de boer met een angstig gezicht en als de dokter knikt, worden zijn ogen vochtig. „Dan zal ik de buurvrouw vragen Gree te helpen om alles klaar te zetten wat meneer pastoor nodig heeft."

„Doe dat, Vlieland. Ik ga nu naar de pastorie." Met een bezwaard gemoed neemt dokter Van Laarhoven afscheid. Hij vindt het altijd moeilijk mensen te moeten waarschuwen dat het tijd is de patiënt te laten bedienen.

Als de dokter weg is gaat de boer naar de buurvrouw en die gaat vlug met Gree aan het werk. Nabij het ziekbed van de boerin plaatst zij een tafel en bedekt die met een witte doek. Daarop zet zij een kruisbeeld, een brandende waskaars, wijwater, enige watten en een weinig drinkwater.

Als meneer pastoor komt knikt hij goedkeurend dat de vrouwen alles netjes hebben voorbereid. Vervolgens zalft de pastoor de vijf zintuigen van de zieke met Heilige Olie, terwijl hij bidt: "Door deze Heilige zalving en zijne goedertierendste barmharigheid vergeve u de Heer al hetgeen gij misdaan hebt door het gezicht. Amen."

Die dag waken de huisgenoten op toerbeurt bij de zieke boerin. Ook Koos komt aan de beurt en hij moet zich goed houden om zijn moeder niet al te veel emoties te bezorgen, maar het valt niet mee. De vrouw die hem, zolang hij het zich kan herinneren, met alle mogelijke liefde omringd heeft, is al bediend en zal dus zeker gaan sterven. Hij wil het nog niet geloven. Zijn lieve moeder nooit meer zien. Het is hem een gruwel. En dan pakt de boerin zijn hand en zegt zacht: „Ik zal wel met je vader praten en hem zeggen dat het mijn wens is dat jij met Tonnie trouwt, lieve jongen."

„Dank je, moe." Koos neemt het hoofd van zijn moeder in zijn beide eeltige handen en drukt een kus op elke wang, maar dan moet hij zich even omdraaien, want hij kan zijn emoties niet langer bedwingen, tranen lopen over zijn wangen en zijn schouders schokken.

„Ik hoop dat het tranen van vreugde zijn, jongen. Pa zal mijn wens wel eerbiedigen en als ik weet dat jij gelukkig wordt met Tonnie, zal ik gerust kunnen sterven."

„We gaan pap eten en bidden, Koos. Kom maar, ik neem het zo van je over." De boer is geruisloos de kamer binnengekomen en legt een hand op de schouder van zijn jongste zoon, want hij ziet dat de jongen het moeilijk heeft. Zelf is hij er ook slecht aan toe, maar hij probeert zijn emoties voor de anderen te verbergen.

Na het pap eten en bidden legt de boer zich naast zijn vrouw te rusten, maar van slapen komt niets. Moe is hij wel, maar slapen wil hij niet. Hij zou het verschrikkelijk vinden als Ada zou overlijden terwijl hij zou liggen te slapen. Ook de boerin ligt wakker en plotseling pakt zij de hand van haar man en fluistert: „Kees, je moet even goed naar me luisteren. Ik weet en jij weet het ook dat ik nog maar heel kort te leven heb. Mijn liefste wens is altijd geweest dat mijn kinderen gelukkig worden. Kee houdt veel van Gijs, maar die liefde is helaas niet wederzijds. Het huwelijk tussen Barend en Trees is… eh…"

„Wat is er moeder?"

„Geef me een slokje water, Kees, want het praten valt me moeilijk."

„Hier, drink maar." Kees Vlieland tilt het hoofd van zijn vrouw wat op om haar te laten drinken. „Moet je nou zoveel praten, Ada, als het je zo vermoeit?"

„Ik wil het, Kees, luister alsjeblieft naar me. Ik wilde zeggen dat het huwelijk tussen Barend en Trees een verstandshuwelijk is waar geen greintje liefde aan te pas komt. Dat doet me pijn, jongen."

„Maar het gaat om de toekomst van de hoeve en het behoud van ons kapitaal, lieve Ada."

„Weet ik wel, jongen, maar maak een uitzondering voor Koos. Onze jongste houdt van Tonnie en Tonnie houdt van hem. Het is een lief meisje en ze wordt zeker een goede boerin. Mijn laatste wens is dat je die twee met elkaar laat trouwen. Beloof het me, Kees, want anders kan ik niet met een gerust hart sterven."

„Je vraagt veel van me, liefste, maar ik beloof het je."

„Dank je wel, lieve man van me; nu kan ik met een gerust gevoel sterven." Uitgeput sluit de zieke en danig verzwakte boerin haar ogen en zakt weg in een onrustige slaap. De boer blijft klaarwakker en voor melkestijd is hij al het bed uit en vraagt Koos naar de dokter te gaan. Dokter Van Laarhoven weet precies wat er op de Sweykerhoeve aan de hand is en hij gaat onmiddellijk mee. Op de hoeve aangekomen ziet hij dat de boerin de avond zeker niet zal halen.

Als Koos bij haar ziekbed komt en haar aankijkt, knikt ze en prevelt: „Ik heb met je vader gesproken, haal Tonnie!"

Nooit zal Koos zich later herinneren hoe vlug hij de merrie voor de tilbury gespannen heeft en vervolgens de afstand tussen de hoeve en het notarishuis overbrugd heeft. Dan schrikt hij zelf van de harde klank van de bel in de grote hal van dat huis. Het is Tonnie zelf die opendoet.

„Koos, wat is er?" vraagt ze verschrikt, maar Koos neemt niet de tijd uitleg te geven.

„Kom gauw mee naar de hoeve, liefste, moe is stervende en ze wil jou nog zien."

„Ik kom, even wat aantrekken." Pas dan ziet Koos dat zijn meisje in een soort kamerjas aan de deur gekomen is. De notaris, die wakker geworden is van het tumult, komt ook de gang in en hem legt Tonnie uit wat er aan de hand is. Vlug kleedt ze zich aan en nog geen vijf minuten later zit ze bij Koos op de tilbury. Die legt haar in enkele woorden uit wat zijn moeder hem gezegd heeft.

„Moeder is gisteren bediend en de dokter is bij haar. Het is nu een kwestie van uren, schatje. Ik heb vreselijk veel verdriet, maar de woorden van mijn moeder geven mij hoop dat wij met toestemming van pa met elkaar zullen kunnen trouwen." Hij spoort vervolgens het paard tot snellere draf aan, want hij wil dat moeder nog leeft als hij met Tonnie bij haar komt. Thuis hoort hij dat moeder nog leeft en vlug gaat hij met Tonnie naar haar toe.

„Oh, ben je daar Koos en jij ook, Tonnie?" vraagt ze fluisterend. Dan pakt ze een hand van haar zoon en een hand van Tonnie en legt die op elkaar. Haar twee handen legt ze erbovenop en dan fluistert ze met een glimlach om haar mond: „Word gelukkig samen en vernoem een kindje naar me."

Dan komen Barend, Kee en Gijs de kamer binnen. Barend is zijn zuster en zwager gaan waarschuwen dat het afloopt met moeder. Zij hebben de woorden die moeder tot Koos en Tonnie sprak, niet gehoord en het samenvoegen van hun handen niet gezien. Nog net krijgen ze de gelegenheid afscheid van de boerin te nemen, want nog geen vijf minuten na hun komst sterft ze. Dokter Van Laarhoven drukt haar de ogen dicht en condoleert de familie, die er verslagen bij zit. Barend en Kee zijn verbaasd dat Tonnie er is, maar de boer legt hun uit dat moeder ook afscheid van Tonnie, die haar zo liefdevol heeft verzorgd, wilde nemen. Hij praat niet over de laatste wens van zijn vrouw en dat verontrust zowel Koos als Tonnie. Koos kijkt zijn vader vragend aan en deze schudt dan zijn hoofd. Wat dat betekent weet Koos niet. Het kan zijn dat hij er in het bijzijn van de anderen nu niet over wil praten, maar het kan ook zijn dat hij geen gehoor wenst te geven aan de wens van moeder.

Als Koos Tonnie met de tilbury terugbrengt naar haar dienst, zijn zijn ogen nat en is hij erg onrustig. Hij is onrustig, omdat hij niet weet wat zijn vader wilde zeggen door zijn hoofd te schudden na zijn vragende blik. Hij spreekt zijn gedachte uit en Tonnie luistert, maar zij maakt zich niet zoveel zorgen.

„Als jouw vader niet met de laatste wens van jouw moeder ingestemd had, dan had jouw moeder onze handen niet samengevoegd, lieverd," probeert ze Koos gerust te stellen.

Als Koos terugkomt op de hoeve zijn de vrouwen bezig met het afleggen van de boerin. Vader en Barend zijn gaan melken en Koos doet dan maar hetzelfde. Alles draait gewoon door alsof er nooit een boerin bestaan heeft. Daar moet hij aan denken en de tranen druppen uit zijn ogen. Moe dood! Hij beseft het nog maar half. Moe is dood en zij zitten met hun drieën te melken of er niets gebeurd is. De eerste zonnestralen proberen de horizon al te verlichten en de vogels fluiten hun hoogste lied. Hij drukt zijn hoofd tegen het warme koeienlijf en hij kan niet beletten dat zijn schouders schokken. Moe is dood, maar kort voordat zij stierf voegde zij de handen van Tonnie en die van hemzelf samen en wenste hun veel geluk. Een kindje van hen zou haar naam moeten dragen. Heeft Tonnie gelijk dat pa de laatste wens van zijn moeder zal respecteren? Ja natuurlijk zal hij dat! Waarom twijfelt hij toch aan zijn vader? 'Je vader is een lieve man, Koos,' zei Tonnie.

Na het melken staat het ontbijt als elke morgen op tafel, maar Koos krijgt geen hap door zijn keel. Zijn ogen zijn rood en als hij probeert een stukje brood te eten, stikt hij er bijna in. „Zal ik nog wat melk bijschenken, Koos?" vraagt Gree Danker, de nieuwe meid. Zij is verbaasd dat juist Koos, de branieschopper en haantje de voorste, zich de dood van zijn moeder zo aantrekt. Eerder had zij verwacht dat Barend van streek zou zijn, maar diens ogen blijven droog.

„Doe maar, Gree," zegt Koos en hij drinkt zijn kroes melk in één teug leeg. De prop in zijn keel verdwijnt en hij eet dan maar een boterham. Het is een somber gezin dat daar om de tafel zit. Er wordt ook weinig gesproken, want ieder is met zijn eigen gedachten bezig. Als er gestommel bij de deur is, zien ze de oude pastoor verschijnen.

„Ik heb het droeve nieuws van dokter Van Laarhoven vernomen, beste mensen. Het is nog wel vroeg, maar ik ben toch maar gekomen. Een woord van troost zal jullie goed doen." Hij condoleert de aanwezigen en bidt samen met hen voor het zielenheil van de overledene.

Er breken nu onwezenlijke dagen aan. Eerst wordt de boerin gekist en de volgende avond komen buren, familie en bekenden bidden. In de grote kamer staat de kist en de mensen scharen zich eromheen. De belangstelling doet de bewoners van de Sweykerhoeve goed, maar hun verdriet wordt er niet door weg genomen. Koos kijkt naar het strakke gezicht van zijn moeder. Om haar mond dicht te houden is er een blokje onder haar kin geschoven. Haar handen met daarin een rozenkrans liggen gevouwen op haar borst. Koos zou die handen, die de zijne en die van Tonnie zo innig samengevoegd hebben, willen omvatten om zijn moeder te bedanken voor dat gebaar. Helaas kan dat niet meer.

De volgende dag is de kist gesloten en naar de kerk overgebracht waar een rouwdienst voor de overledene gehouden wordt. De status van de boerin van de Sweykerhoeve zorgt ervoor dat de kerk tot de laatste plaats bezet is. De oude pastoor, die de boerin vele jaren gekend heeft, spreekt lovend over haar en alle dorpelingen zijn het met hem eens, want Ada Vlieland was een goed mens. Tonnie moet haar ogen meermalen drogen, want de lovende woorden van meneer pastoor zijn haar uit het hart gegrepen.

Na de rouwmis en de begrafenis is er gelegenheid tot condoleren in de zaal achter het café van Mans Grootveld. Er is koffie en er zijn broodjes, maar Tonnie krijgt geen hap door haar keel. Zij condoleert de familie, want in de consternatie vlak na de dood van de boerin heeft ze daar niet zo gauw aan gedacht. Als zij de boer condoleert, houdt die haar hand even vast en zegt zacht: „Kom zondag na de mis naar de Sweykerhoeve, Tonnie, dan kunnen we even rustig praten."

Koos, die naast zijn vader staat, heeft het gehoord. Hij zou Tonnie aan zijn hart willen drukken, maar dat gaat niet. Wel zegt-ie zacht: „Tot zondag."

Zwaar onder de indruk van het droevige gebeuren loopt Tonnie terug naar het notarishuis. Ze is bedroefd. Weer is haar iemand ontvallen waar ze veel van gehouden heeft, maar nu staat ze in haar verdriet niet alleen. Koos heeft nog meer verdriet en hem zal ze moeten troosten zodra ze weer samen zijn. Dat gebeurt aanstaande zondag al, want dan is ze door de boer op de Sweykerhoeve uitgenodigd. 'Dan kunnen we even rustig praten,' zei hij. Gaat hij haar vertellen dat zij het gebaar van de stervende boerin maar moet vergeten? Of... ze durft niet verder te denken. Wat ook zijn boodschap zal zijn, voor haar staat vast dat zij zonder Koos niet verder kan. Maar die avond in bed blijft ze maar door piekeren over de woorden van de boer. Wat gaat hij haar vertellen? Loopt alles voor zowel haar als voor Koos uit op een teleurstelling? Stel dat de boer zegt dat alles een misverstand is, wat gebeurt er dan? Koos zal wel doorzetten, maar wat hebben zij dan voor een toekomst? Met een gewone jongen uit haar eigen kring zou dat geen problemen geven, maar Koos kan nergens terecht. Wie neemt er nou de zoon van een rijke boer als knecht? Ze slaapt pas tegen de ochtend in en wordt wakker door de ratelende wekker. Ze hoeft niet meer zo vroeg op als op de Sweykerhoeve, maar toch schrikt ze, want ze sliep nog vast. De emoties van de afgelopen dagen zijn haar niet in de kouwe kleren gaan zitten.

„Ik ga na de mis even bij de familie Vlieland langs, mevrouw," zegt Tonnie die zondagmorgen tegen haar bazin. „Daar doe je goed aan, Tonnie," reageert de notarisvrouw, „die mensen kunnen na het overlijden van de oude boerin wel wat steun gebruiken." Tonnie knikt, maar de werkelijke reden waarom ze naar de hoeve gaat, houdt ze voor zichzelf. Ze kan aan niets anders meer denken. De mis ondergaat ze als in een roes. Wat de pastoor zegt in zijn preek dringt niet of nauwelijks tot haar door, maar als ze de naam van de boerin hoort noemen, ontwaakt ze min of meer uit haar gemijmer. Ze bedenkt dat ze moet opletten, want als de boer, die ook in de kerk is, erover begint, dan moet ze wel zo ongeveer weten waar het over ging.
Als de mis afgelopen is wil ze niet meteen naar de hoeve lopen. Ze moet er zeker van zijn dat de boer al thuis is als zij er aankomt. Daarom gaat ze eerst even naar het kerkhof. Haar ouders en grootouders liggen er begraven. Ze komt langs het nog verse graf van de boerin. Een steen staat er nog niet op, maar zij is ervan overtuigd dat het een mooie steen zal worden. Mooier dan de eenvoudige steentjes op de graven van haar overleden familieleden. Bij elk graf bidt ze een kort gebed en als ze daarmee klaar is acht ze de tijd gekomen om naar de Sweykerhoeve te gaan. Ze is die weg vele malen gegaan, maar nu voelt zij haar hart kloppen. Wat moet ze nou doen? Gewoon naar binnen gaan, zoals altijd, of volk roepen en wachten tot er iemand komt? Als ze bij de

hoeve komt is ze blij die keuze niet te hoeven maken, want Koos staat haar al op te wachten.

„Is je vader er al?" vraagt ze en Koos knikt.

„Kom maar mee," zegt-ie en hij drukt een vluchtig kusje op haar mond. Binnen begroet ze de boer, Barend en Gree Danker.

„Breng de koffie voor Tonnie, voor Koos en voor mij maar in de grote kamer, Gree," zegt de boer en tot Barend: „Neem me niet kwalijk, jongen, maar ik wil even met Koos en Tonnie praten." Barend knikt. Hij weet niet wat hij van de komst van de vroegere meid denken moet, maar hij weet wel dat hij weer onder de bekoring van de mooie Tonnie komt. Zou Koos zijn zin toch willen doordrijven? Als pa maar zo verstandig is er en stokje en voor te steken, want waarom zou Koos het familiekapitaal wel mogen versnipperen en hij niet? Hij zou ook wel liever gaan boeren met Tonnie dan met Trees, maar dat gaat nou eenmaal niet.

Tonnie is onkundig van de gedachtegang van Barend, maar zij ziet wel weer die vreemde wat getergde blik in zijn ogen. Het lijkt wel of hij jaloers is op Koos. Van Koos heeft zij wel begrepen dat die twee ruzie gehad hebben, maar waar het precies over ging en wat Barend gezegd heeft waardoor haar jongen zo kwaad geworden is, wilde hij haar niet vertellen.

Als Gree de koffie gebracht heeft wordt er eerst nog wat nagepraat over de begrafenis. In de grote kamer heeft Tonnie heel wat uurtjes met de gestorven boerin doorgebracht en nu ze er weer is zonder die lieve vrouw, krijgt ze een brok in haar keel. Ze moet zich beheersen om niet in tranen uit te barsten, maar ze kan niet verhinderen dat haar ogen vochtig worden en dat ze die met een zakdoekje moet drogen. In haar dienst bij de notarisvrouw kon ze de eerste dagen na het overlijden van de boerin er wat afstand van nemen, maar hier herinnert ieder schilderij, ieder meubelstuk en zelfs ieder koffiekopje haar aan de vrouw die als een moeder voor haar was. Ondanks haar inspanningen kan ze zich toch niet beheersen en moet ze snikkend haar hoofd afwenden. Ze schaamt zich ervoor de boer en Koos, die veel dichter bij de overledene staan, door haar gesnotter aan te steken, maar ze kan er niks aan doen.

„Jij was erg gesteld op de boerin, hè Tonnie?" vraagt de boer zacht en ook hij moet zijn ogen met zijn grote rode zakdoek drogen. En als Tonnie knikt zegt hij dat dat wederzijds was. „Het heeft ook alles te maken met mijn verzoek aan jou vanmorgen hier te komen, Tonnie." Tonnie zit op het puntje van haar stoel en ook Koos voelt zich duidelijk niet op zijn gemak. Hij zit te draaien op zijn stoel en de spanning is van zijn gezicht af te lezen. Vanaf het moment dat vader Tonnie vroeg deze morgen naar de hoeve te komen voor een gesprek, heeft hij geen rust meer. De vraag aan zijn vader wat de reden was van diens uitnodiging bleef onbeantwoord. „Wacht nou maar rustig tot zondag, jongen, dan hoor je het wel," zei hij. Het is nu zondag en Koos kan niet lijdzaam afwachten tot vader zijn oordeel geveld heeft.

„Moeder heeft de handen van Tonnie en mij vlak voor haar overlijden samengevoegd, pa," zegt-ie, zijn vader verwachtingsvol aankijkend.

„Dat heb ik gezien, jongen, en dat was niet zonder een bedoeling. Je moeder heeft mij vlak voor haar sterven haar laatste wens kenbaar gemaakt en die wens heeft betrekking op jullie beiden."

„Moe heeft er de dag voor haar overlijden met mij over gesproken, pa. Haar wens was dat ik met Tonnie verder zou gaan en ze zei dat ze er met jou over zou praten en je toestemming zou vragen."

„Dat heeft ze gedaan, jongen, en ik heb de wens van je moeder gerespecteerd."

„Echt waar?" Koos springt op en het lijkt wel of alle spanningen van hem af vallen. „Mag ik met Tonnie trouwen, pa, en ga je me niet onterven?" Zonder het antwoord van zijn vader af te wachten, sluit hij Tonnie in zijn armen en zegt: „Dan komt alles goed, lieveling." Het lijkt wel of hij voor een moment de aanwezigheid van zijn vader vergeet.

„Ho, ho, kalm aan!" probeert de boer het enthousiasme van zijn zoon te temperen. „Ik respecteer de laatste wens van moeder maar ik heb wel mijn eigen voorwaarden en voordat ik een beslissing neem over geld en bezittingen, ga ik eerst met Barend en Kee praten."

„Dat je me niet verstoot en me toestemming geeft met Tonnie te trouwen is me al meer waard dan geld en bezittingen, pa. Ik ben rijker met Tonnie dan met al het geld van de wereld."

„Jouw moeders wens is mij heilig, jongen, en ik wens jullie alle denkbare geluk, zoals moeder dat jullie wenste, maar ik sta niet toe dat jij knecht wordt bij een ander. Jij bent boer en je blijft boer."

„Wilde moe dat ook, pa?"

„Jouw moeder stond alleen maar jullie geluk voor ogen en ik voeg dit eraan toe."

„Bedankt, pa," zegt Koos ontroerd en hij pakt beide handen van zijn vader en drukt die tegen zijn borst. De boer laat het hoofdschuddend toe, maar hij krijgt tranen in zijn ogen als Tonnie haar armen om zijn nek slaat en hem ook bedankt.

„Ik heb tegen de boerin gezegd dat ik haar zo graag ooit moeder had willen noemen, maar helaas zal dat niet gebeuren, maar de dag dat ik u vader zal mogen noemen zal ook een hoogtijdag in mijn leven zijn."

„Ik span even het paard voor de tilbury, schatje," zegt Koos als hij ziet dat het middaguur nadert. Van de hoeve naar het notarishuis is het minstens een half uur lopen. Hij weet wel dat de dorpelingen raar zullen opkijken als hij met Tonnie Pasman op zondagmorgen met de tilbury langskomt, maar het kan hem niets meer schelen. Met een glunderend gezicht kijkt hij zijn lieve meisje aan als zij naast hem op de tilbury zit. „Ik ben boer en ik blijf boer en jij wordt mijn lieve boerinnetje," zegt hij bijna juichend.

„En ik zou ook nog rijk met jou zijn al kreeg je geen cent mee en al zou je knecht moeten worden," brengt Tonnie er tegenin. Ze is gelukkig door de uitspraak van de boer, maar nog gelukkiger is zij om hetgeen Koos tegen zijn vader zei. 'Ik ben rijk met Tonnie, pa' zei hij.

In de poort naast het notarishuis nemen ze innig afscheid. „Ik ben mijn moeder zo dankbaar voor haar bemiddeling, Tonnie," zegt hij met verstikte stem. De vreugde van het moment wordt toch weer overschaduwd door de afschuwelijke wetenschap dat zijn lieve moeder dood is en dat zij het geluk van hem en Tonnie niet zelf meer mag meemaken. Nu droogt Tonnie zijn tranen en als Koos zich ervoor verontschuldigt, zegt ze hem dat hij zich niet moet schamen voor zijn verdriet.

Terwijl Koos Tonnie naar het notarishuis rijdt, heeft de boer een gesprek met zijn zoon Barend. Hij vertelt hem wat er allemaal gebeurd is en benadrukt dat hij de wens van moeder om Koos toestemming te geven met Tonnie te trouwen zal eerbiedigen.

„Moe kon wel zoveel wensen, pa, maar Koos moet trouwen met Aagd Volbers," zegt Barend met een kwaad gezicht en verder: „Denk jo dat ik zo gelukkig ben met Trees? Ik zou ook wel met Tonnie willen trouwen, maar ik ken mijn verantwoordelijkheid en jij hebt mij zelf altijd voorgehouden dat verliefdheid in onze kringen geen rol speelt."

„Mocht jij al verliefd zijn op Tonnie, dan zou de liefde van één kant komen, jongen, want Tonnie geeft niet om jou maar om Koos."

„In mijn geval komt de liefde van geen enkele kant, pa. Trees brengt geld mee en dat zou Aagd Volbers ook doen, maar Tonnie brengt niks mee. Koos versnippert ons familiekapitaal."

„Is dat je zorg, Barend?" De boer is pijnlijk getroffen door de woorden van zijn oudste zoon. 'Moe kon wel zoveel wensen,' zegt-ie.

„Luister pa, ik heb Koos gewaarschuwd dat ik het niet accepteer dat hij ons familiekapitaal versnippert; je moet hem onterven!"

„Ik moet niks, Barend!"

212

„Heeft moe dan niet over geld of over voorwaarden gesproken toen ze haar wens uitte?"

„Je moeder bemoeide zich nooit met dat soort zaken, jongen."

„Maar als ik het goed begrijp zette ze jou wel onder druk Koos toestemming te geven met Tonnie te trouwen en jou kennende zul jij nooit gedogen dat hij knecht in dit dorp wordt."

„Je moest je schamen, Barend, om zo over de laatste wens van je moeder te praten. Ik heb nooit geweten dat jij zo gebrand bent op het behoud van ons familiekapitaal. Nou, je krijgt je zin, jongen, want Trees brengt een boel geld mee en jij bent straks boer op de Sweykerhoeve, de grootste boerderij van het dorp of is dat je nog niet genoeg?"

„Neem me niet kwalijk dat ik zo laat ben, pa, maar we hebben een zieke koe en Gijs wilde eerst de komst van de veearts afwachten. Hij spant nu het paard uit en komt zo."

„Nou, je valt met je neus in de boter, Kee," sneert Barend, maar dat levert hem een vermaning van zijn vader op.

„Je moet niet meteen je stekels opzetten en je zuster even bij laten komen van de lange rit. Dat jij zo ongevoelig met de nagedachtenis van je moeder omgaat, hoef je je zuster niet meteen te vertellen."

„Waar heb je het over, Barend?" Kee schrikt van de vermaning van haar vader, maar ze wil wel graag weten wat haar broer bedoelt met zijn opmerking.

„Dit bedoel ik, Kee!" Barend wrijft duim en wijsvinger tegen elkaar.

„Geld? Ik zou alles willen geven als ik moe ermee terug zou kunnen krijgen." Kee haalt een zakdoekje uit haar beursje en droogt haar tranen.

„Ga nou eerst maar eens zitten en drink een kom koffie, meissie," zegt de boer zacht. De tranen van zijn dochter stemmen hem milder dan de harde woorden van zijn zoon. Toch beseft hij dat hij de houding van Barend aan zichzelf te wijten heeft. Bij hemzelf draaide tot dusverre ook alles om

213

geld en status. Ada heeft hem min of meer de ogen geopend door op haar sterfbed te pleiten voor het gedogen van de liefde tussen Koos en Tonnie. Ontevreden was zij over de eenzijdige liefde tussen Kee en Gijs en het aanstaande verstandshuwelijk tussen Barend en Trees. Met Kee kan hij over die gevoelens niet praten, maar wel kan hij haar uitleggen waar de laatste wens van haar moeder op neer komt en dat doet hij ook. „Je moeder wilde het zo, Kee, en wie ben ik dan om ertegen in te gaan."

„Maar moe heeft niet gesproken over geld en dus kun je Koos wel onterven als hij met Tonnie verder wil gaan," valt Barend hem in de rede. „Wat vind jij dan, Kee?"

„Je hebt wel gelijk, Barend, maar pa moet maar beslissen."

„En wij moeten dan maar goedvinden dat Koos ons familiekapitaal versnippert als pa hem niet onterft." Barend spant zijn kaken en dan weet Kees Vlieland dat hij kwaad is, maar weer beseft hij dat hij een koekje van eigen deeg krijgt voorgeschoteld.

„Ik herhaal, Barend, dat je wel gelijk hebt, maar met pa ben ik het eens dat de laatste wens van moe gerespecteerd moet worden en verdere beslissingen laat ik aan pa over. Moe is nog maar net dood en nu al over geld praten staat me, eerlijk gezegd, tegen." Kee bewijst hiermee over wat meer gevoel te beschikken dan haar oudste broer.

Die zondagmiddag heeft Tonnie geen zin om naar het dorpshuis te gaan. Het gesprek van die ochtend op de Sweykerhoeve heeft haar erg aangegrepen. Ze wil liever een poosje alleen zijn. Het notarishuis beschikt over een uitgebreide bibliotheek en zij heeft toestemming er boeken te halen als ze wil lezen. Daar maakt ze nu gebruik van en met een roman die de vrouw van de notaris haar aanbevolen heeft, zoekt ze een plaatsje op een van de banken in de grote tuin achter het notarishuis. Ze kan daar zowel van het mooie weer als van het boek genieten, maar als ze twee bladzijden gelezen heeft dwalen haar gedachten alweer af. Het dringt nauwelijks tot haar door wat ze leest en dus klapt ze het boek maar dicht. Ze leunt achterover en sluit haar ogen. Nu kan ze haar gedachten de vrije loop laten. 'Ik ben boer en ik blijf boer en jij wordt mijn lieve boerinnetje,' zei Koos en hij keek er zo gelukkig bij dat zij een brok in haar keel kreeg. Zij boerin! Ze kan het zich nauwelijks voorstellen. Boerin als vrouw van Koos. Maar dan is zij vrouw Vlieland. Ze moet even haar ogen openen en in haar handen knijpen om er zeker van te zijn dat ze niet droomt. Nee, ze droomt niet, maar ze zit in de fraaie tuin van de notaris en de boer heeft haar lieve jongen zelf verzekerd dat hij boer blijft. Om dat waar te kunnen maken zal hij moeten zorgen voor een hoeve met alles erop en eraan en als ze getrouwd zijn, dan is zij vrouw Vlieland. Dan draagt zij de naam van die lieve oude boerin die veel te vroeg gestorven is. Het zijn tranen van vreugde en verdriet die op het boek druppen.

Dat Gree Danker, de nieuwe meid van de Sweykerhoeve, niet veel fantasie heeft als het om koken gaat, ervaren de boer en zijn twee zoons die zondag weer eens. Tonnie wist op zondag altijd iets aparts te koken, maar nu is het steevast dezelfde boerenkost die op tafel komt. Niet dat de bewoners van de Sweykerhoeve om lekker eten zitten te springen, want zo kort na het overlijden van de boerin kauwen ze hun kost met lange tanden. Maar het is niet alleen het overlijden van de boerin dat de gemoederen bezighoudt. Barend duikt na het eten de bedstee in en verwaardigt zijn broer met geen blik. Gree is met de vaat bezig en Ka heeft vrij-af.

„Wat is er met Barend aan de hand, pa? Hij kijkt me nauwelijks aan en zegt boe noch ba."

„Je broer is aangeslagen door het gesprek dat ik vanmorgen met hem gehad heb. Hij was nogal onhebbelijk en hij neemt het jou kwalijk dat jij het familiekapitaal wilt versnipperen door met Tonnie te trouwen in plaats van met Aagd Volbers."

„Dat weet ik, want dat heeft hij me zelf ook al eens onder de neus gewreven."

„Goed, daar was je dus al van op de hoogte. Echt kwalijk

kan ik hem dat niet nemen, want wat hij zegt heb ik jullie ook altijd voorgehouden."

„Maar vanmorgen zei je dat ik boer zal blijven en daaruit leid ik af dat dat dan op een eigen hoeve zal zijn."

„Niet te snel tot conclusies komen, jongen. Je broer en zuster mogen er niet onder lijden dat jij een onbemiddeld meisje trouwt."

„Welke plannen hebt je dan met ons, pa?"

„Precies weet ik het nog niet, maar ik stel me voor dat ik een hoeve met vee en inventaris tracht over te nemen. De levende have en de inventaris vormen dan een voorschot op je erfdeel en de hoeve krijg je in pacht. Die hoeve blijft mijn eigendom en is later onderdeel van mijn erfenis, dus dan is de hoeve van je broer, van je zuster en van jou. Ieder is dan dus voor een derde deel eigenaar."

„Dat lijkt me redelijk, pa." Koos wil niet zeggen dat het meer is dan hij verwacht had, maar het is wel zo.

„Goed, dan zal ik vooraf alles bij de notaris laten vastleggen."

Werken, eten en slapen, op vrijdag naar de veemarkt en op zondag naar de kerk. Een regelmaat in het boerenland die door geen enkele gebeurtenis verstoord kan worden of het zou de natuur moeten zijn. Hevig onweer in de zomer of zware sneeuwval in de winter kunnen het dagelijkse leven ontwrichten. Toch is er geen of nauwelijks een ambacht te bedenken dat zo dicht bij de natuur staat als dat van boer. Als de natuur ontwaakt, ontwaakt ook de boer en als de kippen op stok gaan, kruipt ook de boer de bedstee in. Op de Sweykerhoeve is het niet veel anders. Wel wisselen hoogte- en dieptepunten elkaar af. De dood van de boerin is nog niet vergeten, maar de scherpe kantjes zijn van het verdriet af gesleten. De trouwerij van Barend Vlieland met Trees van Buinen bracht nagenoeg de hele dorpsbevolking op de been. De rijkste boerenzoon trouwde met de op een na rijkste boerendochter van het dorp en die gebeurtenis wilde niemand missen. Ook is er veel te doen geweest over de verkering tussen Koos Vlieland en Tonnie Pasman. De rijke boeren waren ontstemd en zij begrepen niet en begrijpen nog steeds niet hoe hun voorman, Kees Vlieland, dit kon toestaan. Van Barend worden ze ook niet veel wijzer, maar zij hebben wel begrepen dat deze hun mening deelt dat het onvergeeflijk is de dochter van een knecht in hun kring als gelijke toe te laten. Kees Vlieland zelf laat niets los. Het benne maain zake en daar heb niemand wat mee nôdig is zijn standpunt.

Aanvankelijk was het zijn bedoeling samen met zijn vrouw een huis in het dorp te betrekken als Barend het roer van hem zou overnemen, maar na het overlijden van zijn vrouw is hij gewoon op de hoeve gebleven. Barend is nu de baas, maar hij waakt er op de achtergrond voor dat Koos het slachtoffer wordt van zijn jaloezie, want dat zijn oudste zoon jaloers is ervaart hij elke zondag als Tonnie op de koffie komt. Trees en Tonnie kunnen goed met elkaar overweg en ook dat zint Barend maar matig.

Hoewel Barend jaloers is op zijn jongere broer dat deze binnen afzienbare tijd gaat trouwen met de mooie Tonnie, dringt hij toch op spoed aan. Iemand die voor hem werkt wil hij als knecht kunnen beschouwen, maar met vader op de achtergrond voelt Koos zich niet echt de knecht. Ten opzichte van vroeger is er immers nauwelijks iets veranderd. Tegen elke suggestie van wie dan ook vlug met zijn lieve Tonnie te trouwen, verzet Koos zich geenszins, integendeel, hij wil niets liever, de vraag is echter waar hij heen moet.

Maar dan wordt op een dag bekend dat Cors Langevelt van hoeve Deo Juvante wil stoppen. Hij is al oud, zijn twee dochters zijn getrouwd en zitten op grote hoeven en zijn vrouw Marie kwakkelt met haar gezondheid.

„Koos, haal jij Tonnie met de kapwagen en pik mij op de terugweg op, want ik wil samen met jullie naar Cors Langevelt. Zoals je weet is zijn spul te koop en na een gesprek met hem heb ik begrepen dat hij de hoeve met levende have en

217

inventaris aan mij wil verkopen. Het is een mooi spul en ik gun het jullie."

„Ik ben al weg, pa," reageert Koos enthousiast op de opdracht van zijn vader. Hij kent de hoeve Deo Juvante en hij weet ook dat de naam met Gods hulp betekent. Dat zal Tonnie aanspreken, want zij neemt haar geloof nog wat serieuzer dan dat hij het doet. Ze is dan ook even enthousiast als hij en, nadat ze de boer bij de Sweykerhoeve hebben opgehaald, gaat het in draf naar de hoeve van Cors en Marie Langevelt.

Daar worden ze hartelijk begroet door de boer en de boerin en wordt hun koffie gebracht door Neel Zoetbrood, de oude meid die al op de hoeve diende toen de kinderen nog geboren moesten worden. Na de koffie leidt Cors Langeveld het gezelschap rond en ze zijn het erover eens dat het een mooi spul is met gezond vee. Wel moet er hier en daar wat opgeknapt worden en een nieuwe schuur is ook nodig. Verder hebben de brik en de stortkarren hun beste tijd gehad.

„Ik wil de hele zaak overnemen zoals het nu is, Koos. Als je dingen wilt vernieuwen of vervangen, dan moet je dat zelf bekostigen. De notaris zal je het geld ervoor graag lenen. Ga je daarmee akkoord?"

„Niets liever dan dat, pa." Koos hoeft er niet over na te denken en Tonnie knikt al bij voorbaat. In gedachte ziet ze Koos en zichzelf al als boer en boerin op Deo Juvante en ze straalt van geluk.

Na het bezoek aan de hoeve worden de zaken voortvarend aangepakt. Met de notaris regelt de boer alles en Koos gaat samen met Tonnie naar meneer pastoor om hun trouwerij te regelen.

„Als jullie na je trouwen gaan boeren op Deo Juvante dan zal dat met Gods hulp wel lukken, jongelui," lacht de pastoor met een verwijzing naar de Latijnse naam van de hoeve. Weken later komt hij daarop ook terug in zijn preek als hij het bruidspaar toespreekt. Maar eerst is een volle kerk getuige van de huwelijksplechtigheid.

Behalve wat gekuch is het stil in de kerk als meneer pastoor het bruidspaar in de echt gaat verbinden.

„Jacobus Vlieland, wilt gij Antonia Pasman, hier tegenwoordig, nemen tot uw wettige huisvrouw, volgens het gebruik van onze Moeder de Heilige Kerk?" vraagt de pastoor. Dan antwoordt Koos luid en duidelijk: „Ja, ik wil." Op dezelfde vraag van meneer pastoor aan de bruid of zij Jacobus Vlieland tot haar wettige man wil nemen, krijgt hij ook een volmondig ja te horen. Daarna gaat de ceremonie door. Bruid en bruigom wordt verzocht elkaar de rechterhand te geven en meneer pastoor verenigt hen dan in de echt. Nadat de ringen met wijwater besprenkeld zijn volgt de uitwisseling ervan en ten slotte vraagt de pastoor de bevestiging van de Allerhoogste met de woorden: „Confirma hoc, Deus quod operatus es in nobis." Koos en Tonnie zijn man en vrouw.

Op uitdrukkelijk verzoek van Barend wordt de bruiloft niet op de Sweykerhoeve maar in de zaal achter het café van Mans Grootveld gehouden. Vader Kees Vlieland mopperde nog wel, maar, omdat Barend nu de baas is op Sweykerhoeve, moest hij zich wel gewonnen geven. Koos vindt het kinderachtig van zijn broer, maar zijn geluk is er niet minder om.

Na het feest gaan ze met de kapwagen van de hoeve naar Deo Juvante dat aangepast is aan de nieuwe bewoners. Het echtpaar Langevelt is naar een huisje in het dorp vertrokken en de oude meid is met hen meegegaan. Door haar vertrek is er plaats voor een nieuwe meid op Deo Juvante en die wordt vervuld door Ka Bredeveld. Zij heeft Tonnie gesmeekt haar de plaats van Neel Zoetbrood te geven en Tonnie heeft daarin toegestemd. Niet alleen Ka is haar daar dankbaar voor, maar ook haar moeder. Met tranen in haar ogen feliciteerde zij Tonnie met haar huwelijk en bedankte haar dat zij Ka bij zich genomen heeft. „Nou kan ik weer gerust slapen, Tonnie," zei ze, terwijl ze de hand van de bruid lang vasthield.

„Joh, laat me niet vallen!" lacht Tonnie als Koos haar, aangekomen bij hun hoeve, oppakt en over de drempel draagt. Eenmaal binnen slaat zij haar armen om haar bruidegom heen en kust hem zoals ze hem nooit eerder gekust heeft. Maar lang staan ze zo niet, want het is al laat en dus gaan ze naar bed. Op verzoek van Tonnie is er in een van de kamers een groot ledikant geplaatst, omdat zij een afkeer heeft van bedsteden.

„Zou je het lampje niet liever uitblazen, Koos?" vraagt Tonnie bescheiden. Ze is stapelgek op haar jongen en toch is ze tegelijkertijd wat schuchter. Maar Koos moet erom lachen. „Ik wil zien wat mijn vader me opgedrongen heeft," lacht-ie en dan geeft ook Tonnie zich gewonnen. In bed beantwoordt ze zijn vurige kussen en drukt ze zich stevig tegen hem aan.

Aan slapen denken ze voorlopig niet. De haren op zijn borst kriebelen aan haar oor en dan kruipt ze omhoog om haar mond weer om de zijne te klemmen. Tussen de kussen door fluisteren ze elkaar lieve woordjes toe en hebben ze elkaar lief. Als de wekker de volgende morgen afloopt, kunnen ze er eerst niet toe komen elkaar los te laten, maar het werk wacht en Ben Korthof, de knecht op Deo Juvante, zal hem, Koos, uitlachen als hij zich verslaapt. Na een laatste kus stapt Koos als eerste het bed uit en krijgt een tinteling van geluk als hij zich realiseert dat zij voortaan zo iedere nacht samen zullen zijn.

De eerste maanden na hun huwelijk genieten Koos en Tonnie met volle teugen van hun nieuw verworven geluk, maar dan blijkt plotseling dat het niet alles rozengeur en maneschijn is. Op een ochtend worden zij opgeschrikt door een bericht dat de nieuwe knecht van Barend hun brengt. Vader Kees Vlieland is getroffen door een beroerte en hun komst naar de Sweykerhoeve is dringend gewenst.

Nadat Koos Ben Korthof en Tonnie Ka Bredeveld instructies gegeven heeft, haasten zij zich naar de Sweykerhoeve. Koos heeft de jonge vos voor zijn tilbury gespannen en spoort het beest aan tot flinke draf. Hij heeft van de knecht begrepen dat de boer nog leefde toen hij vertrok, maar dat hij er slecht aan toe was.

Op de hoeve aangekomen lopen ze de dokter tegen het lijf en die schudt met een pijnlijk gezicht zijn hoofd.

„Zijn we te laat, dokter?" vraagt Koos met een angstig gezicht en als de grijze arts knikt, laat hij zijn tranen de vrije loop. Tonnie probeert hem te troosten, maar dat lukt maar half, omdat zij zelf ook helemaal van streek is. En dat blijft zij de eerste dagen na het overlijden van de boer ook. Ze had haar schoonvader, die zij met volle overtuiging vader noemde, nog zo graag wat langer getuige willen laten zijn van haar geluk met Koos. Helaas mocht dat niet zo zijn en dus zoeken zij steun bij elkaar.

Na de rouwdienst en de begrafenis hebben ze enkele dagen om wat op verhaal te komen, maar dan is de gang naar de notaris onvermijdelijk. Vooral Barend dringt aan op spoed. Nu vader dood is ziet hij zijn kans schoon zijn broer, die hij het geluk met de mooie Tonnie eigenlijk niet gunt, een hak te zetten. Onder het mom dat hij geld nodig heeft voor uitbreiding van het bedrijf, heeft hij inmiddels de notaris laten weten dat hij Deo Juvante wil verkopen.

„Als Deo Juvante verkocht moet worden en u wilt de hoeve kopen, dan zult u twee derde van de waarde aan uw broer en zuster moeten betalen, meneer Vlieland," zegt de notaris tegen Koos, die om uitleg vraagt.

Koos schrikt daarvan, want hij heeft er het geld niet voor. Voor de noodzakelijke vernieuwingen aan zijn hoeve en voor de aanschaf van een nieuwe brik en andere wagens en tuigen, heeft hij al een lening bij de notaris moeten afsluiten. Daar zou, bij verkoop van de hoeve, nog eens een lening voor twee derde van de waarde ervan bij komen. Dat kan hij nooit opbrengen!

„Als Deo Juvante verkocht moet worden, dan wil ik dat ook de Sweykerhoeve verkocht wordt, notaris," zegt Koos, maar de notaris schudt zijn hoofd.

„Dat kan mits uw broer en zuster daarmee akkoord gaan."

„Geen sprake van," zegt Barend en Kee schudt ook haar hoofd.

„Waarom Deo Juvante dan wel, notaris?" Koos begrijpt er niets van.

„Over die hoeve staat in dat opzicht niets beschreven, meneer Vlieland. Uw vader noch ik hebben aan de mogelijkheid van tussentijdse verkoop gedacht en zeker niet dat het initiatief daartoe van een van u uit zou kunnen gaan."

Het is wel duidelijk dat de notaris op het gemoed van vooral Barend Vlieland wil werken, maar alles botst af op de onwil van de jonge boer. Kee heeft nauwelijks een mening en doet wat Barend zegt en het vreemde is dat haar man Gijs haar daarin steunt. Waarom hij dat doet is noch Koos, noch Tonnie duidelijk. De reden waarom vooral Barend met het voorstel gekomen is, is Koos wel duidelijk.

„Ik heb mijn leven lang al met moeilijkheden en teleurstellingen geworsteld, Koos, dus ik ben wel wat gewend. Deo Juvante wil je niet afstaan, dus laadt je lening op lening en daarmee komen we zwaar te zitten. Maar kunnen we daar dan geen oplossing voor vinden?"

„Welke oplossing, schatje? Op dit moment brengt de hoeve net niet voldoende op om de rente en aflossing te betalen en dan nog geld over te houden voor alle normale uitgaven, zoals voer, de veearts en de kosten voor onszelf."

„Voor onszelf hoeven we niet veel te kopen, jongen. Spit de tuin om dan hebben we eigen groenten en aardappelen en als we helemaal klem komen te zitten dan weet ik nog wel wat anders."

„Wat dan?"

„Als je niks bezit dan verzin je van alles, Koos. Ik heb nooit iets bezeten en toch heb ik het gered. Toen opoe gestorven was en ik met opa alleen achterbleef, was het armoe troef. Toen namen wij een commensaal en daardoor lukte het ons ons hoofd boven water te houden."

„Wat wil je daarmee zeggen, schatje?"

„Ik wil niet dat ons geluk door dat stomme geld wordt beïnvloed en dus zoek ik naar oplossingen. Anton Degenaar, onze vroegere commensaal en klerk bij de notaris, heeft het in zijn kosthuis niet naar zijn zin. Hier hebben wij ruimte in overvloed. Waarom vragen wij hem niet hier te komen? Hij betaalt een flink bedrag aan kost en inwoning en voor ons staan daar kleine uitgaven tegenover."

Het gesprek tussen Tonnie en Koos over een commensaal krijgt een positief vervolg. Nog geen twee weken later heeft Anton Degenaar zich in een grote kamer in het zomerhuis geïnstalleerd en hij is er dolgelukkig mee. Huiselijk verkeer wil hij niet, want hij wil een pas getrouwd stel niet in de weg zitten. Tonnie protesteert, maar Anton houdt voet bij stuk. Wel helpt hij Koos met raad en daad, want hij heeft verstand van financiële zaken.

Het geld van de commensaal, zijn deskundige adviezen en de goede gang van zaken op de hoeve verbeteren de financiële positie van Koos aanzienlijk.

Een jaar lang blijft Anton op de hoeve, maar dan vertrouwt hij Tonnie op een dag toe dat hij kennis gekregen heeft aan een lieve vrouw van zijn eigen leeftijd. Zij heet Geerte en is de weduwe van Joost van Dongen, die bij leven ambtenaar bij de gemeente was. Zij heeft een eigen huis en hij kan zo bij haar in trouwen. Zowel Tonnie als Koos zeggen hem dat het hun spijt dat hij niet langer blijft, maar ze wensen hem wel veel geluk.

Als Anton Degenaar met zijn Geerte trouwt, zijn voor Koos en Tonnie de grootste problemen achter de rug. Zij kunnen met vertrouwen de toekomst tegemoet zien, maar aan hun geluk ontbreekt nog iets: een kindje. Tonnie maakt zich zorgen en ze gaat naar dokter Van Laarhoven om hem te vragen of haar miskraam van destijds betekent dat zij geen kinderen zal kunnen krijgen, maar de dokter stelt haar gerust. En het blijkt dat de dokter gelijk heeft, want op een ochtend voelt zij zich niet goed en moet ze overgeven. Dat herhaalt zich enkele ochtenden achter elkaar en dan gaat ze vol goede moed terug naar de grijze arts. Deze keer huilt ze niet, maar krijgt zij een kleur van geluk als de arts haar vermoeden bevestigt.

Koos is de koning te rijk als hij het goede nieuws hoort en van die dag af omringt hij zijn lieve vrouwtje met de grootst mogelijke zorg. Hij geeft Ka zelfs instructies ervoor te waken dat Tonnie zwaar werk doet en Ka belooft het hem plechtig. Zij zegt wel dag en nacht te willen werken om Tonnie te sparen, maar Koos lacht dat dat nou ook weer niet nodig is. Als Tonnie het hoort is ze ontroerd en dan leven ze met hun drieën naar de komst van het kindje toe.

Op een dag voelt Tonnie leven en dan grijpt ze vlug de hand van Koos om die op haar buik te leggen en dan springen bij Koos de tranen in zijn ogen en sluit hij Tonnie innig, maar voorzichtig in zijn armen.

In de laatste week van juli is het warm en Tonnie zoekt, met haar handen gedrukt in haar lenden, verkoeling in de boomgaard. 's Avonds voelt ze de eerste lichte weeën en Koos haast zich dan naar de vroedvrouw. Die komt nog maar juist op tijd. Koos wordt op een afstand gehouden en Ka moet de vroedvrouw helpen. „Ik zal je wel roepen als het zover is," zegt de vroedvrouw, de nieuwbakken aanstaande vader glimlachend aankijkend. Zenuwachtige mannen kan ze bij haar werk niet gebruiken, maar als de kraamvrouw een meisje van zes pond gebaard heeft, roept ze Koos.

„Gefeliciteerd met je prachtige dochter, Koos," zegt ze en dan laat ze de jonge ouders even alleen met de baby.

„Onze Ada, Koos," zegt Tonnie met een gelukzalige lach om haar mond. Bleek, maar dolgelukkig ligt ze met haar dochtertje in haar armen in het grote ledikant. Koos kan bijna geen woord uitbrengen van ontroering, maar Tonnie legt hem het kindje in zijn armen en zegt: „Door ons kindje Ada te noemen hebben we ook aan de allerlaatste wens van de boerin, je moeder, voldaan, Koos."